인성 교육학

이것이 인성이다 人性

인성 교육학 이것이 인성이다

초판 1쇄 발행 2016년 7월 17일

지 은 이   최익용
발 행 인   권선복
편집주간   김정웅
편   집   권보송
디 자 인   최새롬
전 자 책   천훈민
인   쇄   천일문화사

발 행 처   도서출판 행복에너지
출판등록   제315-2013-000001호
주   소   (07679) 서울특별시 강서구 화곡로 232
전   화   0505-613-6133
팩   스   0303-0799-1560
홈페이지   www.happybook.or.kr
이 메 일   ksbdata@daum.net

값 25,000원
ISBN 979-11-5602-389-0 03370

Copyright ⓒ 최익용, 2016

도서출판 행복에너지는 독자 여러분의 아이디어와 원고 투고를 기다립니다. 책으로 만들기를 원하는 콘텐츠가 있으신 분은 이메일이나 홈페이지를 통해 간단한 기획서와 기획의도, 연락처 등을 보내주십시오. 행복에너지의 문은 언제나 활짝 열려 있습니다.

인성 교육학

이것이 인성이다 人性

최익용 지음

바른 사람 길러내는 인재양성 지침서

도서
출판 행복에너지

대한민국은 일찍이 동방의 햇불이었습니다. 무엇이든 녹여낼 수 있는 정겨운 인성과 따뜻한 예의의 나라입니다. 우리 민족은 홍익인간弘益人間의 공동체정신이 민족정서로 내려와 정情이라는 인간의 밝은 정신의 DNA가 면면히 흐르는 대한국인大韓國人입니다.

그러나 최근 대한민국이 몰라보게 변하고 있습니다. 물질적으로 기적을 이루었다고 칭송하는 데 반해 정신적으로는 우리 스스로가 놀랄 정도로 충격과 우려의 시대에 살고 있습니다. 동방예의지국의 인성대국이 무너져 동방불예지국東方不禮之國으로 가고 있어, 한강의 기적에 비유되는 경제발전에도 불구하고 정작 행복해하는 사람들이 그리 많지 않다는 사실입니다.

근간 우리의 겉모습은 더욱이 좋아졌으나 인성환경은 점차 열악해져 배려와 양보의 아름다운 인성은 사라져가고, 독선과 독단으로 이기주의적 인성이 홍익인간 정신을 훼손하여 '불만을 넘어선 원한, 좌절을 넘어선 포기, 피로를 넘어선 탈진' 등으로 살얼음판이 되어가고 있는 게 우리의 현실입니다. 거기다 인습화된 감성적 충동성이 겹쳐 이대로 가면 인성실종으로 미래세대에 재앙이 되어 대한민국은 몰락

할 것 같은 위기감을 느끼고 있습니다. 인성이 바닥을 드러내면서 세계에서 최초로 인성교육진흥법을 제정하여 국민적 기대가 큽니다.

　인간의 삶이란 시작과 끝이 〈사람과 사람〉입니다. 일찍이 대문호 카프카는 "인생은 상봉相逢"이라고 했는데, '나'와 '너'와 '그'와의 관계를 소중히 바라본 혜안의 인성人性입니다. 우리들이 희구하는 행복이란 〈관계 밖〉에 있는 것이 아니라 〈관계 안〉에 있다는 의미입니다. 인간심리를 연구한 정신과학자들의 화두話頭는 사람과 사람의 관계입니다. '프로이트'에서 '아들러' 그리고 '빅터 프랭클'에 이르기까지 그들의 공통관심은 〈인간관계〉의 소중함입니다.

　얼마 전 하버드 대학에서 세계 최고의 CEO를 상대한 성공요인 조사 결과 첫 번째가 〈인간관계〉였습니다. 사람을 사랑하며, 보듬어 주며, 인정해 주는 인간성이 곧 〈인성〉입니다. 사람의 가치를 부정하거나 외면하는 일은 〈반인성〉에서 기인합니다. 인성은 인간으로서의 삶과 행복한 생활을 만들어 줄 뿐만 아니라, 역사와 나라를 지키고 초일류 선진통일강국으로 나아가는 길입니다. 우리는 인성선진국, 인성대국이 되어야 일류선진국이 될 수 있습니다.

　이와 같이 인성이 중요함에도 불구하고 우리 사회 곳곳에서 인성이 붕괴, 실종되는 것을 목격하면서, 대한민국이 위기危機라는 것을 체감하고 고민은 깊어갔습니다. 〈국가인성 바로 세우기, 국민인성 바로 세우기〉를 통해 동방예의지국으로 반드시 돌아가지 않으면 우리나라는 국가위기를 치유할 수 없을 뿐만 아니라, 미래 희망이 사라진

다는 결론에 이르렀습니다. 오랜 시간 고민한 끝에 오늘날 대한민국
이 겪고 있는 인성문제에 관한 해법은 우리 실정에 맞는 '한국형 인성
교육학'의 원형을 찾아내 국민교육열의에 부합된 교육모델을 발굴하
여 인성교육을 강화하는 것이라고 생각했습니다.

　그래서 여러 면에서 부족한 필자가 감히 '무너지는 인성, 잃어가는
인성'을 회복하려는 간절한 소망과 절규하는 마음으로 "이것이 인성
이다."라는 화두를 던지고 매진하였습니다. 필자는 2년 전에 한민족
의 위대한 홍익인성 DNA가 국민을 행복하게 만들고 인류의 인성문화
를 꽃피우는 역할을 할 것이라는 확신이 있어 홍익인간의 원리를 기
둥 삼아 역사사랑, 나라사랑 정신을 품고 혼魂을 다해 『대한민국 5천
년 역사리더십을 말한다』라는 책을 엮어낸 적이 있습니다.

　오랜 군 생활(35년)에서 체득한 애국정신과 평생을 주경야독한 불
광불급不狂不及의 열정과 더불어 대학에서 10여 년간 3천 7백여 명의
학생들을 상대로 강의하며 나눈 교학상장敎學相長의 교감이 '한국형
인성교육학'을 향한 대장정大長程에 큰 힘이 되어 학생들에게 깊은 고
마움을 전합니다.

　필자는 감히 부족함을 무릅쓰고 국내 최초로 '한국형 인성교육학'
을 펴낼 수 있도록 이끌어 주시고 채찍과 고언을 아끼지 않으신 많은
분들께 감사를 올립니다. 대한민국의 〈인성회복〉을 염원하는 이 시
대의 많은 국민들과 필자의 간절한 기원이 이루어지도록 독자 여러
분들의 질책과 사랑을 기대합니다.

끝으로 여러분들의 성심 어린 진지한 도움은 말할 수 없이 필자에게 큰 힘이 되어 왔습니다. 어려운 고비마다 영혼을 이끌어주신 보광사 주지 현중 스님과 충호연합회 명예회장 임재문 님, 강승기 목사님과 이헌국·강창기 장로님, 김형준 신부님과 윤양호, 우춘근 교우님께 깊은 감사를 올립니다.

그리고 지도 및 감수해주신 서울대 한경구 교수님, 여주대 배성주 교수님, 칼럼니스트 김선필 님, 한국정보문화연구원장 이대인 님, 전 행자부 1급 홍춘의 님, 한국청년문화복지 유재호 님께 또한 감사를 올리며 항상 성원해주신 경희대 전 총장 김병묵 님, 국민대 남윤삼 교수님, 세종대 김영식·변창흠 교수님, 전 국방부 정훈보도관 원만희 님, 세종행정연구회, 신뢰회복국민연합, 청목회, 정우회 등의 회장님과 회원들은 물론, 여러 학교와 군의 선후배 및 동료 여러분들의 적극적인 지원에 감사를 표합니다. 또한 원고를 깔끔하게 마무리해 준 행복에너지 권선복 대표님과 김정웅 편집주간님께도 감사를 표합니다. 마지막으로 평생 필자가 가는 길을 사랑의 힘으로 응원해 준 내 인생 최고의 도반道伴, 아내 박해분 및 가족들과 함께 출간의 의미를 나누고자 합니다. 감사합니다.

2016년 여름 녹음이 짙어지는 날
북한산 아랫자락 서재에서
항산恒山 최익용

5천 년 역사의 지혜에서 끌어올린
'한국형 인성교육해법'

대한민국은 세계 최초로 인성교육을 법으로 의무화한 나라가 되었다. 이 특이한 법의 등장은 '동방예의지국東方禮儀之國'이라 불릴 만큼 예禮와 공경의 문화로 존경받던 우리에겐 위기를 알리는 신호이기도 하다.

어떻게 하면 가슴 따뜻하고 인정이 넘쳐나는 동방의 찬란한 빛의 나라로 돌아갈 수 있을까? 필자는 그 답을 '한국형 인성교육학'을 통해 찾고자 한다.

우리에게는 세계 어느 나라보다도 훌륭한 역사와 문화 그리고 환경과 조건이 갖추어져 있다. 우리는 한국 혼魂과 다이내믹Dynamic한 민족성으로 21세기의 신화를 창조했다는 점은 세계 어느 누구도 부인하지 못할 것이다. 그 결과 세계 최빈국에서 세계 10위권의 경제대국이자 세계 6위의 수출대국으로 성장했다.

일제강점기 35년과 6·25 한국전쟁의 폐허 속에서 한강의 기적을 이룬 대한민국은 2009년 경제협력개발기구OECD 개발원조위원회DAC 의 24번째 회원국으로 가입하면서 '원조 수혜국'에서 '원조 공여국'이 된 세계 최초의 사례가 되기도 하였다.

대한민국은 지난 반세기 동안 남북한 분단이라는 열악한 조건에서도 전 세계가 깜짝 놀랄 만큼 경제의 고도 압축성장을 일구어냈다. 그러는 동안 국민들은 지나친 경쟁에 내몰렸고, 우리 청소년들도 예외가 아니었다. 새벽부터 늦은 밤까지 공부와 씨름하며 보내는 그들에겐 건전한 인생관과 원만한 대인관계 등 인성을 함양할 겨를이 없었다. 주입식 암기수업과 오직 개인의 이익과 권리를 추구해온 에고이즘egoism은 지나친 경쟁과 출세지향주의에 함몰된 결과 삶의 기본이 되는 인성과 예禮의 상실을 불러왔다.

또한 물질과 출세가 최고의 선善으로 치부되어 합리적 사고를 상실하는 사회적 병리현상을 초래하여 비정상적 행동이 일상에 만연했다고 볼 수 있다. 이들의 정신적 방황은 자아정체성의 혼란과 함께 많은 부분에서 사회부적응 문제를 가중시키고 있다. 세계적으로 높은 자살률, 불법 성매매, 이혼율 등도 이러한 현상과 무관하지 않다.

우리는 민주화와 산업화를 이룩해낸 위대한 국민들로서 자랑스러워할 자격이 충분한 데 반해, 인성이나 도덕성에서는 심각한 자가당

착에 빠져 있다. 5천 년 유구한 배달겨레의 홍익정신, 화랑호국정신, 선비정신에 이어 지난 5백 년 유교 중심의 드높은 도덕과 논리를 바탕으로 한 청백리淸白吏정신을 자랑해온 민족이다. 해방 이후 우리나라는 세계가 공인하는 종교다원화 국가(50개 종교, 500여 개 교단)로 성장해왔을 뿐만 아니라 교육의 보급률과 향학열은 세계 어느 선진국들을 능가해온 것도 사실이다.

그런데 이러한 모든 여건들을 갖추었음에도 불구하고 국민인성國民人性은 땅에 떨어져 있을 정도며, 사회윤리는 걷잡을 수 없이 타락상을 드러내고 있다. 이러한 국가·사회적 질환이 치유되지 못한다면 국가파국의 위기를 맞이할 것을 우려하는 목소리가 고조되면서 인성교육진흥법이 제정된 것은 여간 다행스러운 일이 아닐 수 없다.

이제 우리 모두는 각자의 마음속에 도사리고 있는 부끄러운 인성, 즉 속물근성을 버려야 한다. 내 욕심만 채우면 그뿐이라는 식으로 나에게 도움이 된다면 다른 사람의 사정은 돌보지 않는 출세주의·이기주의·물질주의의 노예로 살아가는 삶으로부터 벗어나야 한다.

인성이 무너지면 개인도 조직도 국가도 무너질 수밖에 없다. 우리는 후세에 어떤 인성을 물려줘야 할 것인가를 스스로 자문해 볼 때다.

예수도 "돼지에게 진주를 맡기는 어리석은 일을 하지 말라." 하며 "세상에서 가장 추한 것은 인성이 타락한 사람"이라 한 바 있다.

과거 우리는 온 국민이 하나가 되어 "잘살아보세!"를 외치며 보릿고개를 넘어 경제적으로는 풍족하게 성장했으나, 인성교육을 제대로 함양하지 못한 업보業報를 낳았다.

2015년 흥사단에서 전국 초·중·고등학생 1만 1,000명을 대상으로 〈2015년 청소년 정직지수〉 조사결과를 발표했다.

"고교생의 56%는 '10억 원이 생긴다면 죄를 짓고 1년 정도 교도소에 가도 괜찮다.'고 응답했다. 같은 대답을 한 초등학생은 17%, 중학생은 39%였다. 이웃의 어려움과 관계없이 나만 잘살면 된다는 데 고등학생 45%가 동의했다."

이 결과를 볼 때, 학생들마저 물질만능주의에 빠져 인성이 붕괴되고 있는 심각한 실정으로 국가 사회적 문제를 야기하고 있다.

2016년 6월 조선일보에서 20~60대 100명을 대상으로 설문조사한 결과를 발표하였다.

61명이 범행을 목격해도 돕지 않고 외면하는 것이 안전하다고 생각한다고 답했다. 그 이유로는 '나도 위험에 빠질까 봐'란 응답이 47.6%(29명)로 가장 많았다. '가해자로 몰리거나 경찰조사로 귀찮아질까 봐'라는 응답도 36.7%(25명)이었다.

어른들도 피해자를 방관하는 실정이다. 독일 등 EU의 일부 국가에서는 방관하면 3개월~5년의 구류 또는 징역에 처하는 '착한 사마리아인 법'(위험한 유대인을 적국 사마리아인이 구출)을 시행하고 있는 데 반해 시민의식도 범죄 외면문화가 확산되고 있어 더욱 문제가·되고 있다.

또한 5천 년 긴 역사에서 지금과 같이 부정부패가 심각한 전례가 없다. 대통령 측근, 총리, 정치가, 재력가, ○피아 등 노블레스 오블리주 실종현상이 이토록 국가와 국민을 능멸한 적이 있었던가!

더욱이 정치가, 공직자 등 일부 지도층의 패거리가 야합하여 생긴 조직적인 부정부패로써 민족혼을 더럽힌 죄업罪業은 정말 통탄스러운 일로 인성망국이 우려되는 실정이다.

이 지경에까지 이르게 된 것은 그동안 너무나도 무책임하게 양심을 저버리고 이기주의를 비롯한 노블레스 오블리주의 실종으로 인한 당연한 결과였다. 국민들이 기대하는 도덕성, 정의, 신뢰를 저버려 인성이 무너지고 자라나는 젊은이들 인성의 새싹마저 싹둑 자르는 최악의 행태를 보이고 있다. 국가발전과 국민행복에 역행하는 반국가적인 나쁜 인성무리와 군상들은 하루빨리 역사의 무대에서 사라져야 할 때가 되었다. 동서고금의 역사를 볼 때 인성이 개인은 물론 모든 조직, 국가, 인류의 흥망성쇠를 좌우한다는 교훈을 결코 잊어서는 안 될 것이다.

한국인은 '우리'라는 공감과 공동체 이불을 더불어 덮고 살며 인성과 사랑을 나누고 있다. 다른 나라에서는 소속된 국가와 민족을 말할 때 '우리'라는 호칭을 쓰지 않는다. 우리 국민만이 우리를 소중히 하는 이른바 '우리주의'를 가지고 있다.

우리는 더욱더 나보다는 우리 집, 우리 회사, 우리나라, 우리 인류를 위하는 인성으로 모두가 공동선과 공동체 정신으로 무장해야 할 것이다. 특히 정치인들은 위민爲民, 여민與民, 애민愛民의 인성으로 혼신을 다해야만 자신도 잘 살고 나라도 잘 살게된다.

나를 위한 저축이 가정을 살찌우고, 더 나아가 사회와 국가를 위한 저축이 되듯이, 모든 사람들은 나의 인성이 우리 가정 → 사회 → 국가 → 세계 인류를 위한 인성으로 발전한다는 사실을 명심하고, 비인성적·비인간적·비도덕적인 국가사회의 모든 문제는 적극적인 인성교육으로 해결되어야 할 것이다.

우리가 바라는 인성교육의 결실은 우리 국가 그리고 사회가 정의롭고 행복하게 인간다운 삶을 성취하게 하는 것이다.

우리는 급변하는 세계와 지역정세 속에서 나라의 안보와 경제의 지속적인 성장을 확보하기 위해 인성교육을 국가 제1의 정책으로 국운을 걸고 적극 추진해야 할 것이다. 동방예의지국의 나라로 반드시 돌아가, 초일류 통일 선진강국을 이룩하여 인류평화와 발전에 기여하는 자랑스러운 대한국인大韓國人이 되어야 한다.

인성이란

1부

人性
인성이란
무엇인가

무엇인가

제1장

인성에 대한
전반적인 이해

1

인성의 의미

인성의 본질

예로부터 성현聖賢들이 남긴 가르침은 지금까지 우리에게 많은 교훈을 주며 세상을 지혜롭게 살아갈 수 있는 지침이 되어왔다. 우리의 선조들은 성현들의 가르침을 배우며 마음속에 각인하고 실천하는 삶의 모습들을 보여주었다.

만약 성현들이 우리에게 착한 행동과 마음의 인성을 가르쳐주지 않았다면 사람들은 지금까지 탐·진·치[탐욕심貪欲心·진에심瞋恚心·우치심愚癡心]에 사로잡혀 파탄이 나고 어두운 마음으로 살아왔을 것이다.

만약 인간이 탐·진·치에 사로잡혀 평생토록 서로 다투고 욕심을 채우기 위해서만 급급했다면 자신은 물론 가정과 이 세상 모두가 전쟁터로 변하여 인류는 종말을 고告했을지도 모른다. 아라비아 속담에 "탐욕은 행복을 만날 수 없다."라고 한다. 인간은 꾸준히 공부하여 악한 본성은 극복하고, 선한 본성은 더욱 키워서 바른 인성으로 성장하고 살아야 행복할 수 있다.

우리는 성현들의 큰 뜻과 말씀의 의미를 순자의 '청출어람靑出於藍'에서 배울 수 있다. 청출어람('푸른색은 쪽[藍]에서 나왔지만 쪽빛보다 더 푸르다'라는 뜻으로, 제자가 스승보다 더 나음을 비유)에서 말한 쪽풀은 평범한 사람을 뜻한다. 푸른 물감이란 쪽풀을 숙성시키듯이 누구나 열심히 공부하면 악惡한 사람에서 선善한 사람으로 변할 수 있다는 진리를 말한다. 그래서 성현, 군자, 스승의 가르침에 따라 만들어진 도덕과 윤리, 예절과 법도, 규칙 등 인성학을 잘 배우고 실천하면 누구나 바르고 지혜로운 인성의 소유자가 될 수 있다는 논리이다.

무엇보다 우리는 성인들의 말씀을 실천토록 노력하는 사람이 되어야 한다. 우리 국민의 학력은 최고 수준급인 데 비해 사회성·협력성의 인성은 세계 하위수준으로서 인성교육을 제대로 하여 이를 실천하도록 해야 한다.

아리스토텔레스의 "인간은 사회적 동물이다."라는 말의 의미는 인간은 끊임없이 타인과 관계를 맺어가며 사는 존재라는 뜻이다. 인간은 혼자서 살아갈 수 없어 사회를 이루고 2만여 가지의 관계 속에 더불어 살아간다는 뜻이기도 하다.

공동체의 질서를 유지하기 위해서는 지켜야 할 도리나 바람직한 행동기준이 필요한데, 사람들이 도덕·법 등의 규범을 만들어놓고 이를 지키는 본질이 바른 인성이다. 좋은 인성은 좋은 공동체를 유지토록 하여 인간다운 삶과 행복을 창조하는 데 반해, 나쁜 인성은 자신은 물론 이웃과 국가 등 공동체에 악영향을 끼친다.

인간은 세상에 태어나서 세상에 발을 붙이고, 다른 사람과 함께 어울려 정을 붙이면서 삶의 기쁨을 누려왔다. 인간의 내면에는 깊은 심연深淵이 자리하고, 심연의 중심에는 인성이 자리 잡고 있다. 인성은 인간의 선과 악 그리고 행복과 불행의 원천이다. 인간의 궁극적인 인생목표는 개개인의 잠재적인 능력을 깨우고 내면의 인간성을 키워 인간답게 남을 도우면서 행복한 삶을 누리는 것이다. 인간관계를 통해 나를 알고 다른 사람을 알고 세상을 이해하며 행복하게 사는 것이다. 결과적으로는 바른 인성이 개인의 행복한 삶은 물론 공동체의 정의와 상생을 이뤄내는 것이라 할 수 있다.

인간은 우주에서 가장 아름다운 지구에 운 좋게 태어난 나그네, 순례자, 여행자라 할 수 있다. 무릇 이 천지는 만물이 와서 잠시 머무르는 여인숙과 같은 것이다. 우주라는 말뜻은 본래 그리스어로 코스모스Cosmos이며 보편적 조직이란 의미이다. 이른바 우주는 한 커다란 덩어리가 전체적으로 조직한 시간과 공간을 융합한 세계라고 말할 수 있다. 우리는 이 땅에서 영원히 사는 것이 아니라 인성의 배를 타고 100여 년의 유한한 생生을 살다가 떠나야 할 때가 되면 조용히 간다.

인간으로 산다는 것은 저마다의 인성의 길을 가는 것이다. 어떤 이는 바른 인성의 길을 가고, 어떤 이는 나쁜 인성의 길을 간다. 어떤 이는 지혜로운 인성의 길을 가고, 어떤 이는 참담한 인성의 길을 간다. 인간은 각자 고유한 인성에 따라 흥망성쇠와 행복, 불행의 인생길을 간다.

생生은 인성의 결실을 위한 노력의 과정으로, 산다는 것은 그 결실의 열매를 따는 것이다. 작은 씨앗에서 뿌리가 돋고, 줄기가 뻗치고, 꽃이 피어 마침내 열매가 열리는 자연의 섭리와 조화는 오묘_{奧妙}하고 아름답기 그지없다. 자연의 이치가 그러하듯 『도덕경』의 23장에서는 자연의 길을 관찰하고 그들과 조화롭게 사는 삶을 택하라고 가르친다.[1]

　자연 안에서는 결코 고집부리거나 주장하거나 혹은 강요할 필요가 없다. 만물은 영원 안에서 창조되지만 태어나는 순간 벌써 자신이 태어난 곳으로 되돌아가는 여정에 들어선다. 노자는 이 단순한 원칙에 따라 살면 자연과 조화를 이룰 것이라고 말한다.

　인생이라는 결실은 저절로 획득되는 것이 아니다. 삶의 결정체요, 피땀 어린 노력의 결과물인 것이다. 산다는 것은 인생의 씨앗을 틔우고, 열매를 키우고, 가꾸고, 거두는 것이다. 우리는 인성의 나무에서 풍성한 수확을 일궈야 한다.

인간은 누구나 자신을 정확하게 파악하고 인성의 열매를 얻는 데 어려움을 겪는다. 그래서 '나는 누구일까?', '나는 어디서 왔는가?', '나는 왜 사는가?' 등 자신의 인성과 자아정체성_{Ego-identity}에 대해 진지하게 생각하고 고민하는 순간들을 겪게 된다.

인간이 신_神과 자연의 불가사의한 섭리를 깨닫기는 힘들어도, 인간에게는 소중한 생명, 소중한 삶을 누구나 살뜰히 보듬어 즐겁고 행복한 인생을 위해 정진해야 할 의무와 책임 그리고 권리가 있다. 그저 바람 부는 대로 물결치는 대로 아무런 방향도 주관도 없이 떠밀려서 살아서는 안 된다. 되는 대로 사는 인생은 대자연·대우주의 섭리 속에 태어난

---

1 웨인 다이어, 『서양이 동양에게 삶을 묻다』, 신종윤 옮김, (나무생각·2010), p.169

인생으로서 죄악罪惡이며, 철학과 신념이 없는 허수아비 같은 인간이 된다.

유교사상Confucian Ideals은 인간의 본성, 즉 바른 인성을 찾으면 어지러운 세상에서 벗어나 인간답게 살 수 있다고 하여 성리학·신유학에서의 인간의 본성은 우주의 이치와 같으니 자연의 이치에 맞게 살아야 한다고 말한다.

『월든』의 저자 헨리 데이비드 소로는 다음과 같이 말한다.

> 아침바람은 영원토록 불고, 창조의 시는 중단되는 일이 없건만 그 것을 알아듣는 이는 드물다. 즉 자연이 인간존재의 뿌리라는 이러한 깨달음은 사회적 실천의 투철함으로 이어질 수밖에 없다. 인간을 포함해 자연을 구성하는 존재들 사이의 상호의존성과 공생관계에 대한 섬세한 인식은 곧 겸손과 배려와 공생의 깨달음이기 때문이다.

루소는 "자연으로 돌아가라."라고 말했듯이, 소로는 월든 숲 속 호숫 가에 살며 자연과 함께하였다. 물본·물질주의에 찌든 현대인에게 절실히 필요한 건 인간이 아니라 자연일 것이다. 우리가 갈구하는 인성의 본질과 인생의 목표는 자연과 신의 섭리에 순응하고 바른 인성으로 인간다운 삶을 실천하여 행복하게 사는 것이다.

그러므로 바른 인성을 위해 신과 자연의 섭리에서 인성함양의 기회를 찾아야 한다. 자연과 인간의 조화의 철학이 곧 인성의 본질일 것이다. 독일의 천재적인 철학자 니체는 다음과 같이 말한다.[2]

---

2 알란 페르시 지음, 『니체에게 길을 묻다』, 이용철 역, (21세기북스·2012), p.19

우리는 자연과 유리遊離된 채 살아간다. 과도한 업무와 도시의 정글 속에서 씨름하며 살아간다. 때문에 우리는 지속적으로 자연과 접촉해야 한다. 잠시 자연으로 탈출하는 것이 온갖 약을 잔뜩 먹는 것보다 훨씬 효과적이다. 자연이 우리를 존재의 중심으로 이끌어가도록 내버려 두는 것으로 충분하며 그곳에는 고요함의 원천이 우리를 기다리고 있다.

숲속의 물과 바람은 물론 새소리, 벌레소리, 바람소리, 물소리가 조화를 이루어 더욱 환상적인 교향곡을 함께 연주한다. 최근에는 숲이 가진 심신치유적 측면이 주목받고 있다. 숲이 피톤치드, 음이온, 소리 등 몸과 마음을 정화淨化시키는 요소들을 두루 함유하고 있는 것으로 밝혀지고 있기 때문이다.

"하늘은 아버지이고, 땅은 어머니이며, 발과 뿌리를 가진 모든 생명체는 그의 자식이다."라는 말이 있듯이, 세상의 모든 생명체는 홀로 살수 없어 형제처럼 서로 상부상조하며 살아간다. 나무·메뚜기·사자·새처럼 식물·곤충·동물이 먹고 먹히면서 상생하며 살아간다.

또한 사람도 생태계 안에서 다른 생명체들과 더불어 살아간다. 결국 우리는 자연의 아들딸로 태어나서 자연의 품에 안겨 살다가 한 줌의 흙이 되어 자연 속에 묻히게 된다.

이대인은 『대한국인 기로 승부하다』에서 다음과 같이 말한다.[3]

흔히 인체는 자연의 축소판으로 소우주라고도 불린다. 인체를 소

----

3 이대인, 『대한국인 기로 승부하다』, (밝은미래·2001), p.19

우주라고 볼 수 있는 가장 중요한 이유는 우주자연과 인체의 본질이 상통한다는 점이다. 지구에 5대양 6대주가 있듯이 사람의 몸에도 5장과 6부가 있다. 이는 인체가 우주의 모습을 본받아서 형체를 이루었기 때문이라는 사실을 뒷받침한다. 인간과 자연, 인간과 우주는 조화로운 삶의 문화를 조성해야 인간은 존속이 가능하고 행복할 수 있는 존재이다.

이 세상은 티끌 같은 먼지 속에 전 우주가 들어있다는 화엄경의 '일미진중함시방—微塵中含十方'의 논리와 맞아떨어진다. 즉 한 인간이 곧 우주임을 말하는 이론인 것이다.

살펴보건대, 세상의 삼라만상은 우주 중심이 아닌 것이 없듯이 모두가 그물망처럼 연결되어 서로 의지하며 살아가는 것이다. 인간과 인간, 인간과 자연, 인간과 우주 간의 조화로운 삶의 인성문화를 조성해야 인간은 존속이 가능하고 행복할 수 있게 된다. 이러한 자연의 순리는 인간의 건전한 성격을 형성하고 풍성한 정서를 순화하며 올바른 가치관을 형성하는 데 결정적인 영향을 미친다.

인간관계도 자연과 마찬가지로 그물망처럼 얽혀 있기 때문에 인간은 자연에 대한 성찰과 배움이 요구된다.

인성의 가치와 인간다운 삶

인성이 무엇인지 밝게 아는 사람은 많지 않은 듯하다. 많은 성현들이 기원전부터 성선설, 성악설 등 사람의 인성에 대해 부단히 연구해왔지만 딱히 알기 어렵기는 마찬가지다.

그러나 동서고금을 막론하고 성현들은 한결같이, 인간답게 날로 새롭게 살아야 한다며 인성의 중요성을 역설하였다.

공자는 "이 세상 모든 것의 근본은 사람이다(이인위본以人爲本)."라고 논어[4]에서 강조했다. 이를 해의解義하면 이 세상 모든 것 중 사람이 가장 중요하고 사람(인성)이 본질이라는 뜻이다. 현대인은 자연과 우주의 섭리를 바탕으로 철학적 인성을 이해하고 자연과 더불어 살아가야 인간다운 인간으로 행복한 삶을 살 수 있다.

서양의 대표적 철학자 소크라테스는 '네 자신을 알라'는 말을 남겼다. 이 말은 자신을 아는 것(지기知己)이 매우 중요하지만 쉽지 않다는 의미이다. 자신의 인성을 자각하고, 나의 설 자리가 어디고, 나의 할 일이 무엇이고, 나의 나아갈 길이 무엇이고, 나의 능력과 천분이 무엇인지를 알고, 자기의 형편과 처지에 맞게 바른 인성으로 살아가자는 것이다. 자신의 인성을 제대로 알지 못하는 데서 오판이 생기고, 그러다 보니 잘못된 행동을 저지르고 허세와 허욕을 부리게 된다.

좋은 인성을 갖추지 못한 인간은 미련하고 불완전한 미완성품으로서

----

4 『논어』는 공자의 말을 직접 담아놓은 책으로서 동양 유학사상의 가장 근본이 되는 사상이 담겨 있으며, 유학자들에게 있어서는 경전과 같이 신성시되던 책이다.

조잡한 대리석이요, 다듬어지지 않은 재목과 같다. 이 대리석을 쓸모 있게 만들고 훌륭한 기둥으로 만들려면 갈고 자르고 다듬고 손질하는 절차탁마切磋琢磨의 인성교육이 필요하다.

인간의 삶의 과정이란 인격수양, 정신연마, 자아도야 등 수신과 성찰의 연속이어야 한다. 구슬도 닦아야 빛이 나고, 무쇠가 강철이 되려면 용광로에서 여러 번 연마를 거쳐야 하지 않던가.

우리의 마음속에서는 선한 인성과 악한 인성, 용감한 인성과 비겁한 인성, 성실한 인성과 불성실한 인성 등 수많은 인성의 양상들이 자신의 내면에서 끊임없는 싸움을 계속한다. 내가 나하고 싸워 나를 이겨야(극기: 克己) 한다. 자아를 부단히 단련시키고, 인격을 끊임없이 연마해 바른 인성을 형성해야 한다.

바른 인성이 자기발전의 기초이며 행복을 잉태孕胎할지니, 인성철학이 명확하게 서 있어야 행복을 추구할 수 있다는 이야기다. 그렇지 않은 이들은 다른 사람들이 달려갈 때 자기는 우두커니 멈춰 갈 길을 잃고 헤매는 셈이 되는 것이다.

또한 인성은 인생관, 가치관과 직결되어 '내가 무엇을 위해 살아가는가?'라는 물음에 대한 자기 나름대로의 답을 내는 토대가 된다. 우리는 우리 스스로가 바라고 원하는 삶이 무엇인지에 대한 지속적인 물음의 답을 얻기 위해서 살아가는 것인지도 모른다. 자기만의 답을 가지고 있는 사람은 바른 인성의 가치관과 인생관을 가지고 있는 것이다. 그 답이 없으면 삶에 있어 수많은 부분이 흔들리게 되는 것이다.

따라서 바른 인성의 삶을 실현하기 위해서는 어진 인성, 지혜로운 인성, 대승적인 인성 등의 좋은 인성으로 승화시켜야 한다. 나쁜 인성, 탐욕적 인성, 사악한 인성으로 되는 대로 살다 보면 덧없이 살다 가는 공허하고 허망한 인생이 된다. 인생은 건강한 육체와 건전한 정신이 갖추어진 가운데 사적인 인생Private Life, 공적인 인생Public Life 그리고 내면적인 인생Deep Inner Life 모두가 영향을 미쳐 결국 인생항로를 결정케 하는 것이다.

살펴보건대, 우리나라 일부 청소년, 대학생, 직장인들은 주체의식이 결여되어 자기 인생목표가 없거나 있더라도 자의 반 타의 반으로 세워진 것에 불과한가 하면, 남들이 잘되어가는 과정을 그저 선망의 눈으로 바라본다. 주체적인 삶의 결여로 인생무대 안에서 주연이 아닌 조연으로 살아가는 사람들이 너무나 많다. 물질만능·쾌락 추구·권력 추구 등으로 인한 정신의 황폐화는 인간다운 인간으로서의 참된 삶을 상실케 한다.

지천명知天命(50세)을 넘긴 사람들이 자기 인생을 뒤돌아보며 "내 인생길이 이것이 아닌데….''라며 탄식하는 경우도 적지 않게 볼 수 있다. 애당초 본인이 원하던 길로 첫걸음을 선택하지 못한 것이 원통도 하고, 고교 및 대학 재학 시 공부에 소홀한 것이 크게 후회된다. 또한 30~40대 때 힘들다는 이유로 공부를 놓고 중요한 일을 포기했던 것도 한이 되고, 본인의 의사와는 상관없이 타의에 의해 좌절된 일들도 돌이킬 수 없는 후회가 될 것이다. 인성철학 부재로 인해 인생목표가 제대로 정립定立되지 않는다면 허망할 것이다.

나만의 인생 명작을 그리자

1993년 UN은 '세계 원주민의 해'를 지정하고 세계 각국에 원주민문화의 보존에 관심을 가져줄 것을 당부했다. 이와 같이 UN이 인디언 원주민문화에 관심을 갖는 것은 동정심의 발로가 아니라, 북미 인디언의 철학과 사상에서 인간이 자연 속에서 어떻게 조화롭게 살 수 있는지 보여주고 있기 때문이다.

오늘날 많은 사람들은 치열한 무한경쟁 속에서의 고독과 재능, 적성에 맞지 않는 일로부터 피로와 무력감에 시달리며 살아간다. 정체성 측면에서 보면 '죽은 이'와 다름이 없다. 종교든, 직업이든, 정치든 자아의 인성철학에 따라서 자기답게 사는 길을 찾아내야만 '살아 있는' 일상을 살아갈 수 있다 하겠다.

건전한 사람이라면 누구나 나쁜 인성을 버리고 바른 인성 함양을 위한 노력을 하려고 하지만, 그것이 좀처럼 뜻대로 되지 않는 이유는 수신修身과 성찰省察의 실천 의지가 결여되어 마음의 변화가 잘되지 않는 탓이고, 마음의 변화가 있었다고 해도 근본적으로 인성의 변화를 가져오기에는 모자란 탓이다.

스위스의 철학자 아미엘이 남긴 『일기』에 유명한 말이 나온다.

마음이 변하면, 태도가 변한다.
태도가 변하면, 습관이 변한다.
습관이 변하면, 인격이 변한다.
인격이 변하면, 인생(인성)이 변한다.

이처럼 인성이란 건전한 육체 속에 있는 마음에서 시작되는 것이고, 먼저 마음이 변해야만 인성이 변하게 되므로 "수신, 학습, 지혜"(5·6부 참조)의 인성교육철학을 통해 바른 마음의 생활을 해야 바른 인성의 삶을 영위할 수 있다.

중국의 4서5경四書五經 중 4서의 하나인『대학大學』에는 인성과 관련하여 중요시해야 하는 3가지(3강령: 三綱領)가 제시되어 있다. 즉, ① 대학지도 大學之道는 재명명덕在明明德(개인적으로 타고난 밝은 덕을 밝히는 것) 하고, ② 재신(친)민在新(親)民(백성을 새롭게 (친하게) 함) 하며, ③ 재지어지선在止於至善(지극히 착함에 머무름) 하는 것이라 한다. 즉 인성을 모두 갖춘다는 의미이다.

부처님의 자비, 예수님의 사랑, 공자의 인仁은 일맥상통하는 가르침이다. 참된 '나'의 내면에만 인성의 길과 진리가 있다. 그래서 천국과 지옥에 대한 이야기는 수없이 많은데 모두가 인성의 선, 악에서 나오는 이야기다.

천국에서는 숟가락이 너무 길어 먹을 수 없는 상황이 되어도 서로의 입에 넣어주어 행복해지지만, 지옥에서는 저만 먹겠다고 안간힘을 쓰기에 모두가 굶주린다.

인성의 근본적인 본질을 재미있게 풍자한 말이다.

대부분의 사람들이 스스로에게 던지는 질문 중에 '나는 누구일까?'라는 것이 인성철학의 기본 질문이자 주제이기도 하다. 어쩌면 인생은 자신 인성의 참모습을 찾아가는 과정이며, 하루하루는 나의 위치를 오롯이 세워가는 인성의 과정일지도 모른다. 스스로 현재의 인성을 정확하게 이해하고 파악할 줄 안다는 것은 스스로 수신하고 성찰하여 새로운 방향과 위치를 잡아갈 수 있게 하는 인성의 방향키를 잡게 된다는 것이다. 그래서 필자는 "인성이 운명이다."라는 철학적 화두話頭를 잡고 실천적인 삶을 살아야 한다고 생각한다.

김경탁은 『김경탁 선생의 생성철학』에서 다음과 같이 말한다.[5]

> 우리 인류는 시간상에서 수명을 말하면 100년 안팎에 지나지 않는다. 공간상으로 말하면 신체는 5~6척 안팎에 지나지 않는다. 그러나 인류는 단지 자연생성물만이 아니다. 또한 살면서 역사성과 사회성을 띠고 있다. 그러므로 역사적인 것을 말해 한 개인은 개성과 민족성 및 인류성이 연결되고 사회적으로 말해 한 개인은 가정·국가 및 세계와 서로 관계를 가지고 있다 그러므로 한 개인은 가족과 민족 그리고 세계인류와 함께 살아[共存]가고 함께 번영해야 한다.

21세기 인간의 공존공영은 결코 유토피아에 불과한 것이 아니다. 인류의 정의와 공동선의 철학과 정신이 두루 성숙한 예의의 나라, 인성지국에서는 국민 스스로 실천해가는 인성문화가 살아있다. 현대 물질만능주의의 풍토 속에서 나날이 늘어가고 있는 인성붕괴와 인성실종의 자화상을 다시 돌이켜봐야 할 것이다.

최근의 OECD 설문조사에 따르면 한국인은 많은 사람들과 인간관계를 유지하면서도 외국인에 비해 '어려울 때 의존할 사람이 없다'고 한다. 이것이야말로 인성, 인간성人間性, 인성철학의 부재현상이 심화되고

---

5 한국공자학회 편, 『김경탁 선생의 생성철학』, (한울·2007), pp.273~274

있는 현상이니, 사회의 위기의식이 확산될 만도 한 것이다.

그렇다면 어떻게 살아가는 것이 올바른 인성으로 사람답게 사는 것인가. 지난날들을 수시로 되돌아보고 엉클어진 실타래와 같은 자기 마음을 한 올 한 올 풀어가듯 올바른 인성철학의 길을 찾아가는 것이 그 시발점일 것이다. 즉, 수신과 성찰(제13장 참조)의 삶을 통해 학습으로 깨닫고 실천하여 나만의 인성으로 나만의 인생 명작을 그리는 것이다.

살펴보건대, 이 세상 근본이 인성으로서 국가, 지역사회, 직장, 가정, 개인적인 일부터 전全 인류적 문제에 이르기까지 상당한 난제가 수두룩하다. 이를 해결할 궁극적인 해결책은 조화 및 상생(제15장 참조)의 홍익인간 사상의 인성철학을 토대로 '인성이 운명이다'라는 화두를 풀어야 한다.

그래서 필자는 '인성이 운명運命이다'라고 화두로 제시(ISSUE 생각 넓히기⟨1⟩ 참조)한다. 세상에서 가장 특별하고 위대한 것은 자신 안에서 자신만이 발견할 수 있다. 나만이 그릴 수 있는 나만의 고유한 인생 명작을 그리자.

이 책은 처음부터 끝까지 인성철학을 토대로 바른 인성을 키워 인간다움의 기초를 다질 수 있게 해줄 것이며 더 나아가 가정, 사회, 국가 그리고 인류세계의 평화를 위한 근본방향을 제시할 것이다.

인성의 기본개념

인성에 대한 개념은 사람의 품성과 품격을 의미한다. 사람의 품성은 정신의 초석이 되며 지적인 요소, 정의적 요소, 환경적 요소가 융합되어 작용함으로써 고유한 형상을 가지게 된다. 품격은 사람됨의 모습, 즉 사람다움의 일정한 가치에 도달한 내면의 표상인 것이다.

인성의 어원은 고대 희랍시대 에트루리아Etruria의 어릿광대들이 쓰던 가면을 뜻하는 라틴어 '페르소나Persona'에서 유래하였다. Persona는 남이 보는 나의 얼굴을 뜻하며, 심리학자 칼 구스타브 융에 따르면 Persona가 있기 때문에 각 개인은 사회에서 주어진 자신의 역할을 수행할 수 있는 것이고, 역할수행의 과정에서 주변세계와 상호관계를 맺을 수 있다고 했다. 이 Persona가 이후에 영어인 퍼스낼리티Personality가 되었는데, Personality는 심리학 분야에서 주로 성격이라 하고, 정신의학 분야에서는 인격이라 하며, 교육학 분야에서는 인성이라고 번역하여 사용되고 있다.

인성은 영어의 'Personality'를 번역한 것으로 보통 '성격'과 '인격'을 포괄하는 넓은 의미로 전달되었다. 또한 기질이나 인격이라는 단어와 혼용되기도 한다. 인성에 대한 개념적 정의는 학자들마다 다양하게 제시되어 "개인의 독특한 행동적 습관의 형성, 각 개인의 생활장면에 적응을 특정 짓는 행동, 한 개인의 특성들의 독특한 패턴, 한 개인의 현재적 상황을 지각하는 독특한 체제" 등 여러 개념이 있다.

인성은 특정하여 정의하기 어려운 개념이다. 인성은 다양한 외연적 구조로 형성되어 있다. 인성의 외연적 구조란 인성이 단일한 개념이 아니라 인간존재와 행위방식의 다차원성과 관련되어 있음을 내포한다. 인성은 광의적으로는 인간존재의 방식에 따라 인격, 성격, 도덕 그리고 사회화의 복합적 의미를 내포하고 있다. 다양하고 복합적인 인성의 개념들을 하나로 통합하는 일은 어려운 일이다.

우리는 평소 대화 시 인성의 중요성에 대하여 자주 논한다. 예컨대 "인간이 되어라, 인간성이 좋다, 사람이라고 다 사람이냐, 인간답게 행동하고 인간답게 살아가야 한다."라는 등의 이야기를 많이 한다. 그래서 필자는 인성의 개념을 사람의 품격과 인간성을 융합한 것이라고 생각한다. 즉, 제 한 몸뚱이 건사하는 것을 넘어서서, 사람[人]-사이[間]를 잘 운영하는 일이 참된 '인간성, 사람 짓'이라는 뜻이다.

인성은 사회과학 전반에 걸친 대단히 포괄적이고 모호한 개념인 까닭에 그 용어를 사용하는 사람에 따라 개인의 특성과 행위 등 인간의 관계성과 설득, 집단의 인간관계, 목표성취의 도구, 인간 상호작용의 효과와 같이 다양하게 이해될 뿐만 아니라 인격, 성격, 적성, 자질 등과 같은 용어들과 혼용되어 쓰이기도 한다.

그럼에도 불구하고 다양한 인성에 대한 개념에서 공통점을 추론推論해낼 수는 있다. 우리 인간이 지향하고 성취해야 하는 인간다운 면모, 성질, 자질, 품성이라는 의미가 '인성' 안에 부분적 또는 전체적으로 내포되어 있기 때문이다.

인성의 정의

인성은 논자論者에 따라 의미가 다양한바, 주요 논자의 정의를 살펴 보자.

다음과 같은 인성에 대한 다양한 주장은 성현과 학자들의 다양한 관 심을 보여주기에 부족함이 없다.

구분	주요 내용
사전적 정의	• '사람의 품성'이며, 품성은 성격과 품격을 의미하고 성격은 마음의 바탕 이며 품격은 사람 된 모습을 뜻한다. 즉 인성은 인간이 살아가는 공동 체 삶 속에서 개인의 욕구를 스스로를 다스리고, 이와 더불어 다른 사 람과의 관계에서 바르고 옳은 행동을 통해 원만한 인간관계를 유지하 는 것이다. • 인성은 일반적으로 성격과 같은 의미로 사용된다. 『교육학 용어사전』 (서울대학교 교육연구소, 1995)에 의하면 성격은 사람의 지속적인 동 기의 경향이나 비교적 오랫동안 계속되는 행동성향의 조직 내지 집합 이다.
주요 학자	• 서양의 학자들은 인성을 행동방식이나 인격형성의 과정으로 파악하는 경향이 강하다. • 우드워스(Woodworth)와 대실(Dashiell)은 인성을 개인의 전체적인 행 동의 질이라고 하여, 개인이 어느 한 행동에서 보이는 특별한 속성이 아니라 일관되게 보이는 행동방식으로 파악하였다. • 올포트(Gorden W. Allport)는 인격을 형성하는 요소로 사람마다 갖고 있는 특성과 환경, 문화 및 행위의 스타일에 관심을 가졌다. 인성이 무 엇인가에 대한 정의는 인간을 어떻게 이해하는가 하는 문제와 무관하 지 않다. • 프로이트(Sigmund Freud)는 인간을 의식의 영역 밖에 존재하는 비합 리적이고 통제할 수 없는 무의식적 본능의 지배를 받는 존재로 보았다. • 미국의 심리학자 에릭슨(Erik H. Erikson)은 사람들의 내면적 자아와 그 들이 외부에서 받는 사회적 정의(Social Definition)를 일체화했다. • 남궁달화는 '마음의 바탕'과 '사람됨'이라는 두 가지 요소로 구성되어 있다고 보고, 다시 마음은 지(知), 정(情), 의(意)의 세 요소로 정의했다.

○ 로크John Locke는 어떤 사람이 자신의 욕구와 기분을 억제하고 이성의 명령을 따르는 것

○ 리코나Lickona는 도덕적으로 선을 인식하고 또한 선을 바라며 행하는 것

○ 아들러Adler는 인간이 주변 환경에 적응하고 주변 환경에 자신의 행동을 적용해나가는 심리적이고 신체적인 조직

○ 공자孔子는 인간이 하늘에서 부여받은 인성은 누구나 다 유사한 것인데 그 성장환경, 즉 습성에 의해서 선악의 차이가 생김

○ 맹자孟子는 성선설로서 본래 가지고 있는 인간의 내면적 가치에 주목할 것을 강조하여 호연지기를 기르라고 주장

○ 순자荀子는 성악설로서 악한 본성을 가진 인간을 후천적인 노력에 의해 선한 자질을 가진 인간으로 변화시킬 것을 강조

○ 한국의 주요 학자들은 사람으로서의 품격이며, 한 개인이 가지고 있는 가치관이며, 그 가치관의 기저를 이루고 있는 도덕성의 수준을 지칭했다.

종합적 관점으로 프리처드Pritchard는 인성이란 개인이 사회에 적응하는 과정에서 개인적으로는 자아를 실현하며, 사회적으로는 더불어 살기 위해 도덕적이고 친사회적인 가치를 추구하는 사회적 본성을 지닌 개인 특성이라며 다음과 같이 정의했다.

첫째, 인성이란 한 개인이 지니는 특성, 즉 특징적인 반응양식 내지는 행동양식으로, 흔히 인격 혹은 성격, 성품과 함께 사용된다. 여기에서 성품은 사람의 성질과 품격을 의미하는 것으로 성질은 마음

의 바탕이고 품격은 사람의 '됨됨이'이다. 인성이란 곧 한 사람의 마음의 바탕과 사람됨을 가리키는 말이다.

둘째, 인성은 개인의 특징적인 사고, 감정, 행동을 결정하는 심리적 체계로서 개인 내부에 존재하는 역동적인 구조라고 할 수 있으며 인간성, 인간의 본성, 인간의 본질과 같은 의미로 해석할 수 있다.

셋째, 인성이란 선천적 기질(선천성)과 성장하면서 형성되는 후천적 환경요인과 성숙, 경험, 지식, 교육에 의해 형성되는 자질과 품격의 총체라 말할 수 있다.

인성의 정의에 대한 핵심은 인간성 상호작용이 포함된 하나의 집단 현상이라는 가정을 공통분모로서 지니고 있다. 그러나 사랑이 그러하듯 인성도 인간 내면에 그 길이 존재한다는 것은 누구나 알고 있지만, 그것이 정확하게 무엇인지는 아무도 명쾌하게 정의하지 못하고 있다.

인성은 인간다운 삶을 지향하기 위하여 성취하고 도달해야 할 인간의 자질과 품격이라고 정의할 수 있다.

위에서 언급한 인성의 정의들은 인간의 하드웨어hardware인 육체의 건강(질병이 없는 상태)과 소프트웨어software인 정신의 건강하에서 가능하다는 것을 재론할 필요는 없을 것이다.

2

'성선설 VS 성악설'의 인성

인생을 살아가는 인간은 생로병사의 과정 속에서 정의와 평화를 추구하여 자아실현을 위해 정진하면서도, 때로는 싸우고 시기·질투하고 착각과 환상에 사로잡혀 탐욕을 불태운다. 이런 모든 것이 성선, 성악의 인성에서 온다고 한다. 큰마음의 인성을 가진 사람은 아름다운 인간관계의 세상을 이야기하고, 나쁜 마음의 인성을 가진 사람은 나쁜 세상을 이야기한다. 따라서 인간은 자연과 우주의 생명 질서 속에 살아가면서 성선설과 성악설은 그 욕구를 실현하는 매혹적인 통로 또는 수단이 되었을 것이다.

인간은 누구나 각자의 욕구들을 충족하면서 살아가거니와, 일반적으로 그 욕구가 충족되는 것을 좋아하고 그렇지 못함을 못마땅하게 여긴다.

이와 같은 심리는 욕구충족欲求充足과 관련된 사물과 행동에까지 확대되어 욕구충족에 도움을 주거나 이롭게 하는 것을 좋게 평가하여 이를 '선善'이라 하고, 욕구충족에 이롭지 못하거나 방해가 되는 것을 나쁘게 평가하여 '악惡'이라고 한다. 즉 개인의 욕구충족과 관련된 호오好惡의 심리상태로부터 선악의 평가적 태도를 취하게 되는 것이다.

논의를 진행하기에 앞서 인성(인간의 본성)에 대한 보수주의, 진보주의, 급진주의의 관점을 살펴보자.[6]

첫째, 보수주의는 인간을 근본적으로 이기적이라고 보며, 통제될 필요가 있다고 본다.

둘째, 진보주의는 인간은 근본적으로 선하며, 선한 자극Impulse을 강화하는 구조가 필요하다고 본다.

셋째, 급진주의는 인간은 근본적으로 선하나 제도에 의해 부패Corruption될 수도 있다고 본다.

인간이 태어난 이후 끊임없는 연구가 이루어졌지만 성선설과 성악설에 대해 단정적인 정답은 확정되지 못한 채 논쟁이 지속되고 있으며 앞으로 또한 그럴 것이다.

인성을 이해하기 위해서는 사람의 본질을 이해해야 한다. 인간은 선한 존재인가, 악한 존재인가 아니면 중간적 존재인가. 동서양의 종교와 사상가 그리고 인간의 DNA에서 인성을 해석해보자.

----

6 Philip R. Popple and Leslie Leighninger, 『Social Work, Social Welfare and American Society(Boston: Allyn and Bacon · 2002)』, p.16

종교적으로 본 성선설과 성악설

불교	기독교	유교	이슬람교
중립적	성악설	성선설	성선설

불경에서는 삼법인三法印으로 성선설에 가까운 설명을 한다. 이때 제행무상諸行無常과 제법무아諸法無我라는 개념이 사용된다.

'제행무상'이라는 것은 이 세상의 모든 것들은 변한다는 의미이고 '제법무아'라는 것은 '고정불변하는 실체라는 것은 이 세상에 없다는 것'이다.

기독교에서는 원죄설에 따라 죄 씻음을 의미하는 '세례'를 유아들에게도 실시하는 전통을 가지고 있다. 아담이 지은 원죄로 인간은 태어나면서부터 신의 뜻을 위반한 죄성을 가진 성악적 피조물이다. 온전히 하느님만을 의지할 수밖에 없는 총체적 의존성을 가진 인간은 어릴 때부터 평생 인성을 갈고닦아야만 인간다운 삶을 살 수 있고, 하느님의 뜻에 어긋나지 않아야 구원을 받을 수 있는 길이 생긴다고 한다.

공자는 선악의 차별에 초점을 두지 않고 습성에 의하여 인성의 차이가 생김을 강조하며 기본 생활습관의 중요성을 역설하였다. 성상근야性相近也 습상원야習相遠也로서 인성은 서로 비슷하지만 학습에 의해 그 발현의 양상이 달라진다는 것으로 인성교육의 중요성을 내포하고 있어 인仁을 실현하는 사람을 이상적인 인간상으로 보았다.

이슬람교 이념의 첫 번째가 평화이고 그 다음이 형제애인 것은 바로 이 성선설을 바탕으로 하는 것이다. 선지자 무함마드의 언행록인 『하디스』에서는 '선행은 신앙의 반'이라고 기록하며 선한 인성을 바탕으로 선행을 실천토록 강조하고 있다.

대표적인 사상가들의 주장

구분	한국	동양	서양
성선설	이황, 이이	맹자, 왕양명	루소, 단테
성악설	–	순자, 법가	마키아벨리, 성 어거스틴, 토마스 홉스
성무선악설	–	고자	존 로크, 파스칼

한국 및 동서양의 철학자들은 인간의 본성을 어떻게 이해했는지 살펴보자.

먼저, 조선시대의 위대한 학자 퇴계 이황과 율곡 이이는 사단칠정론이 성性과 정情의 개념을 서로 달리하고, 또 서로 다른 이理·기氣의 개념에 사단四端과 칠정七情을 분속分屬시켰는 바, 두 사람의 주장은 성선설로 다음과 같다.

이황은 탁월한 성리학자이면서도 우리나라 학자 중 최초로 감성의 중요성을 논하여 "사단은 '이'가 발현한 것이고 칠정은 '기'가 발현한 것"이라고 보았다. 이러한 퇴계의 심성론은 한마디로 감성적인 욕구와 합리적인 이성이 균형을 이루는 데 있다. 또한 이이李珥는 기발이승일도氣發理乘一途(기(氣)가 작용을 하고 이(理)가 그 위에 올라타는 한 길밖에 없다는 주장)의 기본 전제에서 사단과 칠정은 모두 기가 발發하는 것이라 하고 또 칠정이 사단을 포함한다고 설명했다.

인간이 자연적인 감정인 칠정에 머물지 않고 본성을 되찾는 것이 인성을 회복하는 길이다.

우리나라 성리학자들도 인간이 타고난 감정이 선하거나 악할 수 있기에 어릴 때부터 감정을 다스리는 교육이 중요하다고 했다. 예컨대 빗

자루로 마당을 쓸고 어른들을 공손하게 대하는 쇄소응대灑掃應對를 바탕으로 기초적인 생활습관을 통해 감정을 이해하고 다스리는 성선설의 방법을 스스로 터득할 수 있다고 강조했다.

맹자의 사단론은 성선설로서 사단의 주요 내용은 다음과 같다.

· 측은지심惻隱之心: 불쌍히 여기는 마음, 자비로운 마음

· 수오지심羞惡之心: 자신의 불의不義를 부끄러워하는 마음

· 사양지심辭讓之心: 남을 먼저 생각하고 양보하는 마음

· 시비지심是非之心: 옳고 그름을 가릴 줄 아는 마음

위의 사단과 결부되어 나오는 칠정론七情論은 예기禮記(오경의 하나)에 나오는 것으로 인간의 본성이 사물을 접하면서 표현되는 인간의 자연적인 감정을 말한다. 즉 인간의 자연적인 기쁨喜·노여움怒·슬픔哀·두려움懼·사랑愛·미움惡·욕망慾을 가리킨다.

천웨이핑[7]은 "성性은 인간의 자연천성을 의미하고 습習은 교육이나 학습 등으로 형성된 인간의 습관을 의미한다."라고 하였다. 인간의 자연적 천성은 비슷하나 교육이나 학습 등으로 형성된 습관의 차이 때문에 도덕성으로부터의 거리가 달라진다는 의미다.

한편, 순자의 성악설은 욕망을 기초로 형성되어 있다. 인간의 선은 후천적인 노력에 의한 것으로 교육을 통한 교화를 강조하며 지행일치知行一致를 강조하였다.

그러나 인간의 본성은 아무리 선해도 그대로 방치하면 점차 악으로 변할 우려가 있다. 이를 막으려면 끊임없이 인격을 수양해야 할 것이다.

----

7 천웨이핑, 『공자 평전』, 신창호 역, (미다스북스·2002), p.192

또한 고자告子는 성무선악설性無善惡說을 주장, "인간의 품성은 선하지도 악하지도 않다."라고 말한다.

여기서, 서양에서는 인간의 본성을 어떻게 이해했는지 살펴보자.

존 로크는 성무선악설을 주장하여 "인간의 마음은 백지와 같다."라고 말한다.[8]

> 인간은 완전히 자유로운 상태일 때 자신이 믿는 바를 따르고, 자신의 행동을 다스리며, 자신의 재산을 지키고, 자신이 어떻게 하고 싶은지를 결정할 수 있다. 그런 사람이 따르는 규칙은 누군가가 결정한 것이 아니라 '자연 상태'의 법률, 즉 '자연법'이다.

성 어거스틴은 성악설을 주장하고 인간의 원죄에 대해 말한다.[9]

> 그는 원죄에 대해 확신을 가지고 있었다. 만일 아담과 이브가 죄를 저지르지 않았다면 우리들이 고통을 받지 않을 수 있었을 것이다. 그들의 죄는 하나님이 각 존재들에게 서열과 가치를 부여하여 창조한 세계를 존중하지 아니한 마음의 실패이다. 아담과 이브가 하나님이 금한 선악과善惡果를 따 먹은 죄의 원인은 자기중심의 마음이었다.

마키아벨리는 "군주에게 도덕성은 필요 없으며 도덕적으로 거동하는

---

8 후쿠하라 마사히로, 『하버드의 생각수업』, 김정환 옮김, (메가북스·2014), p.73
9 현승일, 『사회사상사』, (오래·2011), p.246

것이 민중 조작에 효과가 있다면 그런 체나 하라.'라고 말하고 있다. 그래서 그의 『군주론』을 피도 눈물도 없는 잔인한 권모술수權謀術數를 가르치는 책으로 보고, 그의 주장하는 바를 마키아벨리즘이라고 부르기도 한다. 마키아벨리의 성악설 주장은 르네상스의 정치사상이 중세를 지배해온 기독교 윤리로부터는 멀리 떠나 있음을 보여준다. 르네상스 시대에 이태리인들의 일반적인 생각은 기독교를 그렇게 오랫동안 믿어왔지만 인간의 본질은 좀처럼 변하지가 않으며, 인간은 본질적으로 제가 살기 위해서는 도덕이나 양심 따위는 당장이라도 내동댕이칠 수 있는 존재라는 것이었다.

이와 반대로 성선설을 제기한 사람은 18세기의 철학자 루소였다. 그는 인간은 태어날 적부터 선하며 악한 면은 인간의 본성에 존재하지 않고 외부세계에 있다고 봤다. 인간의 마음에는 본래부터 악한 면이 존재하지 않으며, 어디에서부터 비롯되었는지, 어떻게 생겼는지를 설명할 수 없는 악은 하나도 없다고 주장한다. 따라서 인간은 태어날 때부터 선하며 다만 악한 면은 세상의 제도로부터 비롯된다면서 인간의 어두운 면을 보지 않고 밝은 면에 중점을 두었다고 할 수 있다.[10]

그런데 필자는 인간에겐 선과 악의 두 가지 본성이 공존하며 완전한 선도 완전한 악도 없다고 판단, 성무선악설을 선호하는 셈이다. 파스칼이 "인간은 천사와 악마의 중간자中間者"라고 갈파했듯이 인성교육을 통해 인간 안에 도사린 악의 근원을 제거하고 선의 근원을 살려 동방예의지국의 본모습을 찾아야겠다.

----

10 상게서, p.361

인간의 DNA(유전인자)에서 엿보는 성악설

지금까지 종교적으로 본 성선설과 성악설 및 대표적인 사상가들의 성선설과 성악설들을 살펴보았는데, 여기서는 인간의 DNA에서 보는 성악설을 논하고자 한다.

리처드 도킨스는 다음과 같이 말한다.[11]

인간을 포함한 모든 생명체는 자신의 유전자를 후세에 남기려는 이기적인 행동을 수행하는 존재라고 주장한다. 생태학자들은 특히 인간은 그런 목적을 위해 자연생태를 파괴하고 다른 종족을 공격하기까지 하는 배타적 본성을 가진 존재라고 말한다. 공멸할 수 있다는 사실을 알면서도 '치킨게임'을 즐기는 젊은이들처럼 브레이크 없이 마주 보고 달리는 북핵 관련 국가들의 모습에서 호모 사피엔스(슬기로운 사람)의 전혀 슬기롭지 않은 '이기적 유전자'를 발견하게 된다.

이와 같이 인간의 유전자DNA는 성악설을 주장하는 사람들의 이론을 뒷받침하는 사실이 일부 밝혀지고 있다.

독일어에는 '샤덴프로이데Schadenfreude'라는 단어가 있다. 손해를 뜻하는 '샤덴Schaden'과 기쁨이라는 뜻을 담은 '프로이데Freude'를 합성한 이 단어는 다른 사람(지인)의 불행에서 느끼는 기쁨을 표현한다.

일본 교토대 의학대학원 다카하시 히데히코 교수팀은 샤덴프로이데

---

11 리처드 도킨스, 『이기적 유전자』, 홍영남 역, (을유문화사·2010)

가 생기는 동안 뇌에서 어떤 일이 일어나는지 실험을 통해 직접 확인하고, 그 결과를 2009년 2월 〈사이언스〉에 발표해 반향反響을 불러일으켰다.

연구팀은 실험 참가자(19명)가 이들의 이야기를 따라가는 동안 뇌에서 나타나는 반응을 기능성자기공명영상fMRI 장치로 촬영해 분석했다. 그 결과, 놀랍게도 강한 질투를 느끼는 사람에게 불행이 닥쳤을 때 우리 뇌는 기쁨을 느낀다는 사실을 알 수 있었다.

정말 샤덴프로이데가 본능이라면, 사람은 거기서 벗어날 수 없는 걸까. 다카하시 교수팀과 시카라 교수팀의 연구에서는 우리가 이 불편한 기쁨에서 벗어나게 해줄 단서가 제시돼 있다. 두 연구에서 공통적으로 주목할 부분은 '질투의 대상이 어느 영역에 속해 있는지'이다. 나와 관련이 없거나 내가 중요하게 여기지 않는 분야에 속한 사람은, 아무리 잘나가도 질투를 느끼거나 그 사람의 불행에 기뻐하는 생체반응이 나타나지 않았다. 또 돈이 관련됐을 때 질투가 커졌다. 다카하시 교수는 "전공이나 동아리를 바꾸는 것처럼 자신이 중요하게 여기는 분야를 바꿀 수도 있고, 열심히 노력해서 실력을 쌓는 것도 방법"이라며 "궁극적으로는 인생의 목표를 (경제적 성공이 아닌 다른 분야로) 재설정하는 것이 도움이 될 것"이라고 말했다.

－ KIST/최영준·동아사이언스 기자

지금으로부터 약 20만 년 전 아프리카에서 나타난 호모 사피엔스 Homo Sa-piens는 현 인류로서 약 7만 5천 년 전 동아프리카를 떠나 지구 5

대륙을 정복했다. 최근 연구에 따르면 데니소바인과 네안데르탈인 등의 멸종의 가장 큰 원인은 바로 우리 호모 사피엔스였다는 가설이다. 현 인류가 그들의 땅에 도착해 사냥감을 빼앗고 그들을 사살했다는 것이다. 인류가 아주 오래전부터 잔인한 폭력과 전쟁을 감행했다는 사실이 밝혀진 셈이라며 폭력성이 인간의 생물학적 본성本性을 보여준다고 설명했다.

최근 자식을 살해하고 시신을 집 안에 방치한 채 태연히 일상생활을 이어가는 부모도 이러한 생물학적 DNA를 보여준 것이다.

위와 같은 사례에서 볼 수 있듯이, 인성철학 없이 치킨게임을 즐기며 동물적 감정의 삶을 사는 인간들은 결국 불행의 늪으로 빠질 수밖에 없다. 따라서 인성철학을 바탕으로 평생 인성교육의 중요성을 가슴에 담고 반드시 실천해야 한다.

3

인성은 타고나는가(태생론) VS 길러지는가(육성론)

인성에 대한 또 다른 양 갈래의 주장은 태생론과 육성론이다. 고대부터 현대까지 끊임없이 제기된 이론인 태생론胎生論은 사람의 본성이 유전인자에 의해 이미 결정된다는 주장이다. 콩 심은 데 콩 나고, 팥 심은 데 팥 나오는 것과 같이 인성은 태어날 때 이미 정해진다는 것이다.

이에 반해 이후에는 인성은 길러진다는 육성론育成論이 대두됐다. 각종 교육을 통해 후천적으로 습득될 수 있다는 관점이다. 육성론 내에서도, 인간이 사회생활을 해나가는 과정에서 다양한 경험을 통해 자연스럽게 인성을 체득해간다는 이론을 발달론이라 하고, 교육 등 인위적인 수단을 통해서 인성을 학습시킨다는 이론을 계발론이라 한다.

최근 대부분의 학자들은 인성은 타고난다는 측면도 있고 길러진다는 중립적 측면도 있으나, 지배적 의견은 인성이 태어나는 것이 아니라 만들어지는 것이라고 본다.

이 문제를 획일적으로 단정 짓기보다는 생태론과 육성론 모두 일리가 있으나 인성은 타고나는 특성보다는 후천적으로 학습될 수 있는 특성이 더욱 많다고 생각한다. 더욱이 최근에는 교육열과 학습 질이 높아진 덕분에 인성을 학습시키는 방법과 내용이 풍부해져, 과거에는 선천적으로 인성이 타고난다고 믿었던 특성조차 육성해낼 수 있는 영역으로 넓어졌다. 인성은 타고나는가, 길러지는가의 논쟁의 결론으로는 인성은 타고나는 측면(태생론)도 있지만 주로 만들어지고 길러진다는 것(육성론)을 강조하고 싶다. 누구나 올바른 인성을 갖출 수 있다는 것은 이론과 실제 측면에서 타당하다고 할 것이다.

사람은 누구나 바르고 아름다운 인성의 삶을 원한다. 하지만 대부분의 사람들은 바른 인성을 갖는 수단·방법을 잘 모를뿐더러, 그리로 향하는 길이 어렵다고 지레짐작하여 수신과 학습을 게을리한다. 단지 눈앞의 일에만 급급해 인생의 많은 시간을 낭비하고 있는 것이다.

현재 대한민국은 교육열만큼은 세계적이면서도 어떤 인생을 살아야 하는지에 대한 관심보다 출세주의, 이기주의에 빠져 인성교육이 제대로 되지 않고 있다. 무리한 입시교육열이 인생의 올바른 목표를 설정하고 인성의 자질을 키워야 할 청소년기에 대학 입학만이 인생목표인 걸로 착각錯覺하고 입학 후 학습을 소홀히 하게 하는 등 인생목표를 잃어, 인간다운 인간이 되는 길을 모르거나 의욕을 잃어버리게 만들어 목적 없는 삶을 살아가게 한다. 많은 이들이 교육의 변화를 외치면서도 실질적인 변화를 일궈내지 못하는 교육현장의 현실이 안타깝기만 하다.

현대의 인성교육은 '수신, 학습, 지혜'가 토대가 되는 자기주도의 학습과 실천이 원칙이다. 그러므로 인성이 길러지는 것이라도 올바른 인성을 갖추는 인간의 1차적인 책임은 줄탁동시의 인성교육(제5장 참조)처럼 전적으로 자신에게 있으며, 2차적으로 가정·학교·사회·국가 모두가 함께 육성시켜야 할 책임이 있다. 본인의 열정은 물론 주위의 관심, 지도가 잘 어우러져야 올바른 인성을 갖춘 사람이 길러지는 것이다.

결국 자신의 충실한 생활과 실천적 삶이 인성의 기반이다. 자신에게 맞는 크고 작은 목표를 설정하고 자기 자신을 잘 컨트롤하여 자신이 원하는 인성의 인생그래프와 인생목표(7부 참조)를 그려가면서 그 삶에 다가가는 것이 바른 인성을 갖춘 사람이 되는 길이다.

성무선악설性無善惡說은 현대의 인성행태를 비춰볼 때 의미가 있다고 생각된다.

따라서 인성은 길러지는 면이 크므로 누구나 자기 스스로 만들어가는 노력과 열정이 가장 중요하다는 것을 분명하게 인식해야 할 것이다.

인간다운 인간이 되고 안 되고는 내 손, 내 자신에 달려 있다. "하늘은 스스로 돕는 자를 돕는다."라는 말과 같이 극기克己, 입지立志, 불굴의 정신 등을 새기면서 우리 모두 인간다운 인간이 되는 길을 위해 최선을 다한다면 누구나 바른 인성, 지혜로운 인성, 아름다운 인성을 갖춘 사람이 되어 행복하게 살 수 있을 것이다.

제2장

인성의
선택과 종류

1

바른 인성과 나쁜 인성

바른 인성을 선택해야 하는 이유

우리의 인생은 선택의 연속으로 커다란 변곡점을 마주할 때마다 인성가치관에 따른 선택의 중요성을 절감切感한다. 인생은 어떤 인성으로 어떤 선택을 했느냐에 따라 운명은 좌우되고 탄생에서 죽음까지의 모든 과정 속에서 인성에 따라 크고 작은 수많은 기회와 고난이 오게 된다. 나의 직업, 배우자, 학교, 건강, 행복과 불행 등 이 모든 것들이 인성에 따른 선택의 결과물로서 '인성은 운명이다'라고 말할 수 있다. 선택은 DNA 속에 내재되어 진화되어 왔다.

김중근은 『난 사람, 든 사람보다 된 사람』에서 다음과 같이 말한다.[12]

----

12 김중근, 『난 사람, 든 사람보다 된 사람』, (북포스·2015), p.47

선택을 하는 과정에는 인생의 가치관이 작용한다. 가치관은 인생이나 어떤 대상에 대해서 좋은지 나쁜지, 옳은지 그른지, 바람직한지 바람직하지 않은지를 판단하는 관점이다. 중요한 것은 방향성으로 가치관에 따라 달라진다. 어떤 길을 걸을 것인지, 목표를 어디에 둘 것인지, 어떤 사람이 될 것인지를 결정하는 것이 가치관이다.

우리가 인간다운 삶, 행복한 삶을 위해서는 지혜로운 인성의 선택이 무엇보다 중요하다.

탈 벤 샤하르의 저서 『행복은 미루지 마라』에는 우리 삶의 40%는 선택에 의해 행복할 수 있고 불행할 수도 있다고 말한다. 또한 오프라 윈프리는 그 선택이야말로 우리에게 주어진 '신성한 특권'이라고 말한다. 다시 말해, 자신의 삶을 다른 사람이 끌고 가는 대로 방치하는 대신 주인공이 되어서 스스로 선택하라는 의미이다.

인류의 주요 역사는 언제나 지도자들에게 인성의 선택을 요구한다. 우리의 유구한 역사를 돌이켜보면 선택의 매 순간마다 지도자들이 지혜로운 인성을 갖지 못해 잘못된 선택을 한 뼈아픈 경험이 있다. 현재의 정치현실 역시 정쟁과 이슈는 분분하지만 과감하게 방향을 제시하고 지혜로운 인성의 선택과 의사결정을 하는 지도자를 찾아보기 힘들다. 우리의 지도자들에게 '선택의 중요성'을 알고 지혜로운 인성으로 실천하라는 고언苦言을 하지 않을 수 없다.

프랑스의 철학자 장 폴 사르트르는 "인생은 B와 D 사이의 C"라 했다. 탄생Birth과 죽음Death 사이 선택Choice의 연속이라는 뜻이다. 또한 "인간의 자유란 것도 항상 자기 스스로의 선택에 의하여 행동해야 한다."고 말했다. 즉, 인성에 따른 선택이 최선과 최악 사이의 연속과정 속에 위치하여, 개인은 물론 모든 조직과 국가 및 세계의 운명을 좌우하기 때문에 인성이 운명이 되는 것이다.

역사는 과거의 발자취이며, 현재와 미래의 거울이다. 따라서 역사의 교훈은 우리가 직면한 문제를 해결할 해답의 실마리를 제공한다.

조선 중기 광해군과 신하들이 명나라와 금나라 중 어디를 선택할지를 두고 격렬하게 논쟁하던 역사의 한 장면을 떠올려보라. 이는 마치 새롭게 굴기하는 중국과 미국이 벌이는 패권 다툼 사이에서 선택을 강요당하고 있는 지금의 우리 상황과도 비슷하다.

우리는 모한다스 간디(1869~1948)와 같은 위대한 인성의 지도자를 보고 감동하는 데 반해, 2차 세계대전을 일으킨 나치 지도자 히틀러를 생각할 때는 치를 떠는 마음이 생긴다. 히틀러는 전 유럽을 참혹한 전쟁의 소용돌이로 몰고 간 역사의 대ㅊ죄인이다. 유·소년기 및 청년기를 오스트리아 빈에서 보낸 그는 자국 독일인보다도 더욱더 게르만 민족주의에 심취하고 열광한 인물이었다.

히틀러의 저서 『나의 투쟁』을 통해 그가 최악의 인성을 선택하게 된 배경을 알 수가 있다. 그는 자신의 의식 속에 게르만 민족주의와 인종주의가 싹트기 시작한 시점인 유년기 및 청소년기 시절 오스트리아 빈에 살면서 여러 가지를 목격하였다고 회고한다.[13]

왜 가난을 대물림하며, 천하고 힘든 일들은 독일 이민자들이 주로 도맡아 하는가? 반면에, 왜 유대인들은 오스트리아 사회에서 보이지 않는

---

13 최익용, 『대한민국 5천 년 역사리더십을 말한다』, (옥당·2014), p.36

기득권층을 유지하면서 독일인들의 삶을 핍박하는가?

그는 유대인들이 사회적 지위를 유지하기 위하여 오스트리아의 언론 뿐만 아니라 주요 요직을 장악하고 있다고 보았으며, 그 힘의 원천은 매춘·고리대금 등 돈이 되면 무엇이든 하는 간교한 유대인의 정신이라고 생각하였다.

히틀러의 극단적이고 그릇된 역사의식과 선택은 광적狂的인 인성으로 발휘되어 당시 독일인뿐만 아니라 전 세계 유럽을 암담한 전쟁의 포화 속으로 몰고 갔으며, 그 경제적 손실과 사상자는 전대미문의 천문학적인 수치에 이른다.

사악한 인성을 선택할 경우, 이처럼 인류를 불행과 파멸로 몰아가기도 한다. 이러한 참상을 묵인한 채, 지난해 북한의 김정은은 자신의 측근들에게 히틀러가 지은 『나의 투쟁』을 나누어주는 등 권력기반 강화를 위해 히틀러의 그릇된 인성행태를 꾀하고 있다.

살펴보건대, 만약 독일의 리더 히틀러가 백범 김구와 같이 올바른 민족주의 사관, 올바른 국가관 등 바른 선택의 인성을 발휘하여 제1차 세계대전 이후 패망한 독일을 재건하였다면, 오늘날의 역사는 매우 다른 모습으로 전개되었을 것이다. 인성의 선택에서 긍정적 인성을 기르고 부정적 인성은 버려야 한다. 그러기에 인성은 운명이자 최대의 자본으로 보는 것이다.

〈 1 〉 인성이 운명(運命)이다

사람의 운명은 인성에 따라 수시로 변화하여 누구나 자신만의 고유한 인성의 인생그래프(7부 참조)를 그려가며 살아간다. 인간의 삶이란 무수한 선택의 연속이고 그 선택은 인성에 기초하여 결정하고, 그 선택의 결과는 운명으로 나타난다. 즉, 인성이 선택을 결정하고 그 선택은 운명으로 귀착하게 된다. 좋은 인성은 좋은 운명을 만들고, 나쁜 인성은 나쁜 운명의 결과를 낳는다.

· 운명運命: 앞으로의 존망이나 생사에 관한 처지; 수시로 변동
· 숙명宿命: 날 때부터 정해진 운명, 정명定命; 변동되지 않음

숙명은 부모, 가족, 고향, 조국 등과 같이 변할 수 없는 요인인데 반해, 운명은 인성, 열정, 신념 등에 따라 항상 움직이고 변하는 것이다. 그래서 운명은 인성에 의해 내가 스스로 노력한 만큼 변화시키고 개척하는 것으로서, "인성은 운명이다."라고 정의하는 것이다. 개인은 물론 모든 조직, 국가, 세계의 운명은 "뿌린 대로 거두리라."라는 예수님의 말씀처럼 부처님도 자작자수自作自受, 인과응보因果應報라 하셨다. 즉 어떤 인성인가에 따라 흥망성쇠, 희로애락, 행복과 불행이 좌우된다고 보는 것이다.

그렇다면 모든 운명을 관장하는 것은 무엇인가? 인성은 운명으로서 수시로 변한다. 그 변화의 주체는 본인의 의지에 따라 달라

지는 것으로 그 의지는 성현들의 말씀에 대한 믿음에서 나온다. 성현의 말씀에 따라 끊임없이 수신, 성찰하여 선업善業과 덕행을 지속적으로 쌓으면 지행합일知行合一의 경지에 이른다. 지행합일에 다다르는 것이 대지혜인으로 최고의 인성을 갖춘 것이다. 다시 말해, "인성=운명"이다. 인생은 수시로 자신의 의지에 따라 변하는 것이어서 결국 운명은 자신이 선택한 길을 만들어내는 것이다.

여기서 "인성이 운명이다."라는 함의의 주요 사례를 살펴보자.

첫째, 대부분 사람들의 경험칙經驗則은 자신이 살아온 과정을 생각할 때, 인성에 따라 모든 것이 선택되고, 그 선택에 따른 결과로 운명적인 삶을 살아왔음을 알게 된다. 예컨대 독자들의 경우도 자신의 인성의 선택에 따라 학교, 결혼, 직장 등을 선택해 고유한 운명이 형성되었을 것이다.

둘째, 삼성가의 이맹희는 장남으로 태어나 선친 이병철 회장의 후계자로 내정되었으나 가정문제가 비화(아버지의 비리를 청와대에 투서)되어 후계자 자리에서 비껴간 데 반해, 3남 이건희는 판단력과 추진력을 겸비한 지혜로운 인성으로 후계자가 되어 수성을 넘어 세계적인 삼성을 일구었다.

셋째, 조선시대 태종의 장남 양녕과 3남 충녕의 인성도 극명하게 대조된 결과, 운명 역시 크게 엇갈렸다. 다시 말해, 양녕은 일찍이 세자로 책봉되었으나 손자삼요損者三樂(제5장 참조)의 인성으로 세자 자리에서 물러났다. 이에 반해, 충녕은 넓고 깊은 지혜로운 위대한 인성에서 왕의 자리에 오르고 성군의 위업을 이룩하였다.

넷째, 조선의 고종 황제와 일본의 메이지 일왕 역시 동시대 국가 최고지도자로서 인성의 차이에서 시사하는 바가 크다. 고종 황제와 메이지 일왕은 동갑내기(1852년생) 황제였지만, 역사는 실로 대조적으로 두 사람을 평가한다. 고종은 12세에, 메이지는 16세의 나이에 비슷한 국력을 가진 근세 지도자로 즉위했으나 고종은 흥선 대원군의 섭정과 명성황후의 권력 투쟁 사이에서 갈팡질팡했던 우유부단한 인성으로 평가되는 반면, 메이지 일왕은 청일, 러일전쟁을 승리로 이끌었다. 그는 정보와 결단이라는 카리스마의 인성으로 평가된다. 결국 고종은 백성을 일본의 노예로 만들었을 뿐만 아니라 나라까지 잃고 황제 자리에서 쫓겨난 운명이 되었고, 메이지 일왕은 일본 역사상 제국을 만든 최고 영웅이 되었다.

이 시대 우리 국가 지도자들에게 "인성이 운명이다."를 화두話頭로 정약용의 『목민심서』와 박지원의 『열하일기』를 필독서로 권하지 않을 수 없다. 국가 지도자의 인성이 국가 운명임을 인식하는 것은 물론, 우리는 헌법 제1조 2항의 멋진 정신을 끊임없이 되새겨야 할 것이다. 즉 "대한민국의 주권은 국민에게 있고, 모든 권력은 국민으로부터 나온다."라고 하였다.

① 베트남의 현대 영웅 호찌민은 정약용의 『목민심서』를 본받아 '벼슬살이란 머슴살이'라는 애민정신과 청백리의 지도자로 '3꿍

정신(국민과 함께 살고, 함께 먹으며, 함께 일한다)'을 주창하며 자신의 솔
선수범과 섬김의 리더십으로 서구의 최강국이었던 프랑스와 미국
을 물리쳤다. 호찌민은 죽을 때 작업복 2벌과 지팡이 그리고 수 권
의 책만 남겼다. 특히, 『목민심서』의 애민정신을 본받도록 공직자
의 필독서로 권장하는 한편 정약용의 기일에 제사까지 지내 주었
다. 청렴과 애민정신의 인성이 가슴에 울림을 준다.

②박지원의 『열하일기』는 권력을 초개처럼 여기고 위정자들에
게 공리공담空理空談을 늘어놓지 말고 실사구시實事求是, 이용후생利
用厚生으로 백성과 나라를 위해 정진하라고 포효한다. 예컨대 조선
시대 사대부의 청靑을 무시하고 명明나라를 섬겨야 한다는 소중화
주의小中華主義의 명분을 질책하고 참으로 오랑캐를 배척하려거든
개혁을 통해 내실·내공을 다지라고 질책한다.

위 두 사례는 위민·애민·여민의 인성과 국가를 위해 혼신을 다
하는 정신으로 모든 공직자의 귀감이 될 것이다.

이와 같이 우리는 "인성이 운명이다."라는 명제를 명심하여 우
리는 어떤 인성으로, 어떤 선택을 하여, 어떤 운명을 가는가에 대해
고뇌하면서 아름다운 운명의 길을 가야 할 것이다.

상선약수에서 배우는 인성의 선택

인생은 인성의 물水에서 놀다 가는 물고기魚라고 생각한다. 노자의 '상선약수'는 흔히 '물의 정치론'으로 이어진다. 탈레스도 만물의 근원이 물(太一生水: 태일생수)이라고 했다.

여기서 어떠한 상황, 여건의 변화에서도 냉혹한 현실을 헤쳐 나갈 수 있도록 노자[14]의 물의 처세철학(『도덕경』 제8장)에서 배워보자.

상선약수上善若水, 수선리만물이부쟁水善利萬物而不爭, 처중인지소악處衆人之所惡, 고기어도故幾於道. – 지극히 착한善것은 마치 물과 같다. 물은 만물을 좋이 이롭게 하면서도 다투지 아니하고, 많은 사람들이 싫어하는(낮은) 곳에 처하니, 그런 까닭으로 도에 가깝다 하리라.

'해불양수海不讓水'란 말이 있다. 즉 "바다는 어떠한 물도 내치지 않는다."라는 뜻으로서, 광대무변廣大無邊의 관용과 포용의 너그럽고 여유 있는 자세를 나타내는 말이다.

이와 같은 노자의 처세철학에 대해 부연하여 설명하자면

첫째, 물은 상대를 거스르지 않고 상대에 따라 다양하게 대응할 수 있는 유연성이 있다.

둘째, 물은 높은 곳에서 낮은 곳으로 흘러가는데 이는 인간의 겸허한

----

14 노자(성은 李, 이름은 耳, BC 604~531)는 『도덕경』에서 처세철학으로 '상선약수(제8장)'를 내세웠다.

모습을 보여준다.

셋째, 물은 항상 약하다. 그러나 그것이 강한 힘을 낸다. 낮은 곳에 몸을 두고 심연과 같이 깊은 마음을 겸비하고 있다.

나라를 다스릴 때는 파탄을 일으키지 말고 모든 일에 적절하게 대응하여 시기를 보아 적합한 때에 행동해야 한다는 것, 이것이 바로 노자의 발상에서 물의 형상이 주는 교훈이며, 중국의 전통적인 인성철학의 지혜다. 현대적 의미로는 유능한 지도자라면 비전과 전략으로 여론을 능가할 수 있는 혜안과 비전을 갖추어 국민에게 희망을 주고 신뢰를 받아야 한다는 이야기이다.

물은 "훌륭한 곳에 머물고居善地, 마음은 연못처럼 고요하며心善淵, 어질게 베풀고如善仁, 믿을 수 있는 말만 하며言善信, 바르게 다스리고正善治, 능률적으로 일하며事善能, 바른 때를 가려 움직인다動善時, 다투지 않으니 따라서 허물이 없다夫唯不爭故無尤."

물처럼 만물을 이롭게 하고 다투지 않고 자신을 낮추어 사는 것이 도를 터득하고 덕을 갖추는 길이다.

물은 생명의 근원으로 낮은 곳으로 가라앉는 성질이 있어 침잠沈潛을 잘한다. 침잠을 잘하는 것은 지모智謀가 있다는 이야기로 '지자요수知者樂水'라는 말이 성립된다. 지혜로운 사람은 상선약수의 물같이 유연한 조직으로 지혜로운 인성역량을 갖추어야 한다.[15]

물의 변화는 곧, 우주만물의 변화의 원리인 음·양의 원리이기도 하다.

----

15 노자, 이중재 역, 『도덕경』, (고대사·2001), pp.54~57 발췌

물은 수소와 산소 분자의 구조형태에 따라서 얼음(고체), 수증기(기체), 물(액체)의 3가지 형태로 각각 나누어져 상황에 따라 변화한다.

이와 마찬가지로 인간도 살다 보면 물, 얼음, 수증기와 같이 다양한 형태가 되어 성질이 각각 다른 인성을 형성한다. 얼음 같은 조직체는 강인한 인성, 물과 같은 조직체는 유연한 인성, 수증기와 같은 조직체는 온화한 인성, 또한 고온의 수증기 같은 조직체는 역동적인 인성 등으로 시시각각 변하는 상황에 따라 다양한 자신만의 고유한 인성을 발휘하며 응용될 수 있다.

어떤 상황과 여건을 갑작스레 마주하더라도 유연성과 창조성을 발휘할 수 있도록 지혜로운 인성철학을 갖추어야 한다.

물은 섭씨 99도에서 100도로 단 1도 상승하는 단계에서는 1도부터 99도까지 투입해온 에너지의 약 5배 이상이 소모된다고 한다.

2,300년 전 순자의 말이 공감을 불러일으킨다.

군주는 배요 백성은 물이다.(군자주야 인자수야)君者舟也 人者水也 물은 배를 띄우기도 하지만 뒤엎기도 한다.(수능재주 역능복주)水能載舟 亦能覆舟

일찍이 물에서 지혜를 얻은 순자의 철학이 감동과 감탄을 자아내게 한다. 정치를 잘못하면 국민을 불행하게 만들고, 불행이 심화되면 물이 배를 뒤엎는 무서운 결과를 불러오는 법이다. 작금의 정치행태를 보면 우리의 정치현실을 보고 충고하는 가르침 같다.

4대 성인이 깨우쳐 주는 인성

인류는 석가, 예수, 공자, 소크라테스를 인류의 4대 성인으로 추앙한다. 4대 성인의 가르침은 인류에겐 지혜로운 인성의 등불, 나침반으로서 영원무궁하게 항해하는 지표이자 등대 역할을 한다. 더 나아가 온 인류를 구원하는 이른바 일언흥방一言興邦의 가치를 지니고 있다.

첫째, 불교의 『자타카』라는 경전에는 2,500여 년 전에 석가모니가 비둘기의 목숨(사회적 약자)을 구원하기 위해 굶주린 매(사회적 강자)에게 자신의 살(목숨)을 대신 주겠다고 하여 비둘기를 보호했다. 이 모든 선행을 한 사람은 석가모니 붓다라고 한다. 붓다는 전생에 수행자로 살면서 보통 사람으로는 상상도 못 할 선행을 한두 번이 아니라 500번도 넘게 했고, 그 결과 다시 태어나서 붓다가 되었다. 우주의 생성 소멸은 인연과因緣果의 원리에 따라서 움직인다. 일체 중생이 원래 부처이나 업業의 그림자에 가리어 고통받는 삶을 살고 있음을 아시고 중생을 제도할 방편을 완성하시고 전도의 길을 나섰다.

둘째, 예수도 인간으로서 보낸 삶은 약자였다. 가난한 목수의 아들로 태어나 권력과 가진 자에게 평생 핍박당했다. 예수의 생명력은 강자의 질서를 거부하고 약자 편에서 새로운 복음을 전파한 데 있다. 예수의 말씀은 '천국은 가난한 사람의 것'이라는 약자 승리의 복음이었다. 또한 믿음, 소망, 사랑 중에서 사랑이 제일이라 하며 서로 용서하고 사랑하라는 가르침은 물론, 사람들의 박수갈채를 받게 해주겠다는 사탄의 제안을 거부했고 환호하는 군중을 뒤로하고 조용한 곳에서 홀로 기도했으며 마지막에는 십자가에 못 박히면서 그 사랑을 몸소 실천하였다.

셋째, 공자는 『논어』 전편을 통해 일관되게 도덕과 인의 중요성을 주장한다. 유교적 가르침과 상통한 것으로 사람의 올바른 삶과 행실, 그리고 남을 돕는다는 것의 중요성과 다른 사람에 대한 이해와 사람의 가치를 강조한다. 공자는 사람들, 특히 지도자들이 자신의 욕심을 이겨내고 서로 예절을 잘 지키면 좋은 세상이 될 것이라고 가르쳤다.

넷째, 소크라테스는 인간이 어떻게 살아야 하며(인간다운 품성과 행위), 인간의 최고가치가 무엇인지에 관심을 가졌다. 인간이 지녀야 할 최고가치는 덕德이라고 보았다. 사람들로 하여금 덕을 지니게 하려면 오직 지식만이 필요하다는 것이다. 덕과 지식을 긴밀히 관련시키고 있는 것이 소크라테스의 특징이다. 무지가 죄를 짓는 것이다. 즉, 덕은 지知이다. 그런데 이 지는 실천적 지식을 뜻한다. 선인 줄 알면 반드시 행하는 것이 덕이라 하였다. 덕은 곧 실천을 통한 자기완성을 말한다.

연암 박지원은 '선비론'에서 도덕적 인간으로 잣대를 정하였다. 그러면서 성인을 본받고 가르침을 받아야 한다고 보고 성인이 남긴 법도를 통해 자신의 내면세계로 들어가 통찰할 수 있어야 한다고 하였다. 현재의 대한민국은 인성실종으로 지혜로운 인성의 삶의 가치에 목말라하고 있다. 붕괴된 인성의 충격만큼 인성회복이 긴요하다는 것이 국민의 여망이다.

2

가슴 깊이 울림을 주는 인성

독립운동가 윤동주 – 가슴 시린 인성의 서시(序詩)

애국지사 시인 윤동주는 항일운동가로 지조를 바친 애국인성의 표본
이다. 유관순 열사, 안중근 의사와 동일한 시대에 항일운동을 하면서 스
물여덟의 짧은 생生을 의문의 주사를 맞고 옥중에서 마감했다. 윤동주
의 옥사를 두고 지조라고 말하는 것은 자신의 신념을 굽히지 않고 문학
을 통해 표현하였기 때문이다.

그의 죽음은 곧 인성의 표상表象이다.

죽는 날까지 하늘을 우러러
한 점 부끄럼이 없기를,
잎새에 이는 바람에도

나는 괴로워했다.

별을 노래하는 마음으로

모든 죽어가는 것을 사랑해야지

그리고 나한테 주어진 길을

걸어가야겠다.

오늘 밤에도 별이 바람에 스치운다.

『서시』의 "죽는 날까지 하늘을 우러러 한 점 부끄럼이 없기를, 잎새에 이는 바람에도 나는 괴로워했다"라는 시구는 인생을 달관達觀한 존재의 독백 또는 지조의 인성을 상징한다.

지조는 한국인이 가장 소중하게 생각해온 삶의 덕목 중 하나다. 우리가 지조 있게 산 사람들을 각별히 존경하는 것은 우리의 역사가 그만큼 지조를 지키며 살기 어려웠음을 역설적으로 말해준다. 우리는 일제강점기 등을 겪으며 너무나 많은 인재를 변절자로 만든 가슴 아픈 역사를 가지고 있다.[16]

김수환 추기경은 "죽는 날까지 하늘을 우러러 한 점 부끄럼이 없기를…" 그 구절이 너무 가슴에 와 닿아서 『서시』를 차마 다 외우지 못하겠다고 말씀하셨다. 대부분의 사람들도 그런 마음일 것이다.

윤동주의 시는 모두 『서시』에서 나왔고 『자화상』에서 나왔고 그 종결편이 『참회록』이었다고 볼 수 있다. 어느 시를 봐도 식민지 지식인으로서 무기력한 자신이 한없이 부끄럽다는 정서로 일관하여 고뇌하는 독립투사로서의 애국심을 읽을 수 있다.

----

16 최익용, 『대한민국 5천 년 역사리더십을 말한다』, (옥당·2014), p.206

『잡보장경』에서 깨닫는 인성

우리는 『잡보장경雜寶藏經』에서 바른 인성, 나쁜 인성, 지혜로운 인성, 사악한 인성, 숭고한 인성, 대승적 인성 등 여러 면의 인성을 찾아볼 수가 있다.

지혜로운 인성과 사악한 인성에는 여러 차이가 있겠지만 지혜로운 인성은 자연을 좋아하고 삶이 간결하고 향기로운 데 반해 사악한 인성은 물질과 출세주의 중심으로 삶이 추하고 복잡하다. 숭고한 인성은 강자에게는 정의롭게 대항하고 약자에겐 자애롭다. 야비한 인성은 권력에 아부하고 힘없는 자를 무시한다. 대승적 인성은 자발적 희생과 봉사로 귀감이 되고 가난을 지향한다. 탐욕의 인성은 물본주의에 빠져 재산을 축적하여 썩는 냄새가 진동한다.

『잡보장경』에서 인성의 교훈을 살펴, 타산지석과 반면교사로 배우고 실천하자.

유리하다고 교만하지 말고
불리하다고 비굴하지 말라.
무엇을 들었다고 쉽게 행동하지 말고
그것이 사실인지 깊이 생각하여
이치가 명확할 때 과감히 행동하라.
벙어리처럼 침묵하고 임금처럼 말하며
눈처럼 냉정하고 불처럼 뜨거워라.
태산 같은 자부심을 갖고
누운 풀처럼 자기를 낮추어라.

역경을 참아 이겨내고
형편이 잘 풀릴 때를 조심하라.
재물을 오물처럼 볼 줄도 알고
터지는 분노를 잘 다스려라.
때로는 마음껏 풍류를 즐기고
사슴처럼 두려워할 줄 알고
호랑이처럼 무섭고 사나워라.
이것이 지혜로운 이의 삶이니라.[17]

첩첩산중 유진로疊疊山中 有進路라는 말이 있다. 즉 산이 겹겹이 막혀 갈 길이 없을 것같이 보이지만 실제 나아가 보면 넘는 길이 있다는 것이다. 그래서 인생은 4전 5기가 진정한 삶이고 난세에 영웅이 나오는 법이다.

인간은 고해苦海의 바다를 항해하는 것이므로 자기만의 확고한 인성 철학을 가지고 지혜롭게 살아가야 한다. 즉 인생은 결코 쉬운 여정이 아니다. 따지고 보면 5,000년 역사의 모든 애국자들은 고난과 역경을 극복한 결과물이다.

역경의 인성에서 가장 중요한 자세 중 하나가 타인을 '틀리다'고 생각하지 말고 '다르다'고 생각하라는 것이다. 상대의 다름을 인정하면서 조화의 문화를 가꾸는 것이 화합의 인성이다. 화쟁사상和諍思想(극단을 버리고 화와 쟁의 양면성을 동시에 수용)에서 말하는 화합의 인성은 지도자들에게 특히 필요하다.

----

17 성열 편역, 『부처님 말씀』, (현암사·2012), p.697

사병묘역에 묻힌 채명신 장군의 빛나는 인성

채명신 장군(1926년 11월 27일~2013년 11월 25일)은 황해도 곡산군에서 출생했다. 항일운동가 아버지와 독실한 기독교 어머니 사이에서 출생하여 성장하였다. 평양사범학교를 졸업한 후 평안남도 용강 덕해소학교에 근무타 소련군 주둔 이후 공산주의를 피해 1947년 월남하였다. 1948년 조선경비사관학교에 지원하여 육군사관학교 제5기로 졸업하고 소위로 임관되었다. 6·25 전쟁과 베트남 전쟁을 통해 혁혁한 전공戰功을 세워 나라를 구하고 국위를 만방에 떨친 채명신 장군은 항상 "평화를 원한다면 전쟁을 준비하라(베게티우스의 말). 모두가 평화를 원하지만, 평화는 공짜가 아니고 반드시 대가를 치러야 한다. 그런 준비가 되어 있지 않다면 전쟁이라는 희생의 대가를 치러야 한다."라고 강조했다.

이처럼 전쟁과 평화에 대한 확고한 신념을 바탕으로 조국과 부하에 대한 사랑을 실천하였다.

채명신 장군은 월남에서 혁혁한 전공을 세운 결과 미국에서 더 알아주는 장군이 되어 지난 세기 세계적인 위대한 장군으로 명성을 날렸다. 채명신 장군은 6·25 한국전쟁 당시 '백골병단'이라는 특공부대를 이끌고 적지에 고립된 연대장을 구출하였고 북한군 점령지역에서 목숨 걸고 후방교란 작전을 전개하여 큰 전공도 세웠다. 채명신 장군은 여러 강연활동과 참전용사들의 보훈복지를 위해 애쓰다가 2013년 11월 25일 87세의 나이로 세상을 떠났다.

장군은 마지막 유언遺言으로 "함께 싸웠던 사랑하는 부하들 곁에 묻히고 싶다."라는 말을 남겼는데, 그의 유언에 따라 장성급 인사 중에서는 최초로 현충원의 사병묘지에 안장되었다. 언제나 자신보다 부하들을 먼저 생각하고 신념과 소신에 따라 행동했던 채명신 장군, 그의 이름은 이제 따뜻함으로 후대에 전해지고 있다.

1969년 미국 닉슨대통령으로부터 공로훈장을 수여받았다. 외교관 경력으로는 1972년 주 스웨덴 대사로 파견되어 1973년 주 그리스 대사, 1977년 주 브라질 대사관으로 활발한 외교활동을 펼쳐 높은 평가를 받았다.

이와 같이 영관장교 시절부터 지략과 인성을 갖춘 장교로서 국내외 명성을 남겼음은 물론, 진정한 애국자로 추앙받는 인물로서 국민적 감동과 존경을 한 몸에 받았다. 채명신 장군의 인성이 장병들의 가슴에 큰 울림을 준다.

신라 통일에 기반을 쌓은 문무대왕이 살아서도 국가를 수호하고 죽어서는 동해바다의 용龍이 되어 국가를 수호하겠다고 다짐하듯이, 채 장군은 살아서는 사병과 철저히 동고동락하여 전투력을 증진시켰고 죽어서는 사병들과 같은 묘지에 묻혀 조국을 수호하겠다는 호국의 인성을 보여 국군장병들에게 정신전력의 귀감이 되고 있다.

3

사악한 인성

무엇이 사악한 인성인가

우리 사회에서 빈발하는 대형 사건사고를 보면 탐욕의 인성은 평범한 인간을 악마의 인성으로 변모시킨다는 사실을 알 수 있다. 더욱이 갈수록 깊어지는 불평등으로 인해 학력, 계층, 직업의 대물림과 세습현상이 점증되고 있다. 그러다 보니 청소년 중 80%가 "우리 사회는 불평등하다."라고 답하고, 우리 사회의 신뢰도에 대해서는 10점 만점에 평균 4.2점을 보이고 있어 충격적이고 슬픈 자화상이다.

관피아, ○피아 등이 연계된 패거리 부정부패, 유전무죄·무전유죄의 사법부 부정비리, 정치인의 막말, 부모살해의 패륜, 가정폭력 등의 아동학대와 살인, 탈세 및 자금도피, 여대생 청부살인사건 등등 국민들이 단죄하고 싶은 사악한 사건사고가 급증하고 있다.

난세亂世 인성에 관한 설명이 압권에 해당하는 인물인 한비자는 『육반六反』에서 다음과 같이 말한다.[18]

비록 쓸 재물이 넉넉하고 두터운 사랑을 베풀더라도 형벌을 가볍게 하면 오히려 어지러워진다. 부잣집에서 사랑을 받은 자식은 재화를 넉넉하게 쓰고, 재화를 넉넉하게 쓰면 가볍게 함부로 쓰며, 가볍게 함부로 쓰면 사치가 심해진다. 지나치게 사랑하면 참을성이 없어지고, 참을성이 없어지면 교만하고 방자해진다. 사치가 심해지면 집안이 가난해지고, 교만하고 방자하면 난폭한 짓을 한다.

이러한 현상은 모든 조직 구성원들이 직위나 직업에 걸맞은 윤리와 도덕성, 사명감을 갖추지 못하면 경제적 풍요 여부에 관계없이 사회 시스템은 부패와 무능의 사악한 인성으로 전락하게 된다는 것이다.

지혜로운 인성과 사악한 인성의 차이는 어디서 오는 것일까?
한양대 정민 교수는 육회불추六悔不追(돌이킬 수 없는 6가지 후회)를 통해 사악한 인성에 대해서 다음과 같이 말했다.[19]

첫째, 송나라 때 구준寇準이 「육회명六悔銘」에 담아 말하기를, "관직에 있을 때 나쁜 짓을 하면 실세失勢해서 후회하고, 부자가 검소하지 않으면 가난해진 뒤 후회한다. 젊어 부지런히 안 배우면 때 넘겨서

----

18 한비자, 『한비자』, 신동준 옮김, (학오재·2015), 제46장
19 정민, 『세설신어(世說新語)』, 조선닷컴, 2015.6.10

후회하고, 일을 보고 안 배우면 필요할 때 후회한다. 취한 뒤의 미친 말은 술 깬 뒤에 후회하고, 편안할 때 안 쉬다가 병든 뒤에 후회한다.

官行私曲失時悔, 富不儉用貧時悔. 學不少勤過時悔, 見事不學用時悔. 醉後
狂言醒時悔, 安不將息病時悔"

둘째, 성호 이익이 여기에 자신의 여섯 가지 후회를 덧붙이기를, "행동이 때에 못 미치면 지난 뒤에 후회하고, 이익 앞에서 의를 잊으면 깨달은 뒤 후회한다. 등 뒤에서 남의 단점 말하면 마주해서 후회하고, 애초에 일을 안 살피면 실패한 후 후회한다. 분을 못 참아 몸을 잊으면 어려울 때 후회하고, 농사에 부지런히 힘쓰지 않으면 추수할 때 후회한다.行不及時後時悔, 見利忘義覺時悔. 背人論短面時悔, 事不始審償時悔. 因憤忘身難時悔, 農不務勤穡時悔"

인간은 욕구를 참고 이성적理性的 선택을 하면 지혜로운 인성이 생성된다. 플라톤은 이성의 원칙을 매우 중요시하여 선善 자체를 이성이라고 인식하고 인간생활 최고의 모습이라고 보았다. 특히 정치인들은 이성적으로 소박하고 단순한 생활을 선택해야 한다고 강조했다.

우리는 사악한 인성에 빠져들지 않기 위해 이성적인 선택을 하도록 자기관리를 철저히 하면서, 매번 행실을 점검하는 등 수신과 성찰의 생활을 해야 한다.

희대의 매국노 이완용

대한민국이 보다 성숙한 민주주의사회, 시민사회로 발전하지 못한 가장 큰 요인은 친일파 척결과 같은 식민지잔재 청산을 제대로 하지 못한 데 있다. 식민지 잔재를 청산하지 못한 우리는 여전히 반민주적이고 반시민적인 사회풍토에 시달리고 있다.

더욱이 우리 사회에는 출세주의, 허무주의의 인성문화가 팽배해 있다. 겉으로는 초연한 척하면서도 출세주의, 돈, 권력, 명예에 혈안이 되어 수단과 방법을 가리지 않고 그것을 지키기 위해 발버둥 친다.

기회·출세주의의 나쁜 인성리더의 대표로 대한제국 매국노 이완용을 살펴보자.[20]

그는 1858년 경기도 광주 태생이며 호는 일당이다. 어린 시절부터 신동 소리를 들었으며 판중추부사 이호준에게 입양되어 자랐고, 성장하면서 학문이 일취월장했다. 25세에 문과에 급제하고 규장각 시교로 있으면서 최초의 관립학교인 육영공원의 학생으로 선발되어 헐버트 등 미국인 초빙교사로부터 서양식 교육을 받았다.

그는 강대국으로 부상한 미국을 의식하여 육영공원에 진학했다고 회고한다. 이를 계기로 이완용은 친미적 관료로서 주미공사단의 참찬관, 임시대리공사를 거친다. 그러나 명성황후 시해사건 후에는 아관파천俄館播遷을 주선하여 친일파를 몰아내고 친러내각에서 요직을 맡는다. 한때 독립협회 창립 멤버로서 독립문 건립에 앞장서지만, 구미열강에 많

----

20 최익용, 『대한민국 리더십을 말한다』, (이상비즈·2009), p.115

은 이권을 양여한 이유로 독립협회에서 제명되고 내각에서도 밀려나 지방으로 좌천되기도 한다.

능력과 인격을 겸비한 자신이 당파싸움에서 밀려나 호남지방으로 좌천되었다고 절치부심하며 한양으로의 복직을 위해 친미·반일주의자에서 친일파로 변절하여, 1901년 궁내부 특진관에서 은퇴했다가 4년 후 복귀한다. 1905년 학부대신이 되자 을사조약 체결을 적극 옹호했고, 1907년 6월 이토 히로부미의 추천으로 내각총리대신 겸 궁내부대신이 된 뒤에는 송병준 등과 함께 고종에게 양위를 강요하고 군대를 해산한다. 마침내 대한제국의 총리대신으로 합방조약 체결을 주도하여 그 공로로 일본에서 백작 작위를 받았으며, 합방 후 총독부중추원 부의장이 되어 '일선융화日鮮融和'를 주장하고 3·1운동 진압에 기여한 공로로 후작 작위를 받는다.

이와 같은 변신에 대해 이완용은 "시류에 따라 마땅한 것을 따른 것일 뿐 다른 길이 없다."라고 변명했으나 독립협회 시절 동지였던 윤치호는 "이완용은 특권의식, 야비한 교활성과 음흉함, 아부근성 등 철저한 기회주의, 변절주의자였다."라고 비판했다.

세상은 이완용의 몰沒인성적 삶을 준엄하게 심판하고 매국노라는 꼬리표를 달아 영원히 꾸짖을 것이다.

친일 반민족 행위자의 후안무치 인성

우리나라 친일파는 민족분열을 꾀하고 부정부패를 만연시킨 정의롭지 못한 세력이었다. 그 때문에 친일파 문제를 비롯한 식민지 잔재 청산은 민주통일국가, 성숙한 시민사회로 가는 국민인성의 실천과제로 남아 있다. 대한민국 정부는 친일 반민족 행위자 명단을 발표했다.

[시기별]

- 친일반민족행위 106인 명단: 일제강점기 제1기(1904년 러일전쟁~1919년 3·1운동), 2006년 발표
- 친일반민족행위 195인 명단: 일제강점기 제2기(1919년 3·1운동~1937년 중일전쟁), 2007년 발표
- 친일반민족행위 705인 명단: 일제강점기 제3기(1937년 중일전쟁~1945년 8월 15일 광복), 2009년 발표

[부문별·분야별]

- 정치(383명): 귀족(139명), 중추원(244명)   • 경제·사회(186명)
- 통치기구(272명): 관료(118명), 사법(32명), 군인(40명), 경찰(82명)
- 종교(48명): 기독교(17명), 불교(9명), 유교(12명), 천도교(10명)
- 정치·사회단체(51명)   • 문화(84명), 학술(20명)
- 해외(81명): 중국 지역(73명), 일본 지역(8명)

근간 친일 반민족 선조들의 재산을 물려받기 위해 법적 소송을 진행하는 사례는 역사정신·시대정신에 반하는 일로 유감스러운 일이다. 법 이전以前에 인간이 되어 수많은 순국, 애국지사들의 영혼에 진심으로 사죄해야 할 것이다. 바른 인성으로 자숙의 삶이 긴요한 사람들이다.

제3장

인성의 중요성

1

왜 인성이 그토록 중요한가

인성은 흥망성쇠의 근본 요인

동서고금을 막론하고 개인은 물론, 모든 조직·국가의 흥망성쇠가 지속적으로 반복되는 이유는 무엇일까? 필자는 그 답을 인성의 중요성에서 찾고자 한다. 인성은 인생의 무대로서 개인은 물론 조직·국가의 운명을 만드는 결과물結果物이다. 다시 말해 인성문화의 결과물이 쌓여 운명을 만들고 그 운명이 쌓여 개인·조직·국가의 흥망성쇠를 좌우하는 것이다.

어떤 사람이 진정한 인성을 갖추었다고 볼 수 있는가?

바른 인성은 끊임없는 수신과 학습으로 창의적인 문제해결 능력과 훌륭한 '능력', '인격', '봉사'의 인성을 갖춘 사람이다. 이와 반대로 나쁜 인성은 '기회주의', '위선', '물욕주의'의 사람으로 돈과 권력만을 추구한다. 바른 인성과 나쁜 인성은 수단과 목적에서 모두 차이가 있다.

바른 인성은 능력과 인격을 갖추고 봉사와 헌신을 통해 자신과 조직의 행복을 함께 창출하는 반면, 나쁜 인성은 위선적인 행동과 기회주의, 위선, 물욕주의를 추구하면서 오로지 돈과 권력, 개인의 명예를 얻는 데 수단과 방법을 가리지 않는다.

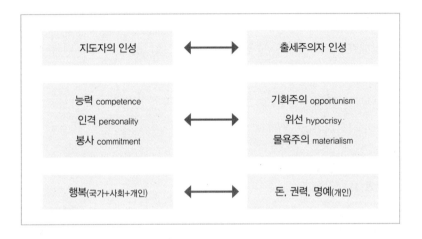

사회란 단순히 둘 이상의 사람들의 집합을 말하는 것이 아니다. 여기서 하나의 사회를 이루고 있는 사람들이 다 같이 가지고 있는 사고방식이나 도덕성·가치관을 비롯해, 의식구조·행동규범·생활원리를 통틀어 '인성문화'라고 한다.

즉, 인성문화는 개인과 집단이 공유하는 공통의 생활과 문화의 총체로서 직·간접적인 영향을 주어 흥망성쇠興亡盛衰의 운명을 결정하는 셈이 될 수 있다.

예컨대 에디슨, 미켈란젤로가 천재가 아니고 그들을 천재로 만든 인성(인간관계)의 팀이 뒤에서 도와 주었다는 사실을 알아야 한다.

첫째, 에디슨은 누구도 생각 못 하는 기발한 생각을 해낸 천재가 아니라, 굳이 따지자면 팀을 조직하고 운영하는 방법이 지혜로운 인성의 결과물이라고 볼 수 있다. 에디슨이 세운 먼로파크의 연구원 14명은 사실 에디슨이라는 집합명사였고, 에디슨은 고객을 접촉하거나 언론을 상대하는 등 인간관계에 더 많은 시간을 보냈다.

둘째, 로마의 시스티나 성당 가운데 천장을 뒤엎고 있는 〈천지창조〉는 미켈란젤로가 인류사에 남긴 걸작이다. 데이비드 버커스 미국 오럴로버츠대 경영학과 교수는 "미켈란젤로가 고독한 천재라는 말은 환상에 불과하다."라고 말한다. 그가 천재성을 유감없이 발휘한 데는 3가지 조건이 성립되었다.

① 그를 밀어준 동료 13명이 지혜로운 인성의 대인관계와 팀워크를 발휘한 결과이다.

② 그의 재능을 믿고 기회를 준 메디치가(家)의 후원이 있었기 때문이다.

③ 그는 평생을 2~3시간만 자며 약간의 포도주와 빵을 먹으며 혼신을 다해 위대한 화가, 조각가, 건축가, 시인으로 위업을 남겼다.

또한 『일본의 자살』이라는 논문 한 편이 모든 지식인 사이에 이목을 집중시켰다. 이 논문의 요지는 자멸은 내분으로 일어난다는 내용이다. 동서고금의 역사를 보면 거의 예외 없이 사라진 모든 나라가 외적이 아닌 인성붕괴 등 내부요인으로 스스로 무너졌다는 결론이 내려진다.

인성이란 이 세상을 이끄는 가장 중요한 동력이며 한 개인의 삶을 궁극적으로 평가하는 결정적 요소다. 국가를 좌우하는 원동력이자 성공하는 미래를 향해 달려가는, 강력하게 세상을 움직이는 힘이 인성이다. 인성은 평상시에도 중요하지만 특히 삶의 위기 때에 더욱 잘 드러난다. 인생에서 위기의 시간이 도래할 때 종종 한 개인이 가지고 있는 성품이 적나라赤裸裸하게 드러나면서 그 모습에 사람들은 감격하기도 하고 또한 실망하기도 한다.[21]

최근 기업에서는 학생들의 스펙보다는 인성을 중요시한다. 한국고용정보원 김은식 연구위원이 2015년 대학생 600명과 기업 인사담당자 100명에게 외국어능력, 대인관계, 직업윤리 등 20개의 구직역량 중에서 취업과 첫 직장 적응에 가장 필요한 것이 무엇이냐고 물은 결과, 대학생들은 외국어능력이 가장 중요하다고 대답한 반면, 기업 인사담당자들은 직업윤리(인성)가 중요하다고 답했다.

재산과 지위는 가졌지만 나쁜 인성의 사람을 교양인이라고 부르지 않듯이, 국력國力은 있어도 국격國格과 예의가 없는 나라를 선진국이라고 부를 수 없다.

----

21 김보람, 석사학위논문, 『유아를 위한 기독교 성품교육 연구』, (장로신대대학원·2010), p.2

인성은 자본, 자산이다

인성은 인간의 밑천(자산)으로서 바른 인성은 행복의 밑천이 되고 나쁜 인성은 불행의 씨앗이 된다. 나의 인성이 내 밑천에서 더 나아가 가정의 밑천이 되고 국가사회 발전의 밑천이 된다. 불경과 주역에서는 "적선지가 필유여경積善之家 必有餘慶, 적불선지가 필유여앙積不善之家 必有餘殃"이라 한다. 즉, 착한 일이 쌓이면 반드시 경사로운 일 등 축복을 받고, 나쁜 일이 쌓이면 반드시 재앙이 온다는 이야기이다. 소크라테스 역시 악한 행위를 하는 사람은 다른 사람은 물론 자신에게도 해악을 끼친다고 말했다.

사람의 인성은 태초부터 현재까지, 아니 영원히 개인의 행복은 물론 조직·국가의 운명을 좌우하는 데 핵심요소로 작용한다. 인생은 인성으로 살아가는 것으로 삶 자체가 인성주체 간의 만남이다. 따라서 인성이 가진 힘은 가히 대단하다고 볼 수 있어 필자는 '인성을 최대의 자본·자산이라고 말하는 것'이다. 우리의 인성은 양날의 칼로서 잘 쓰면 행복과 사랑을 만들어내고 잘못 쓰면 불행과 불화를 만든다. 바르고 지혜롭고 아름다운 인성은 성현·성인군자는 물론 노동자·교수·학생 등 수많은 사람이 인류 문화문명 발전을 위해서 기여토록 하는 반면, 나쁘고 사악하고 추악한 인성은 인간 이하의 인간·나쁜 사람·짐승 같은 사람·마귀 같은 사람 등 많은 사람이 가정, 조직, 국가, 세계를 해치는 역할을 한다. 그래서 인성은 동서고금 흥망성쇠의 요인이라고 얘기할 수 있다.

또한 인간은 인간답게 행복하기 위해 살아가는 것이 삶의 목적이다. 그런데 인간의 행복조건에는 "① 건강 ② 경제 ③ 직업 ④ 사랑(인간관계)"이 주요 요소(버트런드 러셀의 『행복론』)이다. 행복 4가지 요소를 좌우하는 것이 바로 인성이다.

① 건강은 건전한 육체와 정신이 상호작용이 되어야 건강하게 오래 살 수 있다. 성질 급한 물고기가 빨리 죽듯이 성질 나쁜 사람도 일찍 죽게 된다.

② 경제도 원만한 인간관계 없이는 성공할 수 없어 바른 인성이 큰 영향력을 끼치게 된다.

③ 성경에서는 "일하지 않는 자 먹지도 말라."라고 하고 중국 당나라의 백장선사는 "일일부작 일일불식一日不作 一日不食"을 말하며 직업(노동, 근로)의 중요성을 강조했다.

④ 인간관계와 사랑은 말할 것도 없이 좋은 인성, 바른 인성에서 잉태한다.

모든 국가는 선진국가 건설이 목표이다. 코피 아난 전 유엔사무총장은 선진국에 대하여 "모든 국민이 안전한 환경에서 편안하며 자유롭게 건강한 삶을 영위하는 곳"이라고 정의했다. 선진국가와 선진조직(회사·학교 등)은 국민인성에 따라 신뢰와 공정성이라는 사회적 자본지수와 비례해 지수가 증가하고 경제성장이 빨라진다는 건 확고한 경험칙經驗則이다. 바른 인성이야말로 삶을 풍성하게 하고 국격을 드높이는 결정적 힘인 것이다. 결국 인성강국이 이루어지지 않으면 선진국도 될 수 없다는 의미이다.

독일의 히틀러, 이탈리아의 무솔리니, 일본의 히로히토 등 사악한 인성의 인간이 한 국가를 통치할 때에 국가는 물론 인류의 비극이 생겨나는 것이다.

『묵자墨子』의 묵자절용節用 편에 다음과 같은 말이 있다.[22]

성인위정일국, 일국가배야 聖人爲政一國, 一國可倍也
대지위정천하, 천하가배야 大之爲政天下, 天下可倍也
기배지, 비외취지야 其倍之, 非外取之也
인기국가거무용지비, 족이배지 因其國家去無用之費, 足以倍之

즉, 성인이 나라를 다스리면 그 나라를 배로 늘릴 수 있고, 천하를 다스리면 천하의 힘을 배로 늘릴 수 있다. 배로 늘림에 있어서는 따로 다른 나라의 영토를 빼앗는 것이 아니고, 나라의 사정에 따라 불필요한 경비를 줄이면 넉넉히 배로 늘릴 수 있다는 것이다.

케임브리지 장하준 교수는 『나쁜 사마리아인들』에서 100년 전만 해도 일본 사람들은 게으르고, 독일 사람들은 도둑질을 잘한다는 평을 받았던 것을 예로 들면서 민족성(인성)이 바뀔 수 있다고 주장한다.

즉, 문화나 민족성이 인성 교육으로 바뀔 수 있다는 논리이다.

결론적으로, 대한민국의 아름다운 일류 선진국 건설은 인성강국의 바탕 위에서만 실현 가능하다. 그래서 동방예의지국의 인성대국은 반드시 회복되어야 한다는 역사적·시대적 명제는 대한국인大韓國人의 책무이다.

----

22 최익용, 『대한민국 리더십을 말한다』, (이상비즈·2009), p.112

〈 2 〉 인성은 최대의 자본이다

앞 장章에서 우리는 '인성이 곧 운명運命이다'라고 말했다. 인생에서 인성이 최고의 자본, 자산으로서 '인성은 최대의 자본이다.'라고 생각한다. 건전한 인성은 건강한 삶을 만들고 나쁜 인성은 피폐한 삶을 만들어 인성도 인과법칙의 원리에 따라 결과물이 나온다.

·흥부처럼 인성이 좋으면 금은보화의 박이 나와 부귀영화의 운명을 누리고

·놀부처럼 인성이 나쁘면 결국에는 똥바가지가 나와 패가망신하는 운명을 낳는다.

100가지를 잘해도 한 가지를 잘못하면 소용없다는 말이 있듯이, 100가지가 다 좋아도 인성이 나쁘면 모든 것은 0無으로 돌아간다. 산술적으로 '100-1=99이지만 인성관점에서는 가감승제의 원리에 따라 100-0=100이고 100×0=0이다. 따라서 인성이 가감승제 (+, -, ×, ÷)됨에 따라 우리의 삶도 가감승제의 인성이 적용된다는 의미이다. 즉 'A'라는 사람의 인성이 '0'이면 'A'라는 사람의 모든 것이 '0'이 되고 더 나아가 인성이 '+, -, ×, ÷로 가감승제加減乘除 됨에 따라 삶의 질도 '+, -, ×, ÷'로 가감승제가 된다는 것이다. 여기서 인성이 최대의 자본, 자산이라는 사례를 살펴보자.

첫째, 삼성 이건희 회장은 1992년 '삼성 헌법'을 선포하면서 '1조 원의 순익을 내는 것보다 더 중요한 인간미'를 갖출 것을 호소

하고 '법률보다 더 중요한 도덕심'을 배양할 것을 주문했다.

둘째, 대부분의 직장에서 직원 채용 시, 스펙보다는 인성을 더 중요시하고 직장 근무 시에도 능력보다는 인성을 더 중요시하고 있다. 결국 인성에 따라 성공과 실패의 삶이 연출된다.

셋째, 우리나라의 갈등관리지수가 OECD 34개국 중 최하위(터키는 제외: 종교분쟁국가)로 갈등으로 인한 1년간 사회경제적 비용이 400여 조 원에 달한다고 한다. 국가예산 360여 조 원보다 훨씬 많은 금액으로 인성대국이 되어 갈등비용만 없어진다면, 선진국으로의 진입이 가능하고 국민 세금은 그만큼 절약된다.

넷째, 우리의 역사를 살펴보면

· 고구려는 연개소문의 아들 남생, 남건 두 형제의 권력욕과 형제난의 인성으로 패망하는 나라가 되어, 지금도 우리 국민들은 아쉬움과 더불어 만주벌판을 동경하고 있다.

· 백제의 의자왕은 초기에는 해동성자로 불릴 만큼 훌륭한 왕이었으나, 점차 손자삼요損者三樂의 인성에 빠져 문화강국의 나라를 망하게 만들고 당나라에 끌려가 비참한 생을 마감하였다.

· 신라는 천여 년의 찬란한 역사를 황음荒淫의 인성으로 진성여왕 등 지도층은 타락하고 각지에서는 민란民亂이 곳곳에서 벌어져 전쟁 한번 못하고 고려에 국가를 헌납하는 비운을 가져왔다.

· 후삼국시대 왕건, 견훤, 궁예의 치열한 전쟁에 결국 견훤과 궁예의 잔인한 인성은 무너지고 왕건의 포용의 인성이 승리하여 통일을 이룩하였다.

·고려, 조선, 대한제국도 지도층의 부정부패와 당쟁黨爭 등 분열의 인성으로 스스로 망국의 길로 가는 결과를 낳았다.

다섯째, 미국의 심리학자 루이스 터먼(1877~1956)은 1921년 캘리포니아 주에 있는 초·중·고등학생 25만 명 중에서 천재 1,521명(IQ135이상)을 선발하여, 35년간 추적하는 실험을 실시하여 뜻밖의 결과를 낳았다.

·천재 대부분은 최고의 엘리트 삶과는 달리 매우 평범한 인생을 살았다.

·전국적인 명성을 얻은 사람은 거의 없고 판사와 주의회 의원 몇 명이 나왔을 뿐이다.

·터먼 연구팀이 최종적으로 내린 결론은 성공의 조건은 IQ가 아니라 인성이었다.

이와 같이 인성은 개인은 물론 모든 조직, 국가, 지구촌 흥망성쇠를 좌우하기 때문에 인성은 최대의 자본, 자산이라 할 수 있다. 인생의 운명을 결정하고, 인생의 운명은 인성의 자본과 자산에 따라 좌우된다는 결론을 도출할 수 있다.

바른 인성, 정의로운 인성, 공동선의 인성 등 초긍정적인 인성을 배우고 함양하면서 나의 운명은 물론 조국의 운명, 지구촌의 운명을 위해 헌신하는 인성을 길러야 하겠다.

2

개인인성의 중요성

인성은 자신의 내면을 바르고 건전하게 가꾸고 타인과 더불어 살아가는 데 필요한 인간다운 성품과 역량으로서 전 생애적 과정을 통해 통합적으로 형성된다.

독일의 철학자 막스 셸러(1874~1928)는 '개별인격'과 '총체인격'을 나누어 설명했다. 구성원의 개별인격이 모여서 사회적 인격 또는 국가적 인성을 만들어낸다는 것이다.

인생 최고의 목적은 인격·인성의 완성에 있다는 것이다. 권력이나 지위를 얻어도 인성이 훌륭하지 못하면 조직, 사회, 국가, 세계를 위해 기여하지 못한다. 가장 인간다운 가치관으로 생을 산 사람이야말로 성공적인 생애라고 말할 수 있다.

인생의 가치관은 인간이 하나의 인격체로서 인생을 살아가는 모든 행위의 기본이 되기 때문에 인성에 따라 살아가며 인생관과 세계관을 형성하게 된다. 이러한 인생관과 세계관에 따라 인간의 모든 행위가 결정되기 때문에 개인의 인성은 참으로 중요하다.

인간관계에서 어떤 사람에게 도움을 주는 것도 인성문제이다. 다른 사람의 도움을 받아들이는 것도 인성문제이다. 결국 자신의 인성에 따라 세상을 바라보는 눈이 되고, 세상을 사랑하는 지혜가 생긴다. 따라서 내가 누구인가를 탐색하고, 내가 누구인가를 찾아내는 수신과 성찰의 과정은 우리가 삶을 살아가는 데 있어 가장 중요한 탐구과정인 것이다.

다른 사람을 바루고자 하거든 먼저 나를 바루고, 다른 사람을 가르치고자 하거든 먼저 내가 배우고, 다른 사람의 은혜를 받고자 하거든 먼저 내가 은혜를 베풀어야 한다.

한국에서 명문가라고 할 때 과연 그 자격 기준은 무엇인가? 가장 보편적인 조건은 그 집 선조 또는 집안사람들이 '어떻게 살았느냐How to live' 하는 문제로 귀결되는 것 같다. 꼭 벼슬이 높아야 명문가가 되는 것은 아니다. 얼마나 진선미에 부합하는 삶을 살았느냐가 중요한 것 아니겠는가! 그래서 "정승 셋보다 대제학 한 명이 더 귀하고, 대제학 셋보다 처사 한 명이 더 귀하다."라는 말이 인구에 회자되는지도 모르겠다.[23]

『명심보감』계선편繼善篇에서는 "위선자爲善者는 천보지이복天報之以福하고 위불선자爲不善者는 천보지이화天報之以禍니라."라고 한다. 즉, 착한 일을 행하는 사람이 하늘의 복을 받고 악한 일을 하는 사람은 하늘에서

----

23 조용헌, 『명문가 이야기』, (푸른역사·2002), p.318

벌을 받는다는 말은 인성의 가장 기본적 개념인 것이다.

선한 일이 선한 사람을 만들고, 악한 일이 악한 사람을 만드는 것이다. 우리는 적어도 하루에 한 가지의 선한 일을 하도록 노력해야 한다. 모두 이기심의 노예가 되어 제 욕심만 채우려 한다면, 탐욕의 싸움터가 되고 살벌한 수라장으로 전락하고 말 것이다.

내 마음을 깊이 되새김해 탐심貪心, 진노瞋怒, 우치愚癡(어리석음)에서 벗어나도록 하여야 할 것이다. 세상이 힘들어도 지혜로운 인성으로 살아갈 수 있도록 마음속의 문을 만들어 두고 모든 것을 긍정적인 마인드로 받아들이며 최선을 다해야 한다.

살펴보건대, 인간의 삶은 돌아가는 수레바퀴와 같다. 진인사대천명盡人事待天命 정신과 자세로 살아가면 바른 인성의 삶으로 행복하게 살수 있다.

개인의 인성이 이어져 가정–사회–국가의 인성과 궤를 같이한다는 차원에서 볼 때, 인성철학을 반듯하게 정립하고 인간답게 살아야 한다.

최근 대형 사건사고와 강력범죄가 급증하여 국민들은 인성 붕괴의 위기를 느낀다. 우리는 항상 자각과 성찰로 마음을 다듬고 세상의 이치와 순리에 따라 인간다운 인간으로서의 삶을 가꾸고 완성해 가는 과정에 충실해야 한다. 개인의 인성을 회복하는 것은 개인·가정 행복은 물론 국민행복의 인성국가를 세우는 길이다.

3

국민·국가인성의 중요성

국민·국가인성의 대내적 요인과 문제

샘물이 모여 시냇물이 되고 강물을 이루듯이 국민·국가인성도 개인 인성이 가정인성을 이루고, 가정인성이 쌓여 국가사회의 인성이 형성 된다.

국민·국가인성은 역사와 정치, 문화와 경제 등 한 나라의 지배적인 사회제도에 대해 국민이 갖는 일체감과 국가라는 집단에 속해 있다는 유 대감에서 나온다. 국민 개개인의 인성에 따라 국민화합 과정을 통해 형 성된다고 볼 수 있다. 선진국가는 무엇보다도 성숙한 국민 인성을 토대 로 국민은 국가를 위해 희생을 감수하고 국가는 국민을 보호해야 한다.

국가인성이란, 바로 개인인성이 쌓여 형성된 결정체이기 때문에 국 가의 외교, 안보, 통일, 경제, 사회, 문화, 복지의 모든 정책들은 국민의 결집력을 기반으로 움직여야 힘을 발휘할 수 있다.

백범白凡은 자원도 부족하고 영토도 작은 우리나라가 문화(인성)의 나라가 되어야 미래에 더 부강한 국가로 거듭날 수 있다고 생각했다.

삼성경제연구소에서도 한국은 분쟁과 높은 사회적 갈등 때문에 1인당 GDP의 27%를 비용으로 지불한다고 분석했다. 우리나라의 1인당 국민소득은, 사회갈등이 OECD 평균수준으로만 개선된다면 벌써 3만여 달러는 되어 있을 것이라 추정할 수 있다. 인성이 바로 선 국가가 되지 않을 때에는 국민세금만 낭비될 뿐, 진정한 선진국으로의 도약이 불가하다 해도 과언이 아니다.

국민·국가인성이 바르게 형성된 국민들은 국가와 민족에 자부심을 갖고 국가와 사회를 위해 헌신하는 마음을 품게 된다. 국민·국가인성은 개인뿐만 아니라 국가나 단체조직을 결속시킴으로써 국가성장의 발판이 될 수 있고, 국가안보와 역사보존에도 큰 영향을 미친다. 따라서 '선진국=인성국가'의 등식이 성립된다고 볼 수 있다.

인도의 마하트마 간디는 망국의 요인으로 7가지를 꼽았다.[24]

· 원칙 없는 정치 Politics without principle
· 도덕성 없는 상업 Commerce without morality
· 노력 없는 부 Wealth without work
· 인격 없는 지식 Knowledge without character
· 인간성 없는 과학 Science without humanity

----

24 마하트마 간디 지음, 박홍규 역, 『간디 자서전』, (문예출판사·2007), p.154

·양심 없는 쾌락Pleasure without conscience

·희생 없는 신앙Worship without sacrifice

즉, 도덕, 철학, 노동, 인간성, 윤리, 헌신 등이 없는 국민인성은 사회 악의 요인으로 나라가 망하는 길이라고 갈파喝破한 것이다. 하나하나 음미하면 작금의 한국문제를 그대로 꼬집는 것 같다. 그런데 전 국무총리 김황식은 여기에 세 가지를 더 추가하였다.

·공정성 없는 언론Press without fairness

·책임감 없는 NGOsNgos without Accountability

·상호 존중 없는 양성평등Gender equality without mutual respect

본서에서는 더욱 심각한 '대한민국의 암적 존재 패거리 인성문화와 노블레스 오블리주의 실종문제'(제8장 2 참조)를 추가한다.

또한 매일경제에서는 '선진국 진입을 가로막는 우리 마음속의 10적敵 시리즈'를 발표(독자들의 의견 취합)하였는바 그 내용은 아래와 같다.

① 안하무인 갑질, ② 부실한 사후평가, ③ 만연한 안전불감증, ④ 실종된 노블레스 오블리주, ⑤ 인터넷상 타인 욕설, ⑥ 단기 성과에만 집착, ⑦ 사라진 공공장소 에티켓, ⑧ 아동학대, 성희롱 둔감, ⑨ 편 가르기 이중잣대, ⑩ 무너지는 교통질서

위의 문제들은 국가적 난제로서 이를 해결하는 방법은 혁명적인 인성교육과 인성회복 운동이라 생각한다.

국민·국가인성의 대외적 요인과 문제

최근 영국기자 앤드루 새먼이 『모던 코리아』라는 책을 출간했다. 그는 전에 영국신문 〈더 타임스〉 특파원으로 한국에 10년간 근무했다. 고참 외국인이 신참 외국인에게 그들이 앞으로 겪을 한국사회를 쉽고 짧게 설명한 책으로 요지要旨는 다음과 같다.[25]

> 한국은 극단의 연속으로 거의 모든 분야에서 극단이 등을 맞대고 있다. 한국은 평소 예의 바르다. 그러나 체면·서열 따질 것 없이 모두가 익명의 개인이 되는 도로에서는 너 나 할 것 없이 법절을 벗어던지고 차를 막 몬다.
>
> 극단의 모순의 또 다른 예가 한국인이 정부를 바라보는 태도에 있다. 한국인은 정부를 신뢰하지 않는다. 그러나 무슨 일이 터지면 다 같이 정부를 쳐다본다. 정부의 몫이 아닌 일까지 정부더러 해결하라고 한다. 세월호 침몰 당시 실제로 잘못한 사람은 유병언 전 회장과 선장·선원들이다. 그러나 비판의 폭탄은 정부에 떨어졌다. 과거에 정부가 매사에 참견하며 힘을 휘둘러온 탓에 이제는 정부가 여론을 이끄는 것이 아니라 여론에 끌려다닌다.

이야말로 우리나라의 뼈아픈 현실이자 자화상이 드러난 평이라 할 것이다.

---

25 앤드루 새먼, 『모던 코리아』, (옥당·2014)

그럼에도 불구하고 반만년 역사와 전통이 깃든 동방예의지국의 민족 인성 DNA는 역사의 표피表皮가 어떻게 변하든 간에 그 속에 단단한 알맹이로 자리 잡아 이어져 내려오고 있었다. 우리 민족성 기저에는 홍익인간정신과 이념, 유교적 통치철학, 선비정신, 두레정신, 성리학, 실학 등이 기반을 이루고 있다. 이러한 정신과 이념은 민족의 혼魂으로 받아들이는 인성의 생명선으로서 고귀한 가치관이었다.

최근 국제정세는 냉혹해져 한반도는 100여 년 전의 구한말 시대와 흡사한 실정인 데도 불구하고, 치욕적 역사경험에 대한 우리의 대비태세는 허술하다 못해 한심할 따름이다.

그런데 문제는 우리 사회는 인성실종에 의한 갈등과 분열로 인해, 국민총화도 기대할 수 없는 현실에 처해 있다. 정치·경제·안보의 불안으로 선진국으로 도약하지 못하고 역사적 기회의 시간들을 허송하고 있지 않은가 하는 점이다. 현재의 과거지향적인 문화를 미래지향적인 문화로, 정치지향적인 문화를 경제·안보지향적인 문화로, 대내지향적인 문화를 대외지향적인 문화로 개혁하여 인성문화국가 → 안보 선진국가 → 경제 선진국가 → 선진 초일류 통일강국으로 나가야 한다.

우리는 930여 회의 국난을 이겨낸 저력 있는 민족이다. 때로는 곡예사의 외줄타기처럼 국가안보위기를 겪은 슬픈 역사도 많이 가지고 있다. 하지만 오늘날의 현실도 중국·일본의 역사 침탈 및 왜곡은 물론 미·중·러·일의 패권다툼에 안보위협을 받고 있다. 더욱이 북한의 핵 위협까지 겹쳐 국내외 정세가 불안하여 그 어느 때보다 우리 국민의 화합단결과 애국심이 중요한 시대이다.

우리는 애국가, 태극기, 무궁화 등을 생각하며 우리 국민의 정체성을 다시 한 번 가다듬을 때이다. 예컨대 우리 애국가가 동해안은 일본해로, 백두산은 장백산으로 국제적인 공인명칭이 바뀌어 훼손되고 있다는 사실을 대부분의 국민들이 간과하고 있어 안타까운 실정이다. 실제로 아직도 중국은 동북공정東北工程을 지속적으로 추진하고 있고 백두산에 만주족의 신을 모시는 '장백산 신사'를 건립했다.

일본의 일관된 한반도 정책과 흔들림 없는 독도 침탈, 역사 왜곡은 여전히 현재진행형임을 결코 잊어서는 안 된다. 아베정권은 자위대의 무장도 모자라, 태평양전쟁 전범을 단죄한 도쿄재판을 비판적으로 검증해보겠다고 나섰다.

대한민국 국민은 정신 차려야 한다는 지적이 국내외적으로 대두되고 있다. 근간 서양인의 눈에 비친 동양 3국(한·중·일)의 인성문화를 표현한 말이 있다.

중국인은 더럽고, 일본인은 예의는 바르고, 한국인은 슬라이sly하다.

미국사람들은 일본인을 동양 최고의 문명인으로 본다. 근대화의 선두주자로 한때 동양을 석권했고, 청·일, 러·일전쟁에서 승리한 후 미·소를 상대로 전쟁을 치른 나라로서 국민소득과 교육수준이 높아 깨끗하고 매너가 좋은 문화로 동양에서 유일하게 선진국으로 꼽히는 나라다.

일본인과 일본문화의 뿌리는 사실상 한민족의 뿌리에서 찾을 수 있다. 한민족과 문화가 일본으로 건너가 주류를 이루다 그것이 일본문화와 섞이면서 오늘날의 일본문화로 변질되어 선진국으로 발전되었다는 것이 설득력 있어 보인다.

'국화'와 '칼'로 대표되는 일본의 인성문화는 약자 앞에서 한없이 강하고 잔인한 데 비해, 강자 앞에서 상냥하고 예절 바르기로는 따라갈 인종이 없어, 사실상 비굴하며 잔인하고 아부의 근성을 가진 왜인이라고 생각된다.

일본인의 비인간적 잔인한 성격은 역사적으로도 입증된다. 난징대학살은 물론이거니와 일본 교토의 귀무덤(이총: 耳塚)에는 임진왜란, 정유재란 당시 희생된 조선인과 명나라 군인 12만 6,000명의 귀와 코가 묻혀 있다. 도요토미 히데요시는 무장들에게 전공戰功을 증명하기 위해 조선인들의 귀와 코를 잘라 소금에 절인 뒤 전리품으로 본국에 보내게 했다.

핵심 문제는 대한민국 사람들에 대한 평가다. 한국인을 그들 어휘로 '슬라이'하다고 하는데 도대체 이 단어의 함의含意, Implication(의미가 담겨 있는)가 무엇인가? 이 말은 머리가 좋긴 하지만 그 좋은 머리를 좋은 방향으로 쓰지 않고 나쁜 방향으로 쓰는 것을 의미한다. 직역을 하자면 '교활'하다거나 '음흉'하다는 표현이 된다. 이기적으로 약아빠지고 기회주의 성향으로 겉과 속이 다르다는 의미를 내포하고 있다.

그러나 이 표현은 식민사관의 영향과 일개 편향偏向적 시각으로서 우리 대한민국의 경이적 발전상을 시기한 일부 외국인의 주관적 발상에서 표현된 것으로, 우리로서는 결코 간과할 수 없는 일이다.

우리 조상은 원래 농경사회를 이루고 살면서 마을 울타리 안에서 서로 돕고 배려하며 살았다. 그러한 우리가 수많은 전란을 겪고 일제강점기 시대의 천인공노할 잔인·잔학한 역사적 범죄를 겪으며 식민치하의 모진 학정에서 살아남는 과정 중, 백의민족의 인성대국 모습에서 일탈한 현상이 생겨나 인성실종의 주요인이 되었다는 분석도 가능하다.

다행인 것은 한국인의 내면에 체화된 8가지 인성 DNA가 대한민국 5천 년의 역사를 보존했기에 역동적인 성장 동력으로 작용해왔다. 그러므로 8가지 DNA를 보존하여 정신문화의 토대로 활용한다면 머지않아 인성회복이 가능하여 선진 통일강국의 시대를 열 수 있다. 서양인의 오해를 불식시키기 위해서라도 국민 개개인이 올바른 인성 정립을 통해 인성대국으로 회복해야 할 것이다.

결론적으로 우리는 바른 국민·국가인성을 확립하여 동방예의지국의 홍익인성으로 다시 돌아가 인류를 선도하는 민족이 되어야 한다. 인성대국으로 거듭 태어나 타고르의 『동방의 등불』 시詩처럼 세계의 등불이 되는 나라로 발전해야 한다.

〈 3 〉 일본 국민인성의 이중성(二重性)

한일 관계는 독도, 위안부 문제 등으로 편한 날이 없다. 안타깝게도 가깝고도 먼 나라이다.

미국 작가 루스 베네딕트(『국화의 칼』 저자)는 일본인들은 '남이 자신을 어떻게 보느냐'에 민감하다고 했다. 그 예로 일본은 남을 배려하고 자신은 절제하는 수신의 문화다. 일본 엄마들은 남에게 폐(迷惑, 메이와쿠)를 끼치지 말라는 말로 가정교육을 시작한다. 그 래서 일본 어린이가 맨 처음 배우는 말은 준반順番으로 차례, 순서를 지키라는 말이다. 국가적으로도 '남에게 현격히 폐를 끼치는 행위'는 법으로도 금하고 있다.

① 2011년 3월 11일 대지진에서 일본인이 보여준 인내와 질서의 국민인성에 외신들은 인류정신의 진화라고 극찬했다.

② 일본에는 '마음으로는 울면서 얼굴로는 웃는다'는 말이 있다. 아무리 괴롭고 힘들어도 될 수 있으면 상대방 기분이 상하지 않도록 배려하는 것이다.

여기서 우리가 냉철히 봐야 할 것은 일본의 국민인성은 이중성으로 대내용과 대외용이 다르다는 것이다.

이와 같은 행태는 일본의 단일민족 정체성에 대한 병적인 집착인 동시에, 다른 나라에 대한 극단적 배외주의로 적대적 감정과 폭력적 양상을 동반한다. 인류애를 발휘하기보다는 국익에 따라 이중성의 국민인성을 발휘하는 전형적인 모형이다.

최근 일본 비즈니스저널이 우리의 부정부패를 비아냥거리듯이 의도적인 보도행태를 보이고 있는바 핵심내용은 다음과 같다.

① '한국인은 숨 쉬는 것처럼 거짓말을 한다'는 것.
② 2013년에는 위증이 3,420명, 무고가 6,244명, 사기가 29만 1,128명으로 급증했다며 "이는 일본의 66배에 이르는 것이며, 인구 규모를 감안하면 165배나 많은 것"(한국 경찰청의 통계 제시)
③ 놀라운 것은 한국의 사기 피해액이 43조 원에 달하며 이는 한국이 세계 제1의 사기 대국大國이자 부패 대국

우리는 의도적인 보도행태에 의연히 대처하되, 지일知日과 극일 克日을 통해 근본적으로 해결해야 한다. 다시 말해 한일관계는 세 계사에서 보기 드문 비극의 역사로 이를 완전히 해결하는 것은 정 말 난해하다는 것을 전제로 분노, 격앙 등의 일회성 대책을 지양 하고 홍익인간 정신과 동방예의지국의 민족혼을 바탕으로 중·장 기적인 정책으로 지혜롭게 대처해야 한다. 독일과 프랑스가 500 여 년간의 세습적 원수Erbfeindschaft 사이에서 EU 공동체를 만들듯 이 한·일 관계도 타산지석으로 삼아야 할 것이다. 일본은 숙명적 인 이웃나라임은 물론 상호 보완적 가치와 국익 등을 고려할 때 대승적으로 대처해야 할 나라이다. 이것이 우리가 찾아야 할 한민 족의 자존심인 동시에 이 시대의 정신이다.

4

세계인(인류) 인성의 중요성

21세기 세계인의 인성문제

인류는 종種의 관점에서 조상은 하나다. 38억 년 전 지구에 최초의 생명이 나타난 이래 4억 5천만 년 전 지구는 초록색으로 덮였다. 우리 인류의 시조始祖쯤 되는 오스트랄로피테쿠스는 약 200만 년 전에 등장하여 처음으로 직립보행을 했다. 생각하는 사람의 본류로 평가받는 호모사피엔스는 20만 년여쯤 된다.

인간은 그렇게 길고도 험난한 여정을 거쳐 태어난 몸과 유전자를 지닌 소중한 존재이다. 현재 인류의 직접적인 조상은 빙하기(4만 년 전)가 끝날 무렵 나타난 호모사피엔스로 아프리카에서 태어나 유럽과 아시아 그리고 아메리카 대륙으로 이동하며 지구상에 널리 퍼져 살기 시작했다.

21세기 인류는 지구온난화, 핵, 전쟁, 테러, IS(이슬람 국가 수니파 무장단체) 등의 야만적인 인성의 결과물로부터 고통받고 있다. 이제 인류, 지구의 종말을 위협하는 시대가 도래했다. 이젠 개별국가가 아닌 인류, 지구, 우주 전체 단위를 놓고 세계인이 진지하게 고민해야 하는 시대가 왔다.

역사적으로 인류는 특정민족, 특정종교만이 가치가 있다는 식의 배타적 국가주의나 이기주의로 인해 끊임없는 불행을 겪어왔다. 중세 십자군十字軍전쟁과 근대 서구 제국주의 국가들의 아시아·아프리카 침략전쟁, 히틀러의 야만적인 인종증오 정책의 나치즘, 일본의 군국주의 등이 이를 방증해준다.

제2차 세계대전으로 세계 80여 개국의 20억 명은 전쟁의 불길에 휩쓸렸고 수천만 명이 희생되었다. 그러나 인류의 역사는 전쟁의 역사이다. 그만큼 갈등과 전쟁이 끊이지 않았다는 이야기이고, 세계 지도자의 인성은 물론 인류사회의 인성이 문제가 있다는 의미이다.

하버드대 새뮤얼 헌팅턴 교수는 탈냉전 후의 세계가 문명의 충돌로 점철點綴될 것이라고 보았다. 2015년 11월 13일 프랑스 파리에서 일어난 IS의 자살테러에는 기독교 문명과 이슬람 원리주의자들의 대결 요인도 있지만, 문명의 충돌이라기보다는 이슬람 극단 과격주의자들에 의한 문명부정이자 문명파괴 행위로서 비문명적이자 반인도적이며 반인류적으로 용서하고 용납할 수 없는 행위다. 근간 IS가 전 세계를 이슬람화化하겠다는 근본주의적 욕망이 인류평화를 위협하고 있다.

최근 테러 싱크탱크 '퀼리엄'은, "이슬람국가IS가 나치의 신병모집 전략을 모방, 어린아이들을 세뇌해 차세대 살인마로 만드는 반인류적 만행을 저지르고 있다. 이렇게 세뇌 교육을 받은 아이들이 첩자, 전투원, 자살 폭탄 테러범, 사형집행인이 돼가고 있다."라고 했다.

인류역사 초기부터 땅과 식량, 물 등의 자원을 둘러싸고 전쟁이 벌어졌다. 국가가 출연한 청동기시대부터 조국, 명예, 종교, 국익이 전쟁의 명분으로 추가됐다. 세월이 갈수록 전쟁은 더 커지고 잔인해졌다. 전쟁을 통해 칭기즈칸, 알렉산더처럼 영웅으로 기억되는 인물이 있는가 하면 독일의 히틀러, 힘러, 괴링, 괴벨스 등의 이름은 역사의 반역자로 각인되었고 전후 독일은 진실로 끊임없는 사죄와 보상은 물론이고 영토 반환과 공통 역사교과서 편찬 등을 통해 피해국들과 지속적인 화해를 가졌다.

이에 반해 일본은 2차대전을 총지휘한 히로히토 국왕과 도조 히데키 수상, 난징대학살의 지휘관이었던 아사카노미야 야스히코, 731부대의 책임자 이시이 시로는 물론 책사 요시다 쇼인 등의 역사적 정죄定罪가 제대로 되지 않았다. 이와 같은 역사적 진실은 안타깝게도 소수의 역사학자들만 제대로 알고 있다. 자신들이 주변국을 침략한 가해자가 아니라 태평양전쟁에서 원폭피해를 본 피해자라는 왜곡된 의식과 함께 군국주의로 회귀하고 있다.

현대사에서 두드러진 현상은 국가 간 전쟁에 의해 목숨을 잃은 사람보다 내전, 종교분쟁, 민족분규, 이념갈등 등 인성실종으로 인해 희생된 사람의 숫자가 훨씬 많다는 것이다. 그 예로 최근 미국 국무부 집계에 의하면 2005년 이후 10년 사이에 테러에 의해 16만여 명이 목숨을 잃었고, 약 32만 명이 부상을 입었다. 종교분쟁은 다른 분쟁보다도 격렬한 충돌과 희생으로 귀결되고 있어 테러, 전쟁, 핵전쟁 위기로 악화될 것이 우려된다.

역사적으로 서방세계와 이슬람권 국가 사이에는 십자군전쟁의 구원 舊怨이 뿌리 깊이 잠재돼 있다. 11세기 유럽 기독교문명은 십자군이란 이름 아래 '신神이 원한다'며 150년 동안 여덟 차례나 이슬람 원정을 벌였다. 프랑스의 석학 기 소르망은 파리 연쇄테러의 원인을 프랑스 이슬람 이민자들의 허무주의라고 지적하며 "테러에 대한 간단한 해결책은 없고, 전례 없는 서방정부의 노력만이 해결할 수 있을 것"이라고 주장했다.

2015년 9월 시리아 내전으로 부모의 손을 잡고 터키까지 피난 온 세 살배기 아일란 쿠르디는 그리스로 가던 중 고무보트가 뒤집혀 아름다운 휴양지 보드룸 해변에서 차가운 시신으로 변해버렸다. 죽은 아이의 언론 보도사진이 세계인의 마음을 열었다. 이타주의가 어려운 인간에게 '자기집단 중심적 이타주의Parochial Altruism'라는 재해석을 통해 공감과 감동을 느끼는 순간 인간은 위대해질 수 있다.

세계의 갈등과 분열 양극화현상 심화는

세계인의 인성을 무너지게 만들어

지구촌의 인권문제는 물론 세계의 평화, 정의를 위협하고 있다. (중략)

학력은 높아졌지만 상식은 더 부족하고,

지식은 많아졌지만 판단력은 더 모자란다.

전문가들은 늘어났지만 문제는 더 많아졌고,

돈을 버는 법은 배웠지만 나누는 법은 잊어버렸고,

평균수명은 늘어났지만 시간 속에

삶의 의미를 넣는 법은 상실했다.

달에 갔다 왔지만 길을 건너가 이웃을 만나기는 더 힘들어졌고,

우주를 향해 나아가지만 우리 안의 세계는 잃어버렸다.

공기정화기는 갖고 있지만 영혼은 더 오염되었고,

세계평화를 많이 이야기하지만 마음의 평화는 더 줄어들었다.[26]

2015년 1월 세계경제포럼 WEF에서는 "전 세계 상위 1%의 재산이 나머지 99%를 합친 것보다 더 많아질 것"이라는 전망이 나와, 부의 불평등 문제가 제45회 다보스포럼의 주요의제로 부상했다. 전 세계 인구 70억여 명 중 14억여 명이 1일 1달러로 생계를 연명延命하고 있다.

〈글로벌 리스크 2015〉 보고서에서는 "국가 간 갈등이 올해는 물론 앞으로 10년 동안 전 세계에 일어날 가능성이 가장 큰 리스크로 조사됐다."라고 밝혔다. 이러한 국가 간 갈등으로 인해 전쟁, 테러, 핵, 지구온난화, 인종분규, 국지전 등 많은 문제가 도사리고 있다.

특히 미래인류가 번영하느냐 아니면 멸망하느냐의 본질적 요인은 지구의 질서를 파괴하는 지구온난화, 핵문제, 종교분쟁, 3차대전의 발생 등이라 할 수 있다.

----

26 호주 콴타스 항공의 최고 경영자 제프 딕슨의 「우리 시대의 역설」 중에서

세계인의 지혜로운 인성이 긴요한 시대

우리 인류의 마지막 기둥은 올바른 인류인성에 의한 인간존엄이다. 미래인류는 인구증감의 문제를 극복하고 바른 인성을 토대로 선순환의 문명을 건설해야 한다. 미래인류에게 발생하게 될 다양한 문제는 상생과 화합, 공존으로 해결해야 한다. 인류가 지속가능한 문명을 이루기 위해서는 세계인의 바른 인성이 생명선生命線의 역할을 할 것이다.

지구온난화는 충격적인 사례로 북극의 빙하가 녹아내리고, 세계 최대 담수탱크인 히말라야 산맥 밑바닥에 구멍이 뚫려버렸다. 더불어 인류도 벼랑 끝에 서 있다. 생존과 멸종은 물론 어떤 미래를 선택할 것인가. 그건 전적으로 세계인의 인성에 달려 있다. 그만큼 지구온난화로 기후변화에 동반될 재앙이 지구촌 존망을 위협하여 글로벌 생태계 격변이 일어나는 세상이 됐다. 지구는 인간의 전유물이 아니다. 46억여 년이라는 지구의 나이를 24시간의 비유로 환산해 보면 인간이 본격적 문명을 발전시켜 현재에 이른 시간은 고작 1초에 불과하다. 인류는 흔적 없이 살다 가야 한다는 것이다.

유엔은 2016년 3월 20일 세계 행복의 날을 맞이해 지구 온난화방지 등

환경보호를 주제로 레드와 함께하는 '앵그리버드 해피 플래닛' 캠페인을 진행했다.

전문가들은 온도와 이산화탄소 농도 그리고 지질학적 분석으로 1964년이 인류세Anthropocene 시작점이라고 제시했다. 앵그리 플래닛Angry Planet(화난 행성)은 벼랑 끝에 선 지구를 일컫는 말이다. 즉 인간이 보금자리를 뒤바꾼 지질시대라 해서 인류세라는 신조어까지 생겨났다.

21세기 세계인의 평화정신이 점점 실종되어가는 데다 대부분의 글로벌 지도자들이 국익 중심의 이기주의 정책 전개로 인류의 미래는 밝지 못하다. 이러다가 사악한 인성을 가진 글로벌 리더가 국익에 몰입하여 핵전쟁을 감행하지는 않을까 우려된다. 이미 우리는 러시아가 크림반도를 합병合倂하는 과정에서 블라디미르 푸틴 러시아 대통령이 핵무기를 준비했었다고 밝혀, 핵전쟁 발발의 위험을 실감했던 적이 있다. 북한 김정은의 핵위협을 근본적으로 제거하지 않으면 안 되는 이유가 여기에 있다.

원자폭탄은 아인슈타인이 발견한 질량과 에너지의 상대성 원리($E=mc^2$)를 바탕으로 개발되었다. 처음에 아인슈타인은 상대성 원리를 바탕으로 한 원자폭탄 개발을 권고했지만, 그 막강한 파괴력을 깨닫고 곧 마음을 바꿨다. 그리하여 원자폭탄 개발이 거의 완성되어 실험이 임박해오자 루즈벨트 대통령에게 원자폭탄을 실제 사용해서는 안 된다는 편지를 보내기도 하였다.[27]

---

27 다치바나 다카시, 『21세기 지(知)의 도전』, 태선주 역, (청람미디어·2003), pp.40~41

2011년 원전사고가 발생했을 때 일본은 원전을 아예 없애겠다고 선언했다. 그러나 현재 일본을 비롯한 세계는 그때의 고통에서 배운 것이 별로 없는 모습이다. 세계의 어딘가에서 제2의 원전사고가 발생할까 두렵다. 한국을 비롯 세계 각국이 원전불행을 방지토록 근본적인 성찰을 통해 실천에 적극적으로 나서야 할 것이다.

정리하건대, 인류가 지난 과거를 잘 살펴보고 거기서 교훈을 얻지 않으면 역사는 두 번이 아니라 몇 번이라도 되풀이될 수 있다. 인류가 역사학이라는 학문을 갖고 있는 이유도 여기 있을 것이다.

세계인의 인성이 어떤 인성이냐에 따라 미래의 운명이 달라질 수 있다. 사피엔스Sapiens(현생인류라는 의미로 현명하다는 뜻)의 앞날을 위해 공동체정신과 상호존중, 배려하는 정의로운 마음, 올바른 인성을 가진 글로벌 지도자의 등장이 절실한 때이다.

지구촌의 모든 지도자들이 정의와 공동체정신 등 대승적 인성으로 핵, 지구온난화, 테러·전쟁 등을 방지해야만 지구촌의 진정한 평화와 번영을 가져올 것이다. 세계는 UN을 중심으로 지구촌의 대단결, 인류평화와 대화합 등을 위해 인류사적人類史的 평화와 문화문명 발전을 위한 글로벌 리더십이 긴요한 시대이다.

〈 4 〉 AI 시대는 인성(인성교육)이 더욱 중요

최근 강한 인공지능AI(자아의식이 있음)으로 '인류의 종말'이라는 불안감이 생겨 세계인의 화두로 등장했다. '알파고의 아버지' 딥마인드의 데미스 허사비스 CEO는 인공지능의 악용 가능성에 대한 사전논의는 필요하다고 했다.

2016년 초, 다보스포럼의 주제는 4차 산업혁명이었다. 즉, 증기기관(1차 산업혁명), 전기(2차 산업혁명), 정보통신(3차 산업혁명)에 이어 ICT 기술융합 등의 4차 산업혁명의 시대가 도래한다. 향후 10년 내 모델 등 700만 개의 일자리가 기계로 대체되는 데 반해 새로운 일자리는 200만 개에 그쳐 실업자가 급증하여 기업, 산업, 국가의 경쟁력이 와해될 수도 있다. 그건 곧 사회의 붕괴와 시장의 몰락을 의미하여 개인인성, 국민인성, 세계인의 인성 문제가 대두될 수밖에 없다. 지구촌의 미래 모습으로 지금의 인성붕괴현상이 악화되어 '인류의 종말終末'로 오버랩 된다.

최근 일부 학자는 인공지능 발전이 인류의 재앙이 되어 미래 지구촌의 종말을 고한다고 주장한다.

① 세계적 물리학자인 스티븐 호킹과 컴퓨터와 소프트웨어 혁명을 선도한 빌 게이츠는 인공지능의 발전에 대해 우려를 표하고 나섰다. 호킹 교수는 "인류는 100년 내에 인공지능에 의해 끝날 것"이라고 경고했다.

② 세계 최고의 전기차 업체 '테슬라' 창업자인 일론 머스크도 "인공지능 연구는 악마를 소환하는 것이나 마찬가지"라고 주장했다.

③ 이스라엘 히브리대의 유발 하라리 교수는 "21세기 후반에 인류는 혁명에 휘말릴 것"이라고 내다봤다. 그동안 국가·사회를 대상으로 한 인간 주도의 혁명이 수없이 벌어졌지만 이번에는 혁명의 대상이 '인류' 자체로 바뀐다는 점에 주목해야 한다고 강조했다. 단도직입적으로 말하자면 "2100년 이전에 현생인류는 사라질 것이다. 인공지능이 지나치게 빨리 발전하고 있다"고 우려했다.

정말 인류의 인성과 인성교육이 더욱 중요한 시대가 오고 있다. 인류의 인성교육이 제대로 되지 않으면 현재의 핵문제처럼 지구촌의 큰 문제가 될 것이며, 반면 인성교육이 제대로 되면 과학 문명으로 선용善用될 것이라고 생각한다.

1956년 미국의 수학자 존 매카시가 인공지능이라는 용어를 처음으로 사용한 후 1967년 인간과 인공지능이 처음 체스게임을 했으며 1997년 체스 세계챔피언 가리 카스파로프를 꺾었다. 그리고 2016년 알파고가 이세돌의 바둑을 꺾는 데까지 이르렀다. 드디어 2029년이면 인간처럼 느끼고 생각하고, 2045년엔 '포스트 휴먼'이 탄생할 것으로 예상한다.

알파고가 던지는 인공지능에 대한 의견을 살펴보자.

① 김문조 고려대 사회학과 교수는 우리 사회에는 인간과 기계

사이의 관계를 규정짓는 새로운 세계관이 필요하다고 하였다. 기계를 적대시하는 것이 아니라 인간에게 '인성'이라는 것이 있듯 올바른 '기성機性'을 발전시키기 위해 궁리해야 한다.

② 고한승 삼성바이오에피스 사장은 인공지능이 아무리 발달한다 하더라도 예술작품을 창조하고 아름다움을 향유하는 부문은 모방할 수 없다. 이것이야말로 '인간다움'이다. 인성과 감성을 키워주기 위한 방향을 고민해야 한다.

필자는 인간을 인간답게 그리고 가장 강하게 하는 건 인간의 영역인 '인성교육'에 있다고 생각한다. 이어령도 『생명이 자본이다』에서 인류의 희망을 찾을 수 있다고 말한다.[28]

이 지구는 벌써 식어서 죽었어야 했을 텐데 점점 생명이 불어간다. 그런데도 사람들은 낙하하는 사과만 보았지 계속해서 사과씨에 싹이 움트는 것은 보지 못했다. 죽은 고기는 물과 함께 떠내려가지만 등용문의 고사처럼 잉어는 급류를 타고 용문을 넘어간다. 생명은 이렇게 거슬러 오르려는 역 엔트로피의 힘을 가지고 있다.

인류는 세계의 인공지능 개발에 따른 문제를 지혜롭게 극복하기 위해 인성교육을 강화하여 인류의 종말 요인을 제거하는 동시에 인공지능을 선용善用할 수 있는 대책을 철저히 강구해야 한다.

----

28 이어령, 『생명이 자본이다』, (마로니에북스·2014), p.273

인성교육

2부

인성교육이란 무엇인가

제4장

인성교육에 대한
전반적인 이해

인성교육이란

1

개념과 정의

일반적으로 인성교육은 전인교육과 동일한 개념으로 파악되고 있으며 주로 심리학적, 철학적 의미로 사용된다. 때로는 참교육, 인간교육으로 불린다.

인성교육은 사람됨의 교육이다. 모든 사람이 윤리, 도덕성을 함양하고 올바른 가치관을 정립하여 올바른 인성을 갖추도록 중점을 두고 지도해야 할 국가적 과제다. 우리나라의 교육기본법과 교육이념은 홍익인간의 전인교육을 규정하고 있다.

우리나라는 위대한 홍익인간의 사상과 이념을 토대로 자연·우주의 운행질서와 인간의 행동이 하나로 된 상태에 도달하도록, 홍익인간의 완성을 교육의 궁극적인 목적이자 지향점으로 삼아왔다. 그럼에도 불구하고 최근 수십 년 동안 이를 간과하거나 망각한 채 살아왔다.

교육계는 물론 가정·사회에서 인성교육이 강조되고 있음에도 현실에서 인성교육을 '잘' 해내는 것에는 어려움이 많다. 날이 갈수록 동방예의지국의 인성문화가 실종되고 물질만능주의가 국민의식에 악영향을 주는 바람에 인성이 피폐해져 인간다운 삶의 위기를 초래하고 있다.

21세기 인성교육은 문文·사史·철哲은 물론 교육, 예술, 체육, 사상, 시사 등 지덕체智德體를 망라한다. 따라서 인성교육을 제대로 하다 보면 자신이 나아갈 인생길의 이정표가 저절로 세워지고 인간다운 인간, 인간다운 삶이 이루어질 수 있다. 운동선수가 근육을 키우듯 인성도 근육을 만들 듯 키워야 한다.

인성교육에 대한 단편적인 접근과 노력으로는 교육의 효과를 내지 못한다.[1]

가정과 학교 그리고 사회에서 인성교육을 하기 어려운 원인을 추적해보자면, 한국적 인성교육철학을 배경으로 한 인성교육의 내용이 학문적·실용적으로 거의 정리되어 있지 않은 탓이 크다. 정작 우리가 하고자 하는 인성교육에 대한 정의적 정립, 개념, 원리 등의 방향을 잡지 못해왔던 것이다.

----

1 도은아, 석사학위논문, 『기독초등학교에서의 인성교육에 대한 활성화 방안』, 연세대 교육대학원, 2006, p.107

다음과 같이 인성교육에 대한 주요 개념과 정의를 정리해보겠다.

주요 논자	주요 내용
권이종[2]	· 바람직한 인간상은 현명한 의사결정 능력을 지닌 인간으로 보고 인성교육의 방향을 중시 · 인간의 지, 덕, 체를 긍정적으로 변화시켜 인간의 가치를 극대화하는 활동으로 정의
김태영, 송태욱, 안성훈, 손봉호, 손승남, 이근철 등 다수	· 학습자의 인성요소를 개발하고 지적·정의적 능력을 조화시키기 위하여 이루어지는 교육 · 인간다운 품성을 함양시키기 위한 것으로 보는 맥락에서 인간성 계발교육, 인간됨의 교육으로 표현 · 인간의 타고난 본성을 바람직한 방향으로 변화시키려는 노력 · 인간을 인간답게 기르는 교육으로 정의
한국교육학회[3]	· 심리교육으로 이해하는 관점으로, 인성은 마음 혹은 심성이라는 의미를 가지고 있으므로 인성교육은 심성교육과도 같은 맥락 · 인성교육이 도덕교육, 인성계발, 품성교육, 가치관 형성과 유사한 의미를 가진다는 점에서 이 용어들을 함께 사용함
최기영, 『현대사회와 유아교육』, (교문사)	· 역사적으로 인성교육이 교육의 전부라고 할 수 있었던 우리의 전통사회에서는 특히 유년기의 자녀교육을 중시했음 · 주요 교육내용으로 기본적인 생활철학인 삼강오륜(三綱五倫)과 일상생활 습관, 각종 예절교육이 이루어짐
교육과학 기술부 보건복지부 (2012)	· 사회라는 공동체 안에서 건강하고 행복한 구성원으로 살아가기 위해서는 유아기부터 타인 및 공동체와 바람직한 관계를 맺기 위한 바른 기본 생활습관과 올바른 인성을 갖추도록 교육해야 함 · 유아가 생활하는 모든 공간과 시간의 일상생활 속에서 유아기부터 지속적·통합적으로 실시되는 것

----

2 권이종, 『청소년교육개론』, (교육과학사·2000), pp.320~321
3 한국교육학회, 『인성교육』, (문음사·1998), p.16

인성교육이란 학습자의 인성요소를 개발하고 지적·정의적 능력을 조화시키기 위하여 이루어지는 교육으로 인간다운 품성을 함양시키는 맥락에서 인간성 계발교육, 인간됨의 교육으로 표현하기도 한다. 이러한 인성교육은 도덕교육, 인성계발, 품성교육, 가치관 형성 등으로 함께 사용하기도 한다.

인성교육Character Education에서 인성Personality이란 말은 성격이 아니라 인격을 말한다.

· 아리스토텔레스Aristoteles는 "덕이란 옳은 것을, 옳은 방식으로, 옳은 시간에, 옳은 이유로 행할 정착된 성향"이다.

· 듀이John Dewey는 학생들의 인성 발달에 영향을 주는 원천들을 직접적 원천과 간접적 원천으로 나누는데, 전자에는 가정·이웃·사회적 도당徒黨·경제적 이념들·정치적 결정 등이 속하고, 후자에는 학교·청소년단체·종교적 교육장소·대학 등이 속한다.

살펴보았듯이, 인성교육의 개념은 정확하게 한마디로 특정하기는 어렵다. 다만 인성교육이라는 것이 사람이 생을 살아가는 데 있어, 마음을 어떻게 쓰고 다스리는가를 교육하는 것이라는 의미를 내포하고 있다고 하는 데 무리는 없다 할 것이다.

인성교육이란, 개개인이 바람직한 성격을 형성할 수 있도록 심리적 특성으로서의 성격적 측면, 윤리·도덕적 특성으로서의 가치적 측면을 포함한 성격발달 과정의 문제를 해결하고 긍정적인 성격의 발달을 촉진하기 위한 교육과정인 것이다.

인성교육의 필요성과 교육방법

인간이 멸종되지 않고 지구상에서 번영을 누리며 만물 위에 군림할 수 있는 것은 인간이 '생각하며 배우고 익히는' 인성교육의 능력을 부여받았기 때문이다.

플라톤은 "역사의 진리를 추구하는 목적은 어느 것이 좋고 어느 것이 나쁜지를 판단하는 능력을 키우는 것"이라고 했다. 그는 올바른 이성과 도덕적 가치의 중요성을 역설하며, 정의로운 국가를 건설하려면 정치보다 교육을 잘해야 한다고 주장했다. 교육을 미래문명의 성장동력成長動力으로 본 것이다.

독일의 철학자 요한 피히테Johann Fichte는 〈독일 국민에게 고함〉이라는 유명한 강연에서 나폴레옹의 야욕을 교육열로 이겨보자고 역설해, 독일 국민의 의기를 북돋운 바 있다.

21세기 우리의 인성교육은 국·내외적 환경과 상황이 급변하는 만큼 시기적절하게 강화되었어야 하나 오히려 퇴보함으로써 인성실종, 인성붕괴와 직면했다. 교육에 앞서 교육을 위한 환경조성의 실패가 가장 큰 문제였던 것이다.

심지선은 인성교육의 필요성에 대해 다음과 같은 견해를 제시했다.[4]

인성교육은 개인적으로 건강한 심신과 올바른 기본 생활습관 및 창의 신장을 위해서 필요하며, 사회적으로는 지식교육의 비판, 폭력과 같은 사회문제 등이 심화되어 인간존중과 원만한 인간관계를 위

---

4 심지선, 한국교원대학교 교육대학원, 석사학위논문(2014. 02)

한 인성덕목이 포함된 인성교육이 필요하다. 또한 국가적으로는 세계화된 현대사회에서 개인과 국가의 정체성을 확립하고, 올바른 민주시민 및 바람직한 미래인재를 육성하기 위해 인성교육이 필요하다는 것을 알 수 있다.

인성은 타고난 것보다는 학습과 행동·습관으로 길러지는 면이 크며, 인성은 가르치는 것이 아니라 어른들이 먼저 모범을 보여주는 것이다. 아이들의 변화만을 요구하는 인성교육은 의미가 없다. 그런 일방주의식 편협偏狹한 인성교육으로 거둘 수 있는 효과는 아주 미미하거나 아예 없을 수도 있다.

손동현은 인성교육의 방법에 대해 다음과 같이 말했다.[5]

지적 영역의 교육에서는 학생이 스스로 문제를 찾고 질문을 찾아 가슴에 품게 하도록 유도하는 교육이 되어야 할 것이다.

정서적 감응능력의 함양교육에서는 신체적 체험과 정서적 체험을 깊이 함으로써 부지불식간에 감정이 순화되어 정서의 깊이가 더해지도록 입체적인 교육방법이 다양하게 채택되어야 할 것이다.

도덕성의 함양과 이를 기반으로 하는 공동체의식의 함양 역시 이론적인 지식교육을 통해서보다는 실천적인 활동을 통해서 이루어져야 할 것이다.

인성교육의 방법에 대해 주요 학자들은 다음과 같이 다양한 견해를

----

5 인문학 진흥과 문화 융성을 통한 한국적 인성정립 방안: 인실련 창립 2주년 기념세미나

제시하였다.

성명	주요 내용
김영진(1998)	가치덕목 촉진, 꾸준한 실천을 통한 습관화, 교사와 유아의 인간적인 관계, 유아의 내재적 동기유발, 가정과 지역사회의 협조 등 제시
계영애, 강정원 (2001)	유아와 친밀감 형성하기, 민주적인 학급 운영하기, 모델링, 자기조절력 증진시키기, 설명하기 등으로 제시
김영옥, 장명림, 유희정(2009)	유아 인성교육 방법으로 토의하기, 자기표현, 문제해결, 모델링 등의 방법을 제시
김영돈(2010)	교사가 갖추어야 할 자질로, 근본적인 면 – 국가관의 확립, 교사관의 확립 구체적인 면 – 학생에 대한 사랑, 심신의 사랑
정범모(2012)	인성과 교수활동 – 인성, 인간존엄성, 인간주체성, 가능성과 합리성

현실적으로 교육현장은 입시 위주의 교육으로 인하여 인성교육을 고려치 않고 있다. 각 과목을 담당하는 교사는 교육현장에서 담당과목에 대한 교육과 아울러 인성교육이 이루어질 수 있도록 종합적이고도 통합교과적인 방법을 구현해야 한다.

인성교육의 내용과 방법은 시대와 학자별로 그 주장하는 것들에 차이가 있지만, 기본적으로 타인과의 원만한 관계를 위한 교육이 주를 이루며, 교육을 통해 지·덕·체 또는 지·정·의 등을 통합해 전인적 인간을 양성하는 데 목적이 있다.

교육과학기술부에서는 꿈과 끼를 살려주는 행복교육이 곧 인성교육이라며 자유학기제自由學期制 등 기존의 교육정책 속에 인성교육이 녹아들어가게 할 것이라고 말했다.

〈 5 〉 인성교육의 기본방향 전환 필요

인성교육이란 인간다운 인간, 인간다운 삶을 추구하는 교육을 말한다.

존 로크의 교육론[6]은 첫 강부터 우리가 흔히 알고 있는 지덕체 智德體가 아니라 체덕지體德智로 '신체의 건강'을 최우선 하였다. "건강한 신체에 건강한 정신이 깃든다."라는 너무나 상식적이고 당연한 말이지만 입시지옥, 학력차별 사회인 우리 현실에서는 가정에서도 학교에서도 체육의 중요성을 잘 깨닫지 못하고 있다.

WHO는 건강의 개념을 "건강이란 단순히 질병이 없는 상태가 아니라 신체적, 정신적, 사회적으로 균형 잡힌 상태를 유지하는 것"으로 정의하고 있다.

운동은 신체의 건강을 위해서는 물론 인성교육에 필수불가결한 요소이다. 어떤 운동이든 도파민 등 행복호르몬이 생겨 활력을 준다.

최진석은 『인간이 그리는 무늬』에서 다음과 같이 말한다.[7]

자기를 대면할 수 있는 또 하나의 좋은 장치는 바로 운동입니다. 숨이 목까지 차올라 옅은 피 냄새가 올라올 정도까지 죽어라 달려봐야 해요. 그러면서 자기 코를 통해서 나오는 자기 땀 냄새를

---

6 존 로크(박혜원 역), 『교육론』, (비봉·2014), p.9, pp.23~25에서 발췌
7 최진석, 『인간이 그리는 무늬』, (소나무·2014), pp.265~266

맡아야 해요. 이때 자신의 영혼에는 온통 자신으로만 가득 찹니다. 이때 한계 속에서 자기를 만나는 겁니다.

인성교육을 위해서는 지덕체 못지않게 노勞의 중요성을 4-H운동에서 배울 수 있었다. 4-H운동은 국가의 장래를 이끌어갈 청소년들이 지·덕·노·체의 4-H이념을 생활화함으로써 인격을 도야하는 지역사회 청소년 교육운동이다. 현대 젊은이들은 육체노동의 가치를 알고 노동이 어떻게 삶을 윤택하게 하며 이웃과 더불어 행복하게 할 수 있는지 깨달을 수 있어야 한다.

청소년기에 적절한 운동으로 성장판을 자극해주어야 하는데 학생들이 교실과 학원만 오가느라 그나마 시간이 좀 생기면 컴퓨터, 스마트폰 하느라 땀 흘려 운동할 시간이 없다. 학생들 체질이 허약해진 것을 넘어 평균 키가 0.8cm 줄고 체중은 1.9kg 늘어난 현실에 서글픔을 느낀다. 대입체력장 부활 등 초·중·고 체육교육 활성화가 시급하다.

우리의 인성교육 패러다임도 교수자와 학습자 간의 일방향적 지식 전수에서 벗어나 교수자와 학습자가 양방향으로 소통하면서 지덕체가 아니라 체덕지의 건강 우선의 자기 주도적인 학습에 노동도 체험해야 한다.

인성교육의 기본방향을 근본적으로 전환하여 인성을 회복하자.

2

인성교육진흥법,
새로운 해결책이 될 것인가

인성교육진흥법이란

우리나라는 2014년 12월 29일 세계 최초로 인성교육진흥법(법률 제13004호)을 제정하여 2015년 7월 21일에 시행했다. 학교, 가정, 지역사회에서의 인성교육 활성화를 위한 법적·제도적 차원에서의 '지원체계'를 구축했다는 점이 중요한 의의다.

사람됨이 중요하지 않았던 적은 없었지만 인성교육진흥법 제정과 시행으로 학교와 가정, 사회가 체계적으로 인성교육의 법적 토대를 마련했다는 데 그 의미가 크다고 할 수 있다.

동 법안을 대표발의한 정의화 전 국회의장은 "21세기 대한민국의 목표는 물질적 성장에 걸맞은 정신과 가치의 성숙成熟을 이뤄내는 것이

입법목적	건전하고 올바른 인성을 갖춘 시민 육성
인성교육의 정의	내면을 바르고 건전하게 가꾸며 타인 · 공동체 · 자연과 더불어 사는 데 필요한 인간다운 성품과 역량을 기르는 교육
인성의 핵심가치	예(禮), 효(孝), 정직, 책임, 존중, 배려, 소통, 협동 등 8대 가치
인성교육종합계획	· 교육부 장관, 5년마다 수립 · 시 · 도 교육감, 연도별 시행계획 수립 · 시행
국가인성교육진흥위	교육부 · 문화체육관광부 · 보건복지부 · 여성가족부 차관 및 민간전문가 등 20명 이내 구성(신설)
유치원 초 · 중 · 고	학교장은 매년 인성교육과정 편성 · 운영해야
가정	학부모는 학교 등에 인성교육 건의 가능
인성교육 인증제	학교 밖 인성교육을 위한 프로그램 · 교육과정 인증제 실시
교원연수 강화	· 일정 시간 이상 교원들의 인성교육 연수 의무화 · 사범대 · 교대, 예비교사의 인성교육 역량 위한 과목(신설)

다."라고 말했다.

2014년 12월 28일 국회는 출석의원 199명의 만장일치로 인성교육진흥법을 통과시켰다. 여야의원이 공동 발의한 이 법안은 인성교육을 의무로 규정한 세계 최초의 법이다.

법이 시행되는 2015년 7월부터는 국가와 지방자치단체, 학교에 인성교육 의무가 부여되었다.

인성을 갖춘 시민들을 키우는 것이야말로 선진국가의 지름길이다.

근간 인성실종으로 사회가 절망적이 되고 무기력해지는 분위기에서 동법이 제정되었다. 국민들은 뒤늦게나마 법이 만들어졌다는 것을 다행스럽게 생각하며 범국민적·범국가적으로 적극 추진해서 동방예의지국의 인성이 회복하기를 간절히 바라고 있다.

인성교육진흥법의 8대 핵심가치

'법' 하면 연상되는 말은 '정의'다. 정의 실현에 있어 법의 역할이 그만큼 중요하다는 것이다. 정의는 '사회적 가치의 분배가 적정히 이루어지는 것'이다. 여기서 사회적 가치는 도덕·윤리성, 기회, 명예, 신뢰, 책임 등 우리가 중요하다고 생각하는 것들이므로 결국 정의로운 사회는 '사회적 가치가 적정하게 분배되고 있는 사회로서 인성국가가 되어야 가능하다'고 할 수 있다.

인성은 실정법에 수용될 수 없는 '법을 넘는 법'의 영역이 크게 존재하고 있어, 인성 〉 윤리 〉 도덕 〉 헌법 〉 법 〉 시행령 〉 규정 〉 규칙 등의 도식이 성립된다고 볼 수 있다.

그러나 인성을 법으로 회복하고 제도화하기에는 사실상 문제가 있다고 볼 수 있다. 그러나 동방예의지국의 인성이 무너지는 현실에서 법이라도 만들어 인성이 무너지는 것을 막고, 회복해야 된다는 절박감은 우리 국민 모두가 공감할 것이다.

그러므로 인성을 회복하는 데 인성교육진흥법뿐만 아니라 도덕·윤리와 같은 '법을 넘는 법'의 가치문화가 반드시 함께 작용해야 하므로, 인성교육진흥법 추진은 인성교육 강화를 통해 예(禮)를 비롯한 8대 핵심가치(예, 효, 정직, 책임, 존중, 배려, 소통, 협동)의 문화가 꽃피워 인성 회복을 주도하도록 해야 할 것이다.

타인에 대한 배려가 법규의 시작이다. 내 권리가 소중하듯 함께 사는 다른 사람들의 권리도 소중하기 때문에 서로 존중하며 살아가야 하는 인성이 꼭 필요하다. 내 권리만 중요하고 남의 권리를 무시한다면 나를 존중하는 사람은 나밖에 없는 세상이 되고 만다. 타인에 대한 배려와 존중은 인간의 존엄과 가치를 실현하고 따뜻한 세상을 만들기 위한 인성 사회의 필수조건이다.

인성교육진흥법은 정부가 기존에 표방하던 창의성 우선의 교육가치 체계를 '인성'에 방점을 두도록 유도하는 상징성과 함께, 법적 기반이 갖춰짐에 따라 인성교육 정책의 일관된 추진과 항존성을 담보받게 되었다는 것에 큰 의의를 가진다.

우리나라 대부분의 국민들은 물론 정부에서도 인성교육의 필요성에 대해는 공감대共感帶가 형성돼 있었지만, 실질적으로 입시성적 위주의 학교풍토에서는 그 실효성을 갖지 못했다. 그러나 이제는 다행히도 인성교육진흥법을 계기로 인성교육 및 인성교육 회복운동이 전개되고 있으나 시행이 부진하여 우려되는 실정이다.

결론적으로, 우리는 인성실종의 국가위기가 전화위복이 되어 '지식국가 → 지성국가 → 인성국가 → 인성문화대국 → 동방예의지국 → 세계의 모범적인 인성문화대국'으로 발전할 수 있도록 단기·중기·장기 계획을 치밀하게 수립하고 범국가적·범국민적으로 적극 추진해야 할 것이다.

3

대한민국 인성교육의 역사와 전통

대한민국 교육의 역사와 전통

　우리 민족은 역사적으로 교육을 소중히 여겼다. 고조선의 홍익인간 정신과 이념의 태동은 물론 삼국시대, 발해, 고려, 조선, 대한민국으로 이어지는 교육 열정은 세계가 부러워할 정도다. 우리 역사에서 국력이 가장 융성했던 고구려~조선 초기까지의 교육제도와 양반계층의 인성 교육은 어떠했는가. 평민은 교육받을 기회가 많지 않았지만, 귀족이나 양반계층에서는 체계적인 교육을 받았다. 고구려의 태학太學(우리나라 대학의 효시), 신라의 국학, 발해의 주자감, 고려의 성균관, 조선의 향교 등 교육의 역사와 전통이 세계 제일의 교육열을 잉태했다. 조선의 성균관 에서는 귀족과 양반 고위계층을 중심으로 논어, 맹자, 중용, 음양오행학 등을 가르쳤다. 이렇듯 교육의 힘은 융성했던 과거 역사의 견인차 역할을 했던 것이다.

우리 민족은 일제 침략의 시발이 된 을사늑약乙巳勒約 체결이라는 난감한 현실 앞에서 무장투쟁의 전열에 서는 한편, 교육을 통해 나라를 구하려는 운동을 맹렬히 전개했다. 방방곡곡에서 학회가 조직되고 사립학교가 섰으며, 서당은 학당·의숙義熟으로 속속 개조되어 새 학문·새 교육의 터전으로 바뀌었다.

우리 조상들의 구국 교육운동은 위로는 황실에서부터 아래로는 지방유지와 학생에 이르기까지 전 국민의 협력과 호응을 얻었다. 관직에 있던 사람이 울분에 못 이겨 벼슬을 버리고 학교를 세우는가 하면, 재산을 바쳐 학교를 일으킨 사람도 있었고, 무보수로 교사를 자원하는 청년들도 많았다.

이러한 애국열은 국내에만 국한되지 않고 간도, 연해주, 블라디보스토크 등지에서까지 활활 타올랐다. 교육을 통해 강탈당한 조국을 구하려 했던 만큼, 당시 학교의 운영정신과 교육내용 또한 뜨거운 민족의식을 반영하고 있었다.

1948년 건국 이후에는 어떠했는가. 초근목피草根木皮로 연명하는 가난한 나라였음에도 초등학교는 의무교육이었고, 대부분의 학부모들은 소를 팔고 논밭을 팔아가면서 자녀교육만큼은 최우선으로 시켰다. 이렇게 양성된 인적자본은 1960년대 이후 우리나라가 고도성장을 하는데 발판이 되었다.

『문명의 충돌』의 저자 새뮤얼 헌팅턴은 1960년 비슷한 경제수준이던 한국과 가나가 수십 년 후 엄청난 경제력의 차이를 보인 주요이유 중

하나로 한국의 교육열을 꼽았다. 우리나라는 자원빈국이라는 악조건 속에서도 교육강국으로 발돋움해 선진국의 반열에 들어섰다.

시대별 교육제도와 교육의 특징

시 대	주요 내용
고조선	대한민국의 건국, 교육이념으로 채택된 홍익인간 정신 태동
부여	형벌교육 강화로 질서 · 권력 유지 제천의식(영고)을 통해 인성 순화
고구려	귀족자제를 위한 관리 양성기관인 태학 운영: 우리나라 대학의 효시 평민(지방귀족) 자제를 위한 사립교육기관 경당 운영
백제	박사제도 운영: 오경박사, 역박사, 의박사 등 다양한 박사 존재
신라	'충'과 '신의'를 중요시한 수양단체인 화랑도 운영 삼국통일 후 국학 설치
발해	주자감(현재의 국립대학)을 설치해 왕족과 귀족교육 실시 당나라에서 많은 학생 유학 옴
고려	유교를 통치이념으로 삼아 유교국가로서 손색이 없는 교육제도 마련 국학을 국자감으로 개편(992)한 후 성균관으로 명칭 변경(1362)
조선	초기에는 성리학 중심의 교육기관으로 성균관, 사학, 향교 등 운영 중기에는 교육사상과 사학의 발달로 서원 발전
대한 민국	세계 최고의 대학진학률(지나친 교육열이 사회문제로 대두) 국민들의 평균 교육수준이 세계적으로 가장 높은 나라

그렇지만 해결해야 할 큰 문제가 남아 있다. 고도성장 산업사회를 지향하는 과정에서 인성교육을 등한시해 교육방향의 재설정이 요구된다는 점이다. 가정, 학교, 사회, 직장에서 유기적인 교육으로 생활화 등 실천이 이루어져야 할 것이다.

21세기 대한민국, 빗나간 교육열 – 창의·혁신적인 인성교육 긴요

오늘날 한국이 한강의 기적을 이루고, 이만큼 세계적 위상을 확보하게 된 것은 바로 이러한 교육열이 있었기 때문이다. 2008년만 해도 고교생의 83.8%가 대학에 진학했고 2015년도에 이르러서는 75% 선으로 하향추세를 그리고 있다. 그래도 세계 제1의 대학진학률(선진국은 평균 35~50%)을 자랑하고 있다.

오바마 미국 대통령은 교육에 대한 학부모들의 관심을 고취시키기 위해 기회가 있을 때마다 한국의 높은 교육열을 극찬極讚하며 국민들을 독려했다.

역사적으로 대한민국의 교육열은 삼국시대부터 이루어졌다. 예컨대 신라시대 최치원은 12세에 당나라로 혈혈단신孑孑單身 조기유학을 떠나 18세에 빈공과(외국인 과거시험)에 합격했다. 더욱이 우리나라의 교육문제는 시대를 초월한 화두다. 조선 명종 13년(1558), 과거과목의 하나이던 책문策問에 "지금 우리나라의 교육제도는 어떠하며, 만일 문제가 있다면 어떻게 개선해야 할지 말해보라."라는 문제가 출제되었을 정도다. 조선 시대에 현재보다 더 교육문제에 관심을 가졌다는 사실을 우리는 교훈으로 받아들여야 하겠다.

미국의 베스트셀러 『넘치게 사랑하고 부족하게 키워라Parent Who Love Too Much』의 공동저자인 제인 넬슨은 과도한 자식사랑으로 빚어진 빗나간 자녀교육에 대해 아래와 같이 경고한다.[8]

---

8 제인 넬슨, 『넘치게 사랑하고 부족하게 키워라』, (프리미엄북스·2001)

사랑이라는 이름으로 저지르는 부모의 자녀교육 욕심이 부모와 자식 간의 관계를 해치고, 서로에게 상처만 준다. 엄마들의 지나친 간섭과 관심 그리고 관리가 아이들이 독립적이고 책임감 있는 성년으로 성장할 기회를 빼앗는다. 나아가 야단치고 화내고 처벌하는 훈육은 아이를 망칠 뿐이다.

영조는 사도세자에게 어린 유아기부터 철저한 왕세자 수업을 시켰으나 사도는 공부를 좋아하지 않았다. 그러나 영조는 사도에게 수시로 학습내용을 확인하고 질책하며 완벽한 왕의 모습을 갖추긴 원했다. 이런 영조의 교육방식은 지속적으로 부자관계를 악화시켜 끝내 사도는 부왕父王을 멀리하고 정신질환 증세까지 보였다. 그 후 사도는 더욱 악화되어 궁녀를 죽이고 왕궁을 몰래 빠져나가는 등 기행을 일삼다 큰 문제가되어 끝내 부왕으로부터 뒤주에 갇혀 죽임을 당했다. 사도세자의 불행은 현대인들이 역사의 교훈으로 받아들여야 한다.

최근 과열되고 있는 입시, 취업의 경쟁사회에서 부모들의 과욕은 점점 증대되어 청소년들의 정신적, 신체적 고통을 증대시키고 있다. 자식이 능력, 학벌, 취업 등 모든 것에 완벽한 사람이 되길 원한다. 하지만 지나친 경쟁에 따라 인성교육이 실종되어 청소년들은 건강성을 잃어버린 채 파탄의 길을 걷는 경우가 상당수이다.

이를 입증하듯이 우리나라는 지금 높은 사교육Shadow Education(그림자교육)으로 몸살을 앓고 있다. 사교육 때문에 중산층이 급감하고 있다고 한다. 전국 초·중·고등학교 학생의 1인당 월평균 사교육비가 2015년 24만 4,000원으로 정부의 사교육비 조사가 시작된 2007년(22만 2,000원) 이래 가장 많은 것으로 나타났다. 엄청난 사교육비로 중산층이 무너지는 등 가정경제에 큰 부담을 주는 것도 문제지만, 인성교육이 실종失踪된 사교육에 많은 시간 동안 학생들을 방치하고 있는 것이 더 큰 문제다.

빗나간 교육열 때문에 학생들이 사회에 꼭 필요한 사람으로 육성되는 것이 아니라 오직 수능과 취직에만 초점을 맞춘 '인간복사기'로 양산되고 있다.

21세기 인성교육의 목적은 지식 기반의 국가, 지성의 국가를 만들어 인성문화가 국가의 발전을 선도하고 경쟁력을 키워 각계각층의 인재를 배출하는 것이다. 이를 위해 정부가 할 일은 학생과 학교가 인성교육을 잘할 수 있도록 최대한 지원해 여건을 마련해 주는 것이다.

캐슬린 스티븐슨 전 주한 미 대사는 예산중학교 영어교사 출신으로 한국의 교육문제를 지적했다. "변화하지 않는 교육열이 한국의 강점으로 발전한 것 같네요. 하지만 여기 와서 한국 학부모나 학생들을 만나 이야기해보면 그 때문에 또 많은 스트레스를 받더라고요. 그러나 교육에 대한 열의가 질병으로까지 변하지 않도록 모두가 조심해야 되겠죠." 라고 말했다. 즉 한국사회를 발전시킨 교육열이 교육병으로 변질되어선 안 된다는 의미이다.

동서양을 막론하고 인성교육을 전제로 하지 않는 교육은 올바른 교육이 될 수 없다. 그러나 우리나라의 공교육은 불행하게도 수능, 취직, 출세의 덫에 갇혀 인성을 갖춘 지도자를 육성하기보다는 입시·취직 위주의 천편일률적 교육만을 우선시하고 있어 청소년들의 성장을 저해하고 있는 실정이다.

요즘 아이들은 한국에 태어나면서부터 올바른 인성과 정체성보다는

시민의식을 가르치지 않는 한국교육(출처: 한국교육과정평가원)　　(단위: %)

구분	한국	일본	영국	프랑스
질서와 규칙	18.4	20	54.3	63
이해와 존중	15.9	28.7	60	60

남보다 앞서나가야 한다는 경쟁의 압박을 받게 된다. 그 극단적인 사례가 원정遠征출산과 조기유학이다. 태어나는 아이에게 차별성을 주기 위해 외국의 시민권을 주고, 한국어보다도 먼저 영어를 가르치려고 하는 것이다. 요즘 유치원생은 대학생보다도 더 열심히 학원을 다니고 과외를 받다 보니 인성교육은 오히려 악화일로다. 유엔 '아동권리협약' 제31조 "모든 아동은 휴식과 여가를 즐기고, 놀이와 문화생활에 자유롭게 참여할 수 있어야 한다."에 엄연히 위반되는 행위다.

5세 정도의 아이들에게 가장 중요한 것은 가정교육과 더불어 자연 속에서 마음껏 뛰어놀아 인성을 키우는 것이다. 우리나라 유아의 학원 수강료는 영어학원이 월 100여 만 원으로 가장 높았고, 놀이학원은 40여 만 원, 미술학원이 20~30여 만 원순이었다. 부모의 경제력에 따라 취학 전 아동들이 이용하는 학원이 달라 다른 교육경험을 하게 된다.

사람의 인성은 태아기·유아기 때 가장 많이 형성되고, 초·중·고등학교·대학교 생활을 하면서 평생 완성하며 살아간다. 원정출산, 조기유학, 조기교육 등을 경험했던 아이들은 한국에서 생활하고 자라면서 자아·국가정체성의 혼란을 겪게 된다. 실제로 지난 5년간 1만 6천여 명이 원정출산으로 시민권을 취득取得하여 군대에 가지 않았고, 우리나라 국적을 포기하면서 외국에서 활동했다. 어릴수록 인성교육을 강화해야 하는 이유다.

초·중·고 인성교육 실태

최근 조기교육의 부작용으로 초·중·고 시절 자신감 발달에 어려움
은 물론 자아정체성을 정립하지 못하는 경우가 급증하고 있는 실정이
다. 한국의 입시제도는 말 그대로 아이들을 '옥죈다'. 일류대학에 가기
위한 준비가 초등학교 때부터 시작된다. 10여 년 전만 해도 중학교를 가
서 ABCD를 배웠다. 하지만 지금은 초등학교 때부터 영어·수학학원은
기본이고 피아노·미술·한문학원, 수영, 태권도까지 다닌다. 그래서 초
등학생이 되면 유치원생일 때보다 더 많은 학원과 공부에 스트레스를
받게 되고 부모들은 "우리 아들, 오늘 재미있게 보냈지?"라는 질문 대신
"오늘 과외는 영어다."라는 통보문자를 보낸다.

중·고등학교 때부터는 수능을 위한 공부가 본격적으로 시작된다. 수
능을 위한 공부란 무엇인가? 국어수업의 경우를 예로 들어보자. 청소년
들은 국어를 배우는 것이 아니라 수능문제 푸는 법을 배운다.
김춘수의 「꽃」이라는 시다.

> 내가 그의 이름을 불러주기 전에는
> 그는 다만
> 하나의 몸짓에 지나지 않았다.
> 내가 그의 이름을 불러주었을 때
> 그는 나에게로 와서
> 꽃이 되었다…(중략)

얼마나 아름다운 시인가? 그가 나의 이름을 불러주었을 때, 얼마나 좋은가. 그의 옆에 가서 나도 그의 이름을 불러주고 그에게 의미 있는 존재가 되고 싶다. 애틋하고 따뜻했던 첫사랑을 생각할 수도 있고, 오랜 친구와의 우정을 생각할 수도 있다. 아름다운 인성이 쑥쑥 자라난다.

하지만 우리 교육의 실상은 어떠한가?

① 꽃: 인식의 대상, 객체

② 빛깔과 향기: 나의 존재가 지닌 특성

③ 주제: 존재의 본질 구현에 대한 소망

시적 감흥感興을 느낄 시간을 주지 않는다. 다만 수능을 풀기 위한 'A=B'라는 수능 답만을 배우고 가르친다.

역사교육은 어떠한가? 과거 정부에서 국사과목을 수능에서 제외시켜 역사교육의 체계성을 파괴시켰고, 2014년에는 국사를 수능과목으로 다시 부활시켰다. 우리 역사를 배우지 않고도 세계시민으로 당당히 설 수 있을까?

중·고등학생 시절은 학생들이 세계관을 바탕으로 한 인성의 정체성을 확립시켜 나가는 중요한 시기다. 이 때문에 세계의 각 나라들은 자라나는 청소년들에게 올바른 가치관을 세워주고, 민족적 자부심을 심어주며, 세계시민으로서의 위상을 분명히 하기 위해 애국과 인성교육으로 역사교육을 강조한다. 역사공부는 인성교육의 기반으로 인성교육 관점에서 역사의 의미를 살펴보자.

① 역사는 정의의 관점에서 과거를 비춰, 현재에서 재해석하여 미래를 창조하는 것이다.

② 역사는 흐르고 모여 개인의 이력 → 가정의 족보 → 조직의 역사 → 국사 → 세계사로 그물망처럼 연결(173개국 73억 인류)되기 때문에 나의

인성이 발전되어 조직의 인성, 나라의 인성, 세계의 인성으로 확산된다.

③ 나의 인성과 영혼의 출처를 생각하면, 나 ← 부모 ← 조상 ← 시조로서 모든 사람들의 가장 근본 역사는 자신을 있게 한 뿌리요, 씨가 될 것이다. 그 뿌리는 언제 어디서 생겨났으며, 그 씨는 무엇일까? 세계인은 성시성종成始成終으로서 공존공생의 관계로 인류애가 중요하다.

따라서 인성문화에 대한 사랑이나 민족적 능력에 대한 신뢰는 역사교육을 통해서 자라고 기반을 이룬다. 우리 역사에 대한 사랑과 신뢰는 해방 이후 우리가 당면했던 어려움을 극복시켜준 정신적 원동력이었다. 오늘날 우리가 자부심을 느끼는 산업화와 민주화의 성취에는 지난 시절의 역사교육이 단단히 한몫을 한 것이다.

그러나 불행하게도 우리나라는 고질적인 식민주의 사관과 사대주의 영향으로 한·중·일 역사전쟁에서 밀려나고 있다. 중국의 동북공정東北工程은 오히려 심화과정에 들어갔고, 일본의 역사왜곡 문제해결은 답보 상태다. 한·중·일 역사전쟁이 한창인데 우리의 역사교육은 지금 무장 해제 상태이다.

그런데 일부 역사학자들은 우리 민족의 위대한 역사마저도 제대로 평가하려고 하지 않는 것이 아닌가? 단군조선은 신화가 아니라 엄연한 사실이고 역사다. 그런 근거자료들이 여러 고서古書에서 증명되고 있다.

일본 학자들, "단군, 후대에 날조" 제하의 기사를 참고하자.[9]

> 최근 중국 학계도 단군 연구를 본격화하고 있다. 중국 학계는 단군 긍정론과 부정론이 있다. 전자는 단군신화에서 중국적 요소를 강

---

9 조선일보, 일(日) 학자들, "단군, 후대에 날조", 2016년 3월 31일

조함으로써 고조선 문화의 독자성을 간과한다. 후자는 단군과 함께 단군조선의 실재성을 부정한다. 중국 학계의 연구를 비판적으로 극복하는 것이 새로운 과제이다.

인하대 서영대 사학과 교수에 의하면 건국 신화에는 역사적 사실이 많이 담겨 있다. 단군전승도 신화인 동시에 역사이다. 단군이 신화인가 역사인가라는 논란을 접어두고 신화를 통해 역사를 재구성하는 길을 모색해야 한다.

우리 사회 일각에서는 단군을 역사적 실존 인물로 생각한다. 이런 믿음을 뒷받침하는 것이 규원사화揆園史話, 단기고사檀奇古史, 환단고기桓檀古記 등 상고사를 기록하고 있는 역사서들이다.

(중략) 최근 일부 고고, 역사학자들은 1980년대 이후 중국 네이멍구와 랴오닝성 일대에서 발굴되기 시작한 요하문명을 고조선, 단군과 연결시켜 해석하고 있다. 네이멍구 츠펑과 랴오닝 차오양 인근에 기원전 4000~2500년 무렵 나타났던 홍산문화(후기 신석기)와 그 뒤를 이은 하가점 하층문화(초기 청동기)가 단군신화나 고조선 성립과 관련이 있다는 것이다.

사실史實인 역사마저도 신화로 치부하고, 축소·왜곡시키는 것이 우리 역사학자들의 사명이란 말인가? 실존했던, 실존하고 있는 역사를 제대로 정리하여 후손들에게 알려주어 민족의 자긍심을 갖게 하는 것이 우리의 사명이다.

초등학교·중학교 때부터 입시·수능 공부에 지쳐 결국 고등학교 때 상당수 학생이 방황을 하고, 12년간 공부하고 본 수능에서조차 좋은 성적을 거두지 못한다. 그럼에도 우리의 교육기관은 윤리, 도덕, 역사 등 정작 올바른 인성과 감수성에 필요한 것은 저 멀리 팽개친 채 획일화된 암기만 가르치고 목적지가 어디인지도 모르고 무조건 앞만 보고 달리는 것이다.

"미분 가능한 함수 $y=f(x)$의 정의역의 각 원소 x에 미분계수를 대응시켜 만든 새로운 함수를 함수 $y=f(x)$의 도함수라 하며…."

수학선생님이 도함수의 정의를 열심히 설명하지만, 집중하는 학생은 손꼽을 정도이고 잠을 자거나 잡담을 나누거나 딴청을 피우는 학생이 대부분이다. 고등학교 문과 수학시간에 흔히 볼 수 있는 풍경이다.

그리스 고대교육의 핵심개념은 놀이Paidia에서 학교교육Paideusis을 거쳐 교육Paideia으로 정착된 '파이데이아' 개념이다. 철저한 교육으로 건강한 신체를 위한 체육교육과 심미적審美的 영혼을 위한 음악교육을 들었다. 성왕 세종대왕께서도 궁중악기 등 예악에 대해 큰 관심을 가지고 발전시켰다. 로마에는 그리스어, 문법, 문학수업을 다루는 학교가 등장하여 상류계층은 그리스어로 대화하고 공무를 수행했으며, 그리스 교육과 문학을 이상적으로 간주했다.

그리스 교육문화의 영향을 받아 로마의 인간성 교육인 '후마니타스Humanitas'의 이상이 태동했다. 그리스와 로마교육의 인문주의와 자유교양 교육의 특성이 그리스와 로마문명의 창조에 큰 밑거름이 되었다는 점에서 주입식 지식교육에 치중하고 있는 우리나라 현대교육의 문제점과 나아가야 할 방향에 대한 고민을 안겨준다.

아이들에게 시간을 주었으면 좋겠다. 악센트$_{Accent}$가 있으면 디악센트$_{Deaccent}$가 있다. 우리가 흔히 하는 악센트 게임에 있어서도 악센트만을 강조하면 어려워진다. 악센트를 넣는 것도 중요하지만 다른 부분에 힘을 빼는 디악센트도 조화를 위해 중요하기 때문이다.

독일의 발도르프 학교는 넓은 흙마당에 나무와 꽃이 자라고 통나무로 만든 그네, 바위놀이터 등 조용한 시골학교 같은 분위기다. 이곳에서 아이들은 휴식시간을 알리는 종이 울리면 모두 교실 밖으로 뛰어나가 느티나무를 에워싸고 뛰어놀거나 낙엽을 밟으며 시를 구상하곤 한다. 바른 인성은 자연과 더불어 생성되고 위대한 인성은 하늘이 주는 천성에서 나온다.

이들 학교의 교육철학은 이상적이다. 그림, 음악, 율동을 섞어 수업을 하며 수학시간에도 손뼉 치고 노래를 한다. 또한 뜨개질 등도 정규교과에 넣으면서 예술을 통한 인지학認知學을 기반으로 각종 전인교육을 활용한 독특한 인성교육 체계를 만들었다.

우리나라도 2016년 신학기부터 모든 중학교에서 의무적으로 자유학기제가 시행되고 있다. 중학교 1학년 2학기 혹은 2학년 1학기 중에서 학교 재량으로 한 학기 동안 학생들이 꿈과 끼를 찾을 수 있도록 토론·실습 등 학생참여형으로 수업을 개선하고, 진로탐색 활동 등 다양한 체험활동이 가능하도록 교육과정을 유연하게 운영하는 제도이다.

하지만 '사교육의 중심지'로 꼽히는 대치동 등 강남 학원가는 더 분주해졌다. 정부의 자유학기제 방침 공표에 발맞춰 "다른 아이들이 놀 때 공부해야 한다."라며 학생들을 끌어모으고 있다. 학생들의 학업부담을 덜어주겠다는 정부의 의도와 현장은 거꾸로 가는 셈이다. 천박한 출세주의 논리는 교육까지 저잣거리로 내몰아 미래세대를 성적순으로 줄을 세우며 약육강식을 강요한다.

정리하자면, 이제 학교는 자연과 공생하고 이웃과 공존하는 '지혜로운 사람', 즉 인간다운 인간이 되도록 하는 인성교육을 제대로 가르쳐야 한다. 그러려면 필요한 것이 교육체계의 전환이다. 어차피 개인 간의 경쟁이라는 메커니즘은 모두를 행복하게 만들 수 없다. 지원자는 10명이고 자리는 하나인 상황에서 "너희들 모두 승리하기만 하면 원하는 것을 얻고 행복해질 수 있다."라고 가르치는 것은 출세주의·기회주의의 인성파괴 교육일 뿐이다.

우리 부모들과 교사들은 이제 '약육강식 사회에서 살아남는 법'만 가르치지 말고 줄탁동시啐啄同時의 인성교육으로 인성을 갖추는 길에 대해서도 고민하고 가르쳐야 할 것이다.

아이가 자기 인생의 주인이 되는 것은 무척 중요하다. 인생은 부모님이나 선생님이 살아주는 것이 아니며, 인생의 행복도 부모님이나 선생님의 행복에 있는 것이 아니다. 그렇기 때문에 학생들에 대한 인성교육이 매우 중요하다.

우리 아이들의 교육, 이제는 이렇게 합시다
- 창의·혁신적인 자기주도 공부

'교육'을 뜻하는 영어의 'Educate'라는 단어의 라틴어 어원 풀이는 이렇다. "밖으로 이끌어낸다." 즉 학생 하나하나가 속에 품고 있는 소질이나 잠재력을 이끌어내고 이를 마음껏 발휘할 수 있도록 도와주는 것이 교육이라는 것이다.

아이들이 어렸을 때부터 올바른 인성과 정체성을 확립하도록 도와주는 것이 올바른 지도자를 키워내는 길이라고 할 수 있을 것이다. 사회의 거친 파도를 헤쳐 나갈 강인한 정신력과 독창적인 창의력과 풍부한 미적 감수성이 필요하다.

위대한 과학자 아인슈타인은 "창의력은 지식보다 중요하다. 지식은 한계가 있다."라고 했다. 교육의 목적은 창의적 사고를 지닌 올바른 인성의 인간을 기르는 것이며, 학교는 이러한 교육목적을 구현해야 할 의무를 필연적으로 지닌 기관이다. 그리고 창의적 사고를 지닌 미래지향적 인간을 육성하고자 하는 사회가 진정한 의미의 선진국이다.

아이들이 자유롭게 의사를 표출할 수 있는 분위기를 조성하는 것도 어른들의 몫이다. 단시간의 짧은 교육이 아니라 오랜 시간 지속적이고 꾸준한 교육을 통해 외현화外現化된 행동과 습관의 변화를 일으키고 내면화된 가치와 생각의 변화를 가져오게 한다. 맹모가 삼천지교三遷之敎를 한 것도 이미 인격이 하루아침에 이루어지는 것도 아니고, 그것이 어떤 특정한 형식의 교육이 아니라 삶을 통해서 이루어짐을 알았기 때문이다.

초·중·고등학교 교육은 초등·중등 교육답게 인간다운 인간이 되어 인성을 갖춘 학생이 되도록 하고, 대학에 가서 더욱더 공부하도록 하는 것이 공맹사상의 인재육성론으로서, 인간지학人間之學으로서 '먼저 인간을 만드는 인성교육을 시킨 후에 대인지학大人之學의 학문을 교육하는 것이다.

그러나 아이러니하게도 우리나라 학부모의 자녀교육은 초·중·고에서부터 열정이 지나쳐 미친 듯이 과잉교육을 시키는 바람에 어린 나이에 인성의 싹을 제대로 틔우지 못하게 한다.

반대로 대학에 진학하면 고삐가 풀린 망아지처럼 방목하여, 대부분의 학생이 인성을 망가트려 인성을 실종시킨다. 특히 공자의 손자삼요損者三樂(제5장 참조)에 빠져 공부를 안 하고 대학을 놀러 다니고 있다. 혹은 오로지 취업을 위해 스펙 쌓기에 여념이 없는, 그야말로 스펙·취업 사관학교가 된 셈이다.

이것이 '공부하는 학생'이라 불리는 아이들이 우리 교육과정 속에서 겪는 현실이라 할 수 있을 것이다.

그렇다면 소위 '노는 학생'이라 불리는 아이들의 경우에는 어떠할까?

중학교에는 인성을 피폐하게 만드는 일진문화가 형성되어 있다. 일진은 노는 아이들 중에서도 예쁘고 소위 잘나가는 그룹을 일컬어 하는 말이다. 이 애들은 인기가 많고, 주위 아이들을 시켜 폭력을 쓰게 하기도 하면서 영향력을 발휘한다.

요즘 학생들은 대부분 한 가정 1명에서 2명의 귀한 자녀로 금지옥엽의 과잉보호 속에서 연약하게 자란 탓에 인내심이 부족하고 복잡다단한 주위 환경으로 인해 폭력, 집단따돌림, 자살, 가출 등 부적응 행동에 많이 노출되어 있다. 일부 교사들은 이와 같은 현상과 세대 간 갈등에 대해 매우 혼란스러워하기도 할 것이다.

김중근의 『난 사람, 든 사람보다 된사람』에서 빌려왔다.

> 세 살 버릇 여든까지 간다고 했다. 회초리를 들 수 없으니 나쁜 습관을 교정할 도리가 없다. 집에서도 '오냐, 내 새끼' 일색이니 인성교육은 크게 보아 물 건너간 셈이다. 지식으로 머리는 커졌는데 성품은 결핍이다. 영양실조는 사라졌지만 성품실조는 심각한 상태다. 성품실조의 부작용은 심각한 사회문제로 대두됐다. 정부가 척결 대상으로 꼽은 4대 사회악, 즉 성폭력, 학교폭력, 가정폭력, 불량식품의 근본적인 원인도 성품실조다.[10]

학생들에게 자신의 인성을 바르게 키워서 정체성과 목표를 알고 그에 따라 성실히 사는 것이 행복하다는 것을 가르쳐줘야 한다. 이것이 초·중·고등학교에 걸맞은 인성교육이 필요한 이유이다. 속사정을 모르는 어른들은 청소년들의 인성이 글러먹었다는 소리만을 늘어놓는다. 글러먹은 마음과 생각을 바꿔주는 것이 올바른 교육이고 인성을 갖춘 사람이 되는 길이다.

그러나 여전히 유의해야 할 점은 많다. 무엇보다도 학교와 가정과 사회에서 인성교육에 적응하지 못하는 학생들을 정서적으로 감싸안고 그들의 동행자가 되어 바르게 키워줘야 한다는 것이다. 이들을 올곧은 학생으로 키워야 할 책임이 우리 기성시대에 있다고 할 수 있다.

----

10 김중근, 『난 사람, 든 사람보다 된 사람』, (북포스·2015), p.5

대학생에게 더욱 필요한 창의·혁신적인 인성교육

최근 인성이 붕괴되고 무너져 인성을 '회복'해야겠다는 아우성이 아이러니하게도 인성교육진흥법을 탄생시킨 요인이 되었다.

인성이 무너져 갈수록 황폐해가는 청소년들의 인성교육을 초·중·고교에 의무화하고 성적에 반영, 입시와 연계하게 되는 점이다. 교육제도를 단순히 도입하는 것보다도 '잘' 시행해내는 것이 가장 중요하겠지만, 일단은 관련제도가 차차 마련되어가고 있고 초·중·고교는 물론 대학·직장까지 인성교육 바람이 불고 있다는 점에 대해서는 긍정적으로 볼 수 있을 것이다.

그러나 대학교육이 인성교육은 아예 등한시하고 오로지 취직과 출세를 준비하기 위해 존재하는 것이 되어버린 지 오래다. 이는 정부의 정책 결여로 대학들이 진정한 인성교육을 추구하지 못했기 때문이기도 하지만, 대학인들의 책임의식 결여 또한 일조—助했음을 부인할 수는 없을 것이다.

오늘날 한국의 대학들은 공공의 지성으로의 인성교육을 심각하게 상실하고 있다. 이젠 우리나라 대학들도 대학교육의 공공성을 의식하고, 인성교육이 국가미래를 좌우한다는 것을 고민해야 한다고 생각한다.

포털 인크루트에서 졸업예정인 대학생 933명을 대상으로 〈대학생활에 대한 만족도〉 설문조사를 한 결과 "만족한다."로 답한 학생은 26.8%에 불과했다. 일부 대학생들의 모습에서 드러나는 대학교육 및 인성교육의 문제를 살펴보자.

대부분의 학생들은 수능을 마치고 나면 대학입시의 압박으로부터 벗어나 해방감을 주체하지 못한다. 그 해방감으로 수능 이후 각종 술집 및 클럽을 가면 갓 20세가 된 친구들이 자리를 채우고 있다. 물론 어른이 되었다는 생각에 잠깐 그럴 수도 있다. 하지만 한두 달의 일이 아니다. 두 달 동안 실컷 놀면서 즐겁게 시간을 보내고 나면 춘삼월, 대학을 입학할 때가 온다.

매년 오리엔테이션과 MT를 할 때면 각종 매체에는, "어제 저녁 A대학 1학년인 B 모 씨가 신입생환영회에서 음주 후, 만취상태로 사망하는 사건이 발생했습니다."라는 보도가 나온다. 신입생 환영회가 신입생을 환영하고 대학생활이나 또는 공부하는 문제점을 가르쳐주는 것이 아니라, 술로 신입생을 고생시키고 인성이 망가지는 길을 알려주는 것 같은 그런 자리로 전락하는 것이다.

3월 중순부터 본격적인 수업을 듣기 시작한다. 그러나 공부는 뒷전이 되고 연애를 해야 된다는 생각에 대부분의 학생들이 미팅과 소개팅의 전선으로 나선다. 끼리끼리 모여서 미팅장소에 나가면 장소는 또 술집이다.

그러다보면 1학기가 지나가게 되고, 부진한 학점에서 잠시 좌절을 맛보며, 열심히 할 것이라고 마음을 먹는다. 그 후 2학기가 되면 이번 학기는 열심히 해야겠다고 마음을 먹고 시작을 한다. 하지만 시작과 동시에 오랜만에 만났다며 다 같이 술 한 잔을 하러 술집으로 향한다. 거기서 그치지 않고 또다시 클럽으로 가서 자신을 망각(忘却)한 채 논다. 기성인들의 단합대회가 1차 음식점, 2차 노래방, 3차 술집까지 대부분 가고, 소수는 모텔까지 이어지는 불금(불야성)현상을 대학생들이 따라 하는 실정이다.

개강하자마자 밤새 술을 판 「술 취한 대학가」 제하의 기사(부산일보,

2015년 9월 18일)를 살펴보자.

2015년 대학가 주점이 개강을 맞은 대학생들로 문전성시를 이루고 있다. 해가 질 무렵부터 삼삼오오 시작되는 음주는 새벽까지 이어진다. 대학생들의 음주문화는 오래된 것이어서 관련보고서가 발표될 정도이다. (중략)

2001년 발표된 〈대학생 음주실태 보고서〉에 따르면 당시 대학생들 역시 현재와 유사한 이유로 음주를 즐겼다. (중략)

2016년 2월 ○○대 오리엔테이션에서도 음주와 성추행 문제로 물의를 일으켜 충격을 주고 있으며, 상당수의 대학에서 폭력, 성희롱, 성추행, 과음 등의 물의가 지속적으로 발생하고 있어 사회문제가 되고 있다. 2016년 초 알자지라 방송에서 〈만취 한국〉이라는 프로그램을 통해 "한국이 세계에서 술을 가장 많이 마시는 나라"라고 방영했다. 우리의 부끄러운 자화상으로 성찰이 요구된다.

이렇게 되다 보니 2학기 성적 또한 좋지 않아 부모님께 보일 수 없는 성적표가 되고, 급기야는 성적표를 위조하고자 마음먹게 된다. 방학 동안에 나태한 시간관리와 무절제한 생활—이성친구와의 교제까지 마음대로 되지 않을 수 있다. 방학이 지나가고, 또 새로운 학기가 시작되지만 지금까지의 여파로 인성이 실종되어 방황하게 된다.

이때쯤 되면 방황을 끝내고 정신을 차려 공부하는 학생도 있다. 그러나 상당수 학생들은 지금까지 말했던 일들만 반복하다가 대학생활을 마치게 된다. 결국 수천만 원의 학비를 들이고 배운 것은 음주학, 연애학, 잡학들뿐이며 학문적·지적으로 성숙을 이루었다고 말할 만한 것은 아무것도 없다고 해도 과언이 아니다. 학문과 지성의 전당殿堂인 대학교육이 오히려 인성 타락의 대학생활로 전락하는 경우가 허다하다.

결국 대학에 들어와서 성년이 되었지만 내면적으로 변한 것이 아무것도 없는 것이다. 미성년자의 굴레에서 벗어나게 됨으로써 이성관계와 음주가무를 자유롭게 하고 신분이 대학생이라는 것 외에 달라진 것은 없다.

왜 그런가? 그들은 초등학교 때부터 혹은 그보다 더 어릴 적부터 스스로 정한 목표가 아닌 사회의 풍조나 부모, 교사 등 어른들에 의해서 만들어진 입시로 일류대학을 목표로 살아왔다. 정작 자신이 인간의 근본이 되는 인성교육에 대한 공부는 하지 못했다. 초·중·고등학교에서 열심히 공부했는데 대부분의 학생들은 학문에 관심도 흥미도 가지지 못하고 자아정체성을 잃어간다.

대학을 갔지만 그 목표를 성취한 만족감보다는 20세까지의 억압에 대한 해방감으로 자신을 주체하지 못한다. 20세가 될 때까지 자신이 무엇을 하고 싶은지, 무엇을 좋아하는지, 무엇을 잘할 수 있는지도 모르고, 그에 따른 인생목표를 설정하는 법도 몰라 고삐 풀린 망아지처럼 이리 뛰고 저리 뛰다가 결국 어딘지도 모르는 곳까지 가버린다. 주체의식도 없이 되는 대로 사는 경우 인성은 뿌리를 잃어갈 수밖에 없다.

입학만 하면 누구라도 학사를 취득하고 어엿이 학사로 졸업하는 대학이어서는 아니 된다. 선진국처럼 졸업은 더욱 엄격히 하여 인성교육을 바탕으로 한 전인교육全人教育을 실시하고, 일정한 자격과 학점으로 통과한 후에 졸업하게 하는 혁신적인 대학교육이 절실히 요구되고 있다.

지금까지의 글을 읽은 사람은 대학생들 중 놀기만 하는 대학생의 것이라고 생각하는 사람들이 많을 것이다. 하지만 이것만은 알아두자. 이른바 일·이류 대학을 제외하고 거의 비슷한 학생들이 다수다. 이렇게 잘못된 대학문화가 주류를 이루고 있는 것이 사실인 데도 불구하고 대부분의 부모들은 모르고 있다.

청년실업난이 가중되고 해결되지 않는 것에는 정부책임도 있지만 학사관리를 '적당히' 하는 대학과 자아自我를 상실한 학생들의 책임이 사실상 크다. 관계당국은 알면서도 문제의식을 갖지 않는다. 세칭 일류대학은 20~30%가, 이류대학은 30~40% 정도가 공부를 제대로 하지 않고 있으며, 삼류대학은 70~80% 정도가 공부를 제대로 안 한다. 특히 정원을 겨우 채우는 대학은 80~90%의 대학생이 놀러 다닌다고 할 정도다.

우리나라 349개 대학교(2015년 교육부 교육통계연감, 전문대 포함) 300여 만 명의 70~80%가 공부를 제대로 하지 않아 기초가 부실하다는 통계를 보아 알 수 있듯이, 올바른 인성을 가진 사람으로 성장하는 데는 한계가 있다. 예컨대 인성학人性學은 종합과학 및 예술인데 기초가 없는 학생들은 인성과 인생의 개념을 정립하지 못하고 뚜렷한 목표도 없이 공부를 하니, 바른 인성을 갖추는 것이 쉽지 않은 것이 현 실정이다.

『하버드의 생각수업』이라는 책에서는 다음과 같이 말한다.[11]

옥스퍼드 대학교는 시험성적보다는 인성면접을 중요시한다.

생각에 관한 교육이라고 하면 프랑스라는 나라를 빼놓을 수 없다.

그들의 대입시험, 바칼로레아Baccalaureate에는 어떤 전공을 원하든

---

11 후쿠하라 마시히로, 『하버드의 생각수업』, 김정환 역, (엔트리·2014), pp.6~9 요약

관계없이 철학시험이 포함되어 있다. 프랑스는 철학이 생각을 발전시켜 나가는 중요한 학문이라 생각한다. 철학을 공부하면서 학생들이 내 생각은 이렇고, 왜 그렇게 생각하는지 찾아가길 의도한다. 요컨대 자신의 철학, 가치관, 진정한 교양을 가져야 한다는 말이다.

대부분의 기업인들은 청년실업 문제는 교육이 잘못되었기 때문에 해결되지 않는다고 이야기하며, 사람은 많은데 정작 쓸 만한 사람은 없다고 말한다. 이것이 우리의 현실로 철학교육 부재 현상이다.

그렇다면 지금부터 열심히 공부하는 대학생들의 경우를 보자. 월, 화, 수, 목, 금, 토, 일요일을 도서관에서 열심히 공부하는 학생들이 상당수 있다. 또 꾸준히 학원을 다니면서 영어공부 및 자격증공부를 하는 학생들도 있다. 그런 학생들은 공부를 잘하는 것처럼 보인다. 그러나 이들 중 상당수의 학생들의 목표는 무엇인가? 결국 취업이다. 사회적으로 인정받을 만한 직업들 중에 그나마 자신들에게 맞을 만한 것을 골라 출세와 취업을 위해서 공부를 하는 것이다.

『그런데 잘돼봤자 저 꼴이다』 제하의 박은주 글을 살펴보자.

"저는 커서 대통령이 될래요." 하는 아이는 이제 별로 없다. 월급 따박따박 나오는 교사와 공무원이 수재들의 꿈이 된 지 오래됐다. 생계안정으로만 쏠리는 현상이 오래됐다. (중략) 단군 이래 가장 유복하게 자랐다는 지금 20~30대에 '무욕'인생이 많아지는 것은 왜일까. 그들 눈에 선배세대는 조금 더 갖기 위해 많은 걸 포기한 사람들, 상승욕구의 제물이 된 사람들로 보일 것이다.

자신의 인성철학을 토대로 정체성에 따라 공부하고 바른 인성을 갖추기 위해서 공부를 하는 것이 아니라, 대학입학을 위해서 공부하고 결국 또 대학에 와서는 출세와 취업을 위해서 공부하고 있는 것이다.

우리 대학들이 본연의 역할을 잊은 것은 어제오늘의 일이 아니다. 대학은 지성의 보루(堡壘)이자 지식의 원천으로, 공동체의 가치를 창출해내고 구성원이 되는 건전한 지도자를 배출하는 곳이어야만 한다.

지금 우리 대학이 해야 할 급선무는 입시경쟁에 매달려 모든 것을 유보했던 미래 세대들을 한 사람의 온전한 인격으로 길러내는 인성교육의 강화이다. 그들이 보편적 교양인이자 민주사회의 인성을 갖춘 시민의 역할을 할 수 있도록, 전인적 교육으로 창의·창조적 인성을 살찌우는 교육을 펼쳐야 하는 것이다.

『서울대에서는 누가 A+를 받는가』를 지은 이혜정은 다음과 같이 말한다.[12]

서울대 최우등생 46명을 인터뷰하며 이런 질문을 던졌다.

"만약 본인이 교수님과 다른 의견이 있는데 본인이 생각하기에 본인의 생각이 더 맞는 것 같다. 그런데 그것을 시험이나 과제에 쓰면 A+를 받을 수 있을지 확신이 없다. 이런 경우에 어떻게 하는가?"

놀랍게도 46명 중 41명이 자신의 의견을 포기한다고 말했다. 교수와 의견이 다를 경우 약 90퍼센트의 최우등생들이 자신의 생각을 버린다는 응답. 실로 충격적이다.

---

12 이혜정, 『서울대에서는 누가 A+를 받는가』, (다산북스·2014), p.62

엘런 랭어 하버드 교수는 "정답이 정해지면 사람들은 그 이상以上을 찾으려 하지 않는다."라고 했다. 서울대에서 A+를 받으려면 교수 숨소리까지 받아 적겠다는 각오로 강의내용을 필기한 후 완벽하게 외워 시험 때 그대로 쓰는 것이다. 교수가 한 말을 토씨 하나 빼놓지 않고 죽어라고 외우면 창의·창조적 인성교육은 기대할 수 없다.

정말 시대착오적 교육현상이다. 대학강의는 지식전달Instruction이 아니라 지식만들기Construction를 위한 사고능력 강화로 교육목표를 바꿔야 한다.

대학을 왔으면, 정말 자신이 하고 싶은 공부를 해서 올바른 인성의 지도자가 되어야 한다. 바른 인성을 토대로 자신의 정체성에 따라 정말 하고 싶은 것을 찾아서 인생 전반에 대한 인생목표를 세우고 정진해야 한다. 작금의 대학의 자화상은 상아탑, 지성의 전당이라기보다는 한국사회의 병적·구조적 모순을 따라가는 현상이다. 더 솔직히 평가하자면 축소판을 보는 것 같다. 미래학자 앨빈 토플러는 얼마 전 우리나라를 방문하여 "우리는 무엇을 위해 사는가, 의미 없는 그 무엇에 바치는 것은 아닌가."라는 말을 남기고 갔다. 우리 대학생들이 곰곰이 새겨들어야 할 얘기다.

그렇다면 우리 대학교육이 왜 이렇게 되었을까? 필자는 철학교육의 부재라고 본다. 유럽국가의 대부분은 초등학교부터 대학과정까지 철학을 공부한다. 나는 누구인가? 나는 어디서 와서 어디로 갈 것인가? 윤리학 등등 인간으로서 살아가는 데 반드시 필요한 철학을 공부함으로써 자아정체성을 발견하고 인생의 나아갈 방향을 설정해가는 것이다.

그런데 우리나라는 국어·영어·수학에 목을 매느라 철학교육은 엄두도 못 내고 있는 현실이다. 이제부터라도 철학공부를 전 과정에서 할 수 있는 방안을 강구해야 할 것이다. 인생철학의 바탕 위에 인성학이 세워져야 한다.

에이브러햄 매슬로우는 〈욕구 5단계〉를 주장했다. 그는 "인간이 현재를 충족하고자 한다."라는 가설을 세우고 인간의 본성에 따른 욕구를 5단계(① 생리적 욕구 ② 안전욕구 ③ 사회적 욕구 ④ 자존욕구 ⑤ 자아실현 욕구)로 구분하는 동기부여 이론을 주장했는바 기본욕구가 충족된 이후에는 상위욕구의 충족에 동기가 부여되는 것이 일반적이다.

그런데 현재 대학생들의 모습을 보면 자존과 자아실현의 욕구충족을 제대로 충족시키지도 못하고 중시하지도 않는 것 같다.

이 세상에서 나에 대해서 가장 잘 알 수 있는 이는 부모도 친구도 아니다. '나'란 사람은 내 자신이 가장 잘 알고 있어야 한다. 스스로의 주인이 되어 자율적으로 행동할 수 있는 인성을 갖추어야 한다.

이혜정은 같은 책에서 다음과 같이 말한다.[13]

세계 최빈국에서 불과 몇 십 년 만에 10위권 선진국으로 도약한 대한민국의 성공신화는 전교 꼴찌가 어느 날 갑자기 전교 10위권으로 진입한 사례에 비유할 수 있을 것이다. 그런데 전교 꼴찌가 전교 10위권이 되려면 암기과목만 죽어라 공부해서 가능할지 모르나, 전교 10위가 전교 1등으로 한 번 더 도약하기 위해서는 더 이상 암기과목만으로는 불가능하다.

마찬가지로 우리나라가 이제 세계 10위권을 넘어 1위권으로 도약

---

13 이혜정, 『서울대에서는 누가 A+를 받는가』, (다산북스·2014), p.25

하기 위해서는 더 이상 지금까지와 같은 교육방법으로는 불가능하다.

이제 우리 대학생이 올바른 길을 가지 않는 것은 젊은이들의 인생의 낭비이자 국가적 낭비다. 자신의 정체성을 찾아 자신이 잘하고 좋아하는 공부를 하여, 자신도 행복하고 국가사회에 기여하는 창의·창조적 인성을 갖춘 인재가 되어야 한다. 우리보다 먼저 고민을 시작한 선진국의 일류 대학들은 직장에서 바로 쓰일 수 있는 지식을 전달하기보다는 사고능력을 배양하는 방향으로 선회하고 있다. 100세까지 써먹을 수 있는 것은 지식이 아니라 기초교육을 통해서 배양되는 사고능력임을 간파했기 때문이다.

결론적으로, 이제 대학은 변해야 한다. 바뀌어야 한다. 우리 학생들이 자신이 무엇을 좋아하고, 무엇을 잘하고, 무엇을 하고 싶은지에 대한 성찰을 통해 자아정체성을 가지고 목표를 설정하여, 불광불급不狂不及의 열정을 가진 공부하는 대학생이 되기를 간곡히 바란다. '올바른 인성을 가진 대학생다운 대학생'이 되어주어야 한다. 캠퍼스는 멋과 낭만, 품위와 품격, 지성이 넘쳐 흐르는 대학이 진정한 대학이고, 이러한 대학을 만드는 것은 학생, 교수, 교직원 등 대학인들의 책무이다. 대학인들은 자성과 성찰로 환골탈태換骨奪胎의 변혁과 창조를 이루어야 한다.

상아탑은 그야말로 인성을 기초로 한 지성과 인격·인품을 체득한 인재의 요람으로 거듭나야 하며 바로 그 길만이 대한민국의 미래요, 우리 역사와 선조들에게도 당당하게 설 수 있는 것으로 자손(후손)의 도리이다.

제5장

인성교육,
역사에서
사례를 찾다

1

공자의 손자삼요損者三樂
- 인성교육의 마약

공자는 『논어』 계씨 편에서 우리를 망가뜨리는 3가지 즐거움을 들고 있다. 이른바 해로운 3가지인 손자삼요는 다음과 같다.

① 교만 방탕의 즐거움을 좋아하고(낙교락: 樂驕樂)
② 편안히 노는 즐거움을 좋아하며(낙일락: 樂逸樂)
③ 잔치를 베푸는 즐거움을 좋아함(낙연락: 樂宴樂)

손자삼요는 동서고금을 막론하고 인간의 정체성을 훼손시키고 망가 뜨리는 유혹의 요소로 작용한다. 특히 청소년, 대학 시절의 손자삼요는 아편과도 같아 특별한 경계와 주의가 요구된다. 젊은 시절엔 더욱 헤어 나오기가 어렵고 인생의 황금시기에는 큰 병이 드는 형상이라 인생을 망가뜨릴 수도 있다.

해방 이후 급격한 서구화의 부작용으로 우리의 고유한 가치가 퇴조하여 최근에는 성문화 등 손자삼요 현상이 교육 및 인성문화 풍토를 크게 저해하고 있다. 손자삼요의 매너리즘Mannerism에 빠진 사람이 의외로 많다는 것을 외신 잡지를 통해 실감하게 되었다.

근간 영국 BBC에서 발행한 〈포커스〉는 우리나라를 세계에서 가장 포르노에 돈을 많이 쓰는 나라로 꼽았다. '정욕' 부문 1위의 불명예를 안았다. 이 잡지는 단테의 『신곡』에 등장하는 인간의 7대 죄악을 전 세계 35개국에서 얼마나 저지르고 있는가를 분석해 2월호에 그 결과를 게재했다. 문제는 이러한 현상이 더욱 악화되고 있다는 사실이다.

IT산업의 눈부신 발전에 기생하며 인터넷 등에 난무하는 온갖 포르노와 룸살롱, 안마시술소 등이 곳곳에서 버젓이 이뤄지다 못해 대학가에까지 침투하고 있다. 성매매의 음습한 그림자가 일상이 되어버린 우리 현실을 감안하면, 무시하거나 대놓고 항변하기도 어려운 형편이다.

성매매가 원칙적으로 불법인 우리나라에서 포르노 산업규모를 측정한다는 것은 사실상 불가능하기 때문이다. 최근 잘나가던 지도자들도 한순간 방심하다 손자삼요에 빠져 감옥에 가며, 국가사회에 큰 물의를 일으키는 경우를 많이 볼 수가 있다. 그러니 외국인의 눈에 비친 한국의 모습을 우리는 부정 못 하고 씁쓸하게 그리고 무기력하게 인정할 수밖에 없는 실정이다.

1997년 만해萬海실천대상을 수상한 청전 스님은 달라이 라마에게 평소 궁금했던 14가지 질문을 했다. 그는 "수행 중 간혹 여자에 대한 유혹에 힘든 때가 많다. 존자님(달라이 라마)께서도 그런 성적 욕망으로 갈등

할 때가 있느냐?"라고 물었다.

달라이 라마는 "나 또한 당신과 같다. 그러나 부처님을 따르는 제자로서 그런 성적 갈등이 생길 때마다 간절히 기도한다."라고 대답했다. 인간적이고 진솔한 심성의 달라이 라마에게서는 고위 성직자들에게서 종종 발견할 수 있는 위선이란 것이 없었다.

마음이 잘 길들여진(자정기심: 自淨其心) 사람은 어려운 상황에서도 자기 자신을 놓치지 않고 마음을 잘 다스린다. 이를테면 화가 날 때, 마음을 길들인 자는 화의 뿌리를 보려고 노력하게 된다. 달라이 라마는 자정기심을 통한 마음의 길들임으로 손자삼요에서 벗어나는 진리에 대해 전하고 있는 것이다.

손자삼요에 빠지면 인성 측면의 자아정체성 정립은 물론 인성의 핵심요소인 능력, 인격, 봉사 등 3대 요소를 갖출 수 없다. 조금 더 구체적으로는 탁월한 지식과 지혜, 강한 도덕성, 누구나 희구하는 미래비전 제시, 심금을 울리는 사랑과 봉사, 예리한 역사의식, 이심전심의 소통 등으로 무장되었을 때 올바른 인성을 발휘할 수 있으며, 더 나아가 아름다운 인성의 인격체를 완성하고 자아실현을 이룩할 수 있다는 것인데, 그것을 막는 것이 바로 손자삼요다.

손자삼요와 반대로 인성과 정체성을 정립하는 데 큰 도움이 되는 맹자의 '군자삼락君子三樂'이 있다.

양친이 다 살아계시고 형제가 무고한 것이 첫 번째 즐거움이요(이왕천하불여존언: 而王天下不與存焉), 우러러 하늘에 부끄럽지 않고 굽어보아도 사람들에게 부끄럽지 않은 것(앙불괴어천부부작어인이락야: 仰不

槐於天俯不怍於人二樂也)이 두 번째 즐거움이요, 천하의 영재를 얻어서 교육하는 것(득천하영재이교육지삼락야: 得天下英材而教育之三樂也)이 세 번째 즐거움이다.

이를 해의解義하면 다음과 같다.

첫 번째 즐거움은 부모의 생존은 자식이 원한다고 하여 영원한 것이 아니므로 오랫동안 함께할 수 있다면 그 자체로 즐겁다는 말이다.

두 번째 즐거움은 하늘과 땅에 한 점 부끄럼이 없는 삶을 강조한 것으로, 스스로의 인격수양을 통해서만 가능한 즐거움이다.

세 번째 즐거움은 자기가 갖고 있는 것을 다른 사람에게 베푸는 즐거움으로, 남과 공유하기를 바라는 것이다.

맹자는 3가지 즐거움을 제시하면서, 왕이 되는 것은 여기에 들어 있지 않음을 강조하고 있다. 국가를 경영할 경륜도 없고, 백성을 사랑하는 인자함도 없으면서 왕도정치에는 귀도 기울이지 않고, 오직 전쟁을 통해서 백성들의 형편이야 어찌 되든지 패자가 되려고만 했던 당시 군왕들에게 왕 노릇을 하기보다는 기본적인 사람이 되라는 맹자의 질책이었다.

손자삼요의 매너리즘에 빠진다는 것은 인생의 죄악이자 파탄의 길임을 알아야 할 것이다. 매너리즘이 메이저리즘Majorism으로 바뀌어 스스로 자부심과 전문성을 가져 자타가 인정하는 당당한 인간이 되어야 한다는 충고를 해주고 싶다.

2

줄탁동시啐啄同時와
지성무식至誠無息의 인성교육

줄탁동시는 사자성어로서, 이 말은 뜻글인 한자의 미덕과 힘을 가장 잘 품고 있다. 즉 병아리가 세상에서 나오기 위해 달걀 속에서 쪼아댐(쫄 줄: 啐)과 그 소리를 듣고 어미 닭이 밖에서 쪼아줌(칠 탁: 啄)이 함께(동시) 이루어져야 한다는 것을 절묘하게 축약한 것이다.

심리학자들은 유레카 모멘트(아하체험)이라고 부른다. 한마디로 표현해서 인성교육의 구현이자 그것을 희구하는 제자와 스승의 선언이며 기원이다. 탄탄한 시대정신을 바탕으로 이 혼탁한 세상을 향해 역사사랑, 나라사랑의 의지를 섬광처럼 날리는 일갈―喝의 정신이 우리 모두에게 필요하다. 이것이 대한민국의 줄탁동시와 지성무식의 인성교육이 절실히 필요한 이유이다!

요즘 줄탁동시에 관한 현대적 의미용어(유행어)가 재미있다. '알을 스스로 깨면 병아리가 되지만 남이 깨면 프라이가 된다'는 농담 같은 명언이 있다. 줄탁동시는 아름다운 꿈과 희망을 가진 청소년 스스로 꿀 수 있도록 우리 모두 도와주어야 하는 것이 국가 사회적 책무이다. 어린 시절 시골에서 본 암탉은 한 달 동안 부화시켜 갓 태어나 겨우 걷는 병아리들을 따스한 곳, 안전한 곳으로 몰고 다닌다. 언제라도 위험요소가 발생하면 양 날개의 따스한 품속으로 새끼들을 안전히 보호해낸다.

우리는 줄탁동시의 의미를 인성교육 측면에서 살펴봐야 한다. 바른 인성을 갖추기 위해서 내부에서는 치열한 자기수련의 학습을, 외부에서는 스승(부모·선배 등)이 도움을 주어 안과 밖이 서로 조화를 이뤄야만 인성교육의 효과가 극대화된다.

인격자가 되고 못 되고의 책임은 제자(병아리) 쪽이 더 크다. 제자는 껍질을 깨뜨리지 않으면 그 속에서 목숨을 잃을 수밖에 없다. 줄탁동시의 사자성어는 스스로 깨어나지 않으면서 스승을 탓하는 것이야말로 무지몽매하다는 질책의 메시지를 우리에게 전하고 있는 셈이다.

또한 여기에다 스승과 어른의 지성무식 교육을 곁들여야 시너지 효과를 볼 수 있다. 즉 지성무식이란 끊임없는 지극한 정성이란 뜻으로, 쉼 없이 정성을 다하자는 의미인 동시에 지극한 정성은 단절斷絶될 수 없다는 뜻을 나타낸다.

우리는 기러기에게서도 줄탁동시와 지성무식의 인성을 느낄 수 있다. 기러기들이 겨울과 여름을 나기 위해 V자를 그리며 남쪽과 북쪽으로 날아가는 광경을 많이 볼 수 있다.

기러기가 V자 대형을 유지하며 날아가는 이유는 무엇일까? 켄 블랜차드의 책『경호』에 의하면 각각의 새가 날개를 저으면 그것은 바로 뒤에서 따라오는 새를 위해 상승기류를 만들어준다고 한다. 그런 연유로 기러기 무리는 각각 혼자서 날아가는 것보다 최소한 71% 더 긴 거리를 날 수가 있다.

기러기들은 대열의 맨 앞에서 날아가는 리더를 서로 돌아가면서 맡는다. 그렇게 모든 기러기가 "줄탁! 줄탁!" 울음소리를 내며 서로 격려하고 응원하기 때문에 먼 거리를 날아갈 수 있는 것이다.

또한 어떤 기러기가 병에 걸리거나 사냥꾼의 총에 상처를 입고 대열에서 낙오되면 두 마리의 기러기들이 동행하며 지성무식의 정성으로 그 기러기가 지상에 내려갈 때까지 도와주고 보호해 준다. 더욱이 두 마리의 기러기는 낙오된 기러기가 다시 날 수 있을 때까지, 아니면 죽을 때까지 함께 머문다. 그런 다음에야 두 마리의 기러기는 하늘로 날아올라 다른 기러기들의 대열에 합류하거나 자신들의 대열을 따라잡는다.

줄탁으로 깨어난 병아리를 어미닭은 어떻게 양육하는가? 먹이를 줄 때도 어미닭은 병아리에게 그냥 주지 않는다. 종일 지극정성至極精誠으로 땅을 파서 먹이를 발견하며, 먹어도 되는지 안 되는지를 반드시 확인하고 안전하다고 판단되어야 병아리에게 먹도록 준다. 병아리 혼자 안전한 먹이를 찾을 수 있을 때까지 지극정성으로 병아리를 돌보는 것이다.

인성교육의 경우에도 마찬가지다. 공통의 방향을 갖고 응원하고 격려하며 함께 일하면 훨씬 더 빠르고 쉽게 기나긴 여정을 헤쳐 나갈 수 있다. 조직의 모든 구성원들이 이심전심 인성으로 공감의 힘을 발휘할 수 있도록 기성세대부터 지극정성으로 솔선해야 한다. 전체집단이 바람의 저항을 줄이기 위해 한 마리씩 돌아가며 지극정성으로 희생하는 기러기처럼 말이다. 어미닭이 병아리의 안전한 먹이를 위해 지극정성을 다하는 것처럼, 서로를 격려할 수 있는 조직원이야말로 올바른 인성의 진정한 발현을 이끌어낼 수 있는 것이다.

모든 인성교육에 있어서 구성원들이 병아리와 어미닭처럼 학생은 톡톡, 스승은 탁탁 맞추어 치면서 호흡과 박자를 맞추고, 지극정성으로 서로 돕고 믿고 의지하며 공동체의식을 갖고 목표를 향해 한 방향으로 나아갈 때, 줄탁동시의 인성교육·지성무식의 인성교육이 생동하는 조직이 될 것이고 나아가 국가가 될 것이다.

살펴보건대, 줄탁동시의 의미에는 "자기 자신이 상대방의 입장이 되어 생각해본다."라는 일종의 역지사지易地思之 개념도 있다. 심리학에서는 이것을 '롤 플레이Role Play'라고 부른다. 다르게는 서로의 마음이 통하는 이심전심 교육이라 할 수 있다. 다시 말해 리더와 팔로워가 줄탁동시와 지성무식으로 통하는 인간 중심의 인성을 갖춰야 조직원의 마음을 이해할 수 있다.

"아프냐, 나도 아프다."라는 유명 드라마의 대사는 거울 뉴런, 곧 줄탁동시의 인성으로 같이 공감하고 동고동락하는 인성으로 모든 사람에게 중요하다. 더욱이 지도자(스승 등)에게는 필수덕목이다. 줄탁동시·지성무식 인성에 관심을 기울이면 아픔도 크게 작아지는 법이다. 동물도 지극정성으로 새끼를 건사하듯이, 우리도 지극정성으로 인성교육을 하면 이 세상에서 못 이룰 것이 없을 것이다. 참여적이고 존중적인 인간 중심의 줄탁동시·지성무식의 인성이 필요한 시대이다.

3

조선후기 『흠영欽英』에서
배우는 감인세계의 인성

『흠영』은 일기본으로 저자 유만주가 생존한 당시의 상황을 상세하게 기록하고 있어, 18세기 조선의 정치·경제·사회·문화 등의 연구에 기초자료를 제공한다. 『흠영』은 유만주 사후에 2년간에 걸쳐 친구 임로가 주관하여 초고를 정리, 전 24책으로 편찬되었다. 그 내용은 유만주가 창작한 시문, 소회, 동시대 문장가의 글, 집안 대소사 등 자신의 주변은 물론 나라 안팎의 모든 일이 작성되어 있다. 여기서 감인세계堪忍世界를 통해 참고 견뎌야 할 인성의 세계를 온고이지신溫故而知新으로 삼아보자.

한양대 정민 교수는 「고전문학」(조선닷컴)에서 다음과 같이 말한다.

유만주(兪晩柱. 1755~1788)가 『흠영』 중 1784년 2월 5일의 일기에서 썼다.

"우리는 감인세계에 태어났다. 참고 견뎌야 할 일이 열에 여덟아홉이다. 참아 견디며 살다가 참고 견디다 죽으니 평생이 온통 이렇다. 불교에는 출세간出世間, 즉 세간을 벗어나는 법이 있다. 이는 감인세계를 벗어나는 것을 말한다. 이른바 벗어난다 함은 세계를 이탈하여 별도의 땅으로 달려가는 것이 아니고 일체의 일이 모두 허무함을 깨닫는 것이다. 我輩旣生於堪忍世界, 則堪忍之事, 十恒八九. 生於堪忍, 死於堪忍, 一世盡是也. 西教有出世間法. 是法指出了堪忍世界之謂也. 所云出者, 非離去世界, 別赴別地. 止是惡得一切等之虛空也."

감인堪忍은 참고 견딘다는 뜻이다. 못 견딜 일도 묵묵히 감내堪耐하고, 하고 싶은 말도 머금어 삼킨다. 고통스러워도 꾹 참아 견딘다. 사람이 한세상을 살아가는 일은 참아내고 견뎌내는 연습의 과정일 뿐이다. 그래서 그는 이렇게 건너가는 한세상을 감인세계로 규정했다.

감인세계는 벗어날 수 없는가? 이 못 견딜 세상을 견뎌내는 힘은, 날마다 아등바등 얻으려 다투고 싸우는 그 대상이 사실은 아무것도 아니라는 것을 깨닫는 데서 나온다. 인간의 진정한 낙원은 멀리 지리산 청학동이나 무릉도원이 아닌 우리의 마음속에 있다는 얘기다.

불가에서는 인생은 고해苦海라 한다. 고해의 세상에서 모든 것은 돌고 도는 것이 순리이다.

우리네 삶도 세상을 온몸으로 부딪쳐 겪어내야만 인생의 파고波高에 휩쓸리지 않는 힘을 지닐 수 있다. 쇠를 담금질하면 할수록 더 강해지듯이 감내 경험들은 그대로 축적돼 앞으로 닥쳐올 수많은 위기에도 끄떡없는 면역체계를 지니게 될 것이다. 나폴레옹은 미래의 성공을 만들기 위해서 지금 게으름을 버리고 무엇이든 시간을 뜻있게 사용하라고 했다. "지금 나의 불행은 내가 잘못 보낸 시간의 보복"이라며 늘 반성하였다. 대지大地는 가을이 되면 저마다 씨앗이 떨어지지만 모든 씨앗이 싹을 틔우지는 않는다. 겨울이라는 감인세계의 긴 터널을 통과한 씨앗만이 싹을 틔우고 꽃을 피운다. 인성도 감인세계를 거치며 성장한다. 즉 감인세계는 인성의 씨앗이 되고 인성의 마중물이 되는 것이다.

우리 모두 감내하면서 착하게 살고 더불어 배려하고 나누며 살자. 인간은 독불장군처럼 살면 행복한 삶을 살 수가 없다. "지는 것이 이기는 것"이라는 말과 "참을 인忍이 3자字 모이면 살인도 면한다."라는 옛 성현의 말씀을 가슴에 깊이 간직하자.

결론적으로, "인내는 쓰나 그 열매는 달다."라는 말이 있듯이 흥진비래興盡悲來하고 나면 다시 고진감래苦盡甘來하는 것이다. 따라서 인생은 진인사대천명盡人事待天命 정신과 자세로 정진하면 감인세계를 지나 고진감래의 세상을 맞이할 수 있는 것이다. 이런 모든 삶의 결과물이 인성교육에 의해 좌우된다고 생각된다.

인성교육의 중요성은 아무리 강조하더라도 지나침이 없을 것이며 대한민국의 인성회복, 인성대국으로 가는 데에 핵심역할을 할 것이다.

3부

대한민국의 인성

과거

- 5천 년 역사 속의
동방예의지국

제6장

선조들의
자랑스러운
인성대국 전통

홍익인간弘益人間 사상과 이념

한국의 혼(魂), 절대정신

홍익인간 사상과 이념의 역사관과 인성론은 "인간은 인간과 하늘·
땅·우주·자연 속에서 사랑과 도움 속에 태어났다. 그래서 우리는 서로
서로 도우며 살아야 한다."라는 철학적, 과학적 역사관에 기초하여 우리
라는 공동체정신을 강조한다.

홍익인간의 핵심사상은 널리 인간세계를 이롭게 한다는 뜻을 세계
최초로 가지고 있다는 데 의미가 있다. 또한 홍익인간 이념과 정신은 역
사적 상상력은 물론 한민족의 운명과 새로운 창조로 거듭나면서 5천 년
역사의 문명을 이끌어낸 서사가 되었다. 우리의 홍익문명은 메소포타
미아 등 4대 문명보다 사실상 먼저 태동했다.

그러나 안타깝게도 홍익인간 중심의 동방예의지국 전통과 역사가 훼

손되고 있다. 동방예의지국의 근원적 인성능력을 망각하고 있다. 홍익인간 사상이 무너지고 있다는 건 우리 민족혼을 잃어버리고 있다는 말과 같다.

신화神話는 그 민족의 생활사의 단면이며, 심층 깊숙이 잠재된 철학을 반영한다. 우리나라 신화로는 단군신화가 대표적이다. 단군신화(사실은 신화가 아니라 실화이고 역사임)는 한국 신화 중 가장 오래된 것으로, 우리 민족 정신사를 이루는 모태다. 많은 민족이 건국신화를 갖고 있지만, 창조신화를 가진 민족은 유대인 민족과 한민족을 포함해 몇 안 된다.[1]

단군조선은 2,000년 이상 홍익인간의 이념을 실천하며 '백성은 지혜롭고, 사회는 행복하고, 나라는 존경받는' 세상에서 가장 행복한 나라를 이루었다. 홍익인간의 이념은 우리 정신문화의 토양이 돼 반만년을 이어와 민족의 DNA가 됐다.

우리가 가진 8대 인성 DNA는 홍익인간 이념인 널리 인간세계를 이롭게 하는 근본인 박애사상이 중심이 되어 서로 결합하고 융합해 시너지 효과를 낸다.

일찍이 독일의 철학자 프리드리히 헤겔Friedrich Hegel은 "역사는 그 속에 스스로 전진하는 정신 또는 영혼을 가지고 있다."라고 하면서, 이것을 '절대정신絶對精神'이라고 칭했다. 많은 나라가 이 절대정신, 고유의 사상과 이념을 바탕으로 역사를 이어왔다. 중국의 유학사상, 일본의 사무라이정신, 유럽의 기사도정신, 미국의 개척정신 등이 있다. 이러한 사상과 이념들은 각 국가의 정신문화이자 영혼으로서 인성문화의 기층을 형성

----

1 홍익인간 이념 보급회, 『홍익학술총서』, (나무·1988), p.38 요약

하는 토대로 맥을 이어오면서 국가의 정체성을 유지·발전시켜왔다.

그렇다면 인성 대한민국의 절대정신은 무엇인가? 바로 홍익인간 이념과 사상이다.

홍익인간은 단군조선의 건국이념이다. 단군은 동이東夷의 나라에서 태어나, 구이(9부족의 동이)가 임금으로 받들어 건국한 것이 4,349년 전(기원전 2333년)이다.

우리 민족의 건국정신, 민족적 신념 그리고 이상! 우리 민족은 홍익인간을 표방하며 반만년을 이 땅에서 살았다. 그러므로 홍익인간은 우리 민족의 삶의 애환과 철학이 농축되어 있는 개념으로 한민족의 뿌리, 인성의 뿌리 그리고 인성교육의 뿌리다.

2,300년 전 공자의 7대손 공빈이 지은 『동이열전』에 따르면,

그 나라의 군대는 비록 강했지만 남의 나라를 침범하지 않았다. 풍속이 순후해서 길을 가는 이들이 서로 양보하고 음식을 먹는 이들이 먹을 것을 미루며, 남자와 여자가 따로 거처해 섞이지 않으니, 이 나라야 말로 동쪽에 있는 예의 바른 군자의 나라(동방예의지국)가 아니겠는가?

라며 공자도 그 나라에 가서 살고 싶어 했다고 기록하고 있다.

태조 이성계는 '단군조선'의 역사적인 정통성을 계승하고자 1392년에 집권한 그는 국호를 '조선'이라 했다. 단군이 동방에서 처음으로 천명을 받은 임금이니 때에 따라 제사를 드리게 하자는 신하의 상소를 받아들여, 이후 조선에서 '단군제檀君祭'가 치러지게 했다.

고려 중·후기 원나라의 침략 위기 때와 조선 말기 일본의 노골적인

국권 침탈의 위협이 있었던 시기에, 수많은 의병이 일어나 나라를 위해 목숨을 바치고 사상적·계급적 차이를 뛰어넘어 민족적 대단결을 이룬 3·1운동의 중요한 정신적 배경도 이러한 절대정신, 홍익인간 정신을 향한 소망이었던 것이다.

1919년 상하이 임시정부는 고조선을 세운 단군왕검이 10월 3일에 나라를 세웠다는 기록에 근거해 그날을 건국기원일로 정했다. 또한 1948년 제헌국회는 상하이 임시정부의 법통을 계승한다는 취지로 나라 이름을 대한민국으로, 국가연호를 단기원년 즉 기원전 2333년으로 정했다. 그리고 대한민국 정부수립 후 1948년 9월 25일 '연호에 관한 법률'에 의해 단군기원檀君紀元, 즉 단기일을 국가의 공식연호로 법제화했다. 1949년 10월 '국경일에 관한 법률'을 제정해 음력 대신 양력 10월 3일을 개천절로 정하고, 건국이념으로 정했다.

우리의 교육법 제1조와 더불어 교육기본법 제2조는 "교육은 홍익이념 아래 모든 국민으로 하여금 인격을 도야하고 자주적 생활능력과 민주시민으로서 필요한 자질을 갖추게 함으로써 인간다운 삶을 영위하게 하고 민주국가의 발전과 인류공영의 이상을 실현하는 데에 이바지하게 함을 목적으로 한다."라고 되어 있으며 전인교육을 목표로 한다.

또한 문교부의 문교개관은 "홍익이념은 우리나라 건국이념이기는 하나 결코 편협하고 고루한 민족주의 이념의 표현이 아니라 인류공영이라는 뜻으로 민주주의의 기본정신과 부합되는 이념이다."라고 풀이하고 있다.

지금 세계는 '1% 대 99%'라는 극단적 양극화로 인류문명사에서 큰 전환점에 직면했으나, 서구식 합리주의 논리로는 그 답을 찾지 못하고 있다. 하지만 정작 우리는 우리의 것을 외면하는 사이, 세계 철학자들은 우리 고유의 사상과 생활문화에서 그 답을 찾고 있었다.

독일의 유명한 실존주의 철학자 마르틴 하이데거는 1960년대에 프랑스를 방문한 서울대 박종홍 철학과 교수를 초청한 자리에서 "내가 유명해지게 된 철학사상은 동양의 무無사상인데, 동양학을 공부하던 중 아시아의 위대한 문명의 발상지가 한국이라는 사실을 알게 되었다."라면서 "동양 사상의 종주국인 한국의 천부경(최초의 하늘의 계시를 적은 경전)의 홍익사상에 대해 이해할 수 있도록 설명해 달라."라고 요청했다.

홍익인간 사상과 철학(제10장 3 참조)에는 공동체주의, 이타주의의 심오한 뜻이 담겨 있는바, 그 뜻을 개괄하면 다음과 같다.

① 널리(홍弘: 넓을 홍) - 사람들을 두루(평등의 인권사상)
② 이롭게 하라(익益: 더할 익) - 해치지 말고 도움을 줄 것(이타주의)
③ 인간(사람 人, 사이 間)을 - 나를 넘어서 인류를 (인간존중의 인류애사상)

우리의 홍익인간 철학은 세계 최초로 모든 사람에게 이익이 되고 도움이 되는 경제와 공동체 개념을 제기했다.

이홍범은 홍익민주주의에 대해 다음과 같이 말한다.[2]

----

2 이홍범, 『홍익의 세계화(아시아 이상주의)』, 하버드·펜실베이니아대학 합작품의 박사학위 논문 중 발췌

인성교육을 통하여 하늘, 땅, 인간이 본질적으로 별개가 아닌 하나임을 깨닫게 된다면 우리는 타인을 자기와 같이 사랑하게 되고 하늘·땅, 자연·우주를 자기와 같이 사랑하게 되는 인성을 갖게 되어 국가사회와 인류사회를 건강하고 평화로운 세계로 만들게 될 것이다.

이것이 바로 홍익적 인성을 함양하여 모두를 이롭게 하는 홍익민주주의의 이상세계를 우리 국가사회와 나아가 전 세계에 실현하는 길이다.

살펴보건대, 홍익인간 사상은 우리 민족 인성교육의 모태임이 분명하다. 우리가 이 홍익인간 이념을 21세기에 맞게 활용한다면 문화 인성대국의 미래를 만드는 데 밑거름이 될 것이다.

이것이 이 책의 저자로서 대한민국의 절대정신이 홍익인간 사상과 이념임을 주장하며, 동방예의지국의 인성대국 회복의 중요성을 역설한 이유인 것이다. 홍익인간의 인성철학은 나라가 융성할 때는 예술혼으로, 민족의 수난기에는 호국정신이자 민족의 구심점으로 영원히 피어날 것임이 분명하다.

홍익인간 사상철학의 뿌리: (제10장 3 참조)

세계 제1의 인성대국

홍익인간 사상을 잉태한 환국(하늘이 세운 나라)시대와 배달국(신시·神市: 신이 세운 도시국가)시대는 우리나라의 상고시대로서 역사적 사실의 진위여부眞僞與否로 인한 논쟁이 현재 일부 사학자들 사이 논쟁 중이지만, 대체로 단군왕검 이전 홍산문화의 발원과 그 문화의 근원이 된 환웅·환국과 배달국시대를 무시할 수는 없는 상황으로, 사학자인 이유립과 계연수에 의하여 상당 부분 인정돼오고 있는 실정이다.

조선의 선비들 중에는 단군을 기리는 시를 남긴 인물이 여럿 있다. 김육의 시문집『잠곡유고』에 실린「단군전각」이라는 시를 음미해보자.

백성이 주인인 거룩하고 성스러운 땅 / 그곳 황궁에 하늘에서 사람을 내려보내 / 동방에서 처음으로 임금이 되었다오 / 중국의 요임금과 같은 때라네 / 태백산의 용은 멀리 날아갔고 / 아사달의 학도 멀리 가버렸네 / (중략)

우리 민족의 조상이 되는 동이족에 관한 기록은 많이 있지만, 그중에서도 중국『예기』왕제 편에는 "동쪽에 사는 사람들을 이夷라 하는데 뿌리를 땅속에 내리고 사는 사람들로 어질고 착하며, 군자들의 나라이고 불멸의 나라이다."라 하였다.

『논어』에도 공자가 늘 동이의 땅에 와서 살고 싶어 했다는 구절과 사람의 도리를 잃었을 때는 언제나 동이족에게서 배웠다는 구절이 있다.

중국의『산해경』에는 우리 민족의 풍습을 의관衣冠과 대검大劍이라 하였으니, 의관은 그 예의에 맞는 품행인 인성을 의미하고 대검은 그 용기가 가득 찬 모습인 무풍을 의미한다.

> 동쪽바다 안, 북쪽바다 모퉁이에 조선이란 나라가 있다. 하늘이
> 다스리는 그 사람들은 물가에 살며 남을 아끼고 사랑한다. 東海之內
> 北海之隅 有國名曰朝鮮 天毒 其人水居 偎人愛之
>
> — 『산해경』, 권18 『해내경』

즉, 우리 민족은 원래 외관을 단정히 하고 예의가 훌륭했음은 물론
·항상 인성을 중시한 민족이었다.
부경대 정훈식 강사는 다음과 같이 말한다.

> 외인애지偎人愛之라는 구절이다. 고조선은 바로 사람을 아끼고 사
> 랑하는 나라라는 의미다. 잘산다는 말도 못산다는 말도 없고 미사여
> 구도 없지만, 그 어떤 글보다 소박하면서 아름답게 표현했다. (중략)
> 나라가 이러했기에 유사 이래 우리나라를 두고 안팎에서 부르는
> 아름다운 별칭이 많았을까? 금수강산錦繡江山, 청구靑邱, 근역槿域
> 등 우리나라의 별칭은 대부분 미칭이다.

우리 조상들은 고조선시대에서부터 윤리·도덕에 깊은 관심을 보였
다. 『삼국유사』, 『여지승람』에 기술된 단군신화의 기록을 보면 홍익인
간, 제세이화濟世理化와 같은 이념과 정신이 있다. 홍익인간과 제세이화
사상은 환웅 치리治理의 근본이요 배달국의 건국이념으로서, 인간세상
에 살며 덕과 도리로 다스리고 교호하며, 모든 사람을 널리 이롭게 한
다는 경제개념과 더불어 인간제일주의이며 덕치주의인 것이다.

2

한민족의 자랑스러운 8대 인성 DNA
- 동방예의지국 잉태

인류학자와 생태의학자들은 인간이 수십만, 수백만 년 동안 원시의 환경 속에서 살아남을 수 있었던 것은 위대한 생존유전자DNA가 있었기에 가능했다고 말한다.

모든 문명이 태초에 똑같이 시작되었을진대, 어찌하여 이토록 흥망성쇠가 갈렸는지 생각해보자. 우리 민족은 5천 년을 살며 어려운 자연환경과 주변국가의 침입 등 도전을 극복해냈다.

이 과정에서 우리만의 고난 극복인자를 체득화體得化했는데, 그것을 필자는 역사인성 8대 DNA(유전인자)라고 명명한다. 이 8대 DNA가 서로 결합함으로써 창의적이고 근성 있는 국민성을 만들었고, 이것이 결국 우리 민족의 전인적 성장을 가능케 했다. 비슷한 현상을 영국의 석학 아놀드 토인비는 '도전挑戰과 응전應戰'으로 설명한다.

자연과 환경의 도전은 그 문명에 커다란 시련을 가져다주며 이러한 시련을 극복하고자 노력을 기울이게 된다. 여기서 새로운 인성과 문명이 탄생하고 성장이 이루어진다. 따라서 도전은 적절한 응전이 따를 때 창조를 위한 계기가 되는 것이다.

한 사회가 내외의 도전을 얼마나 유효적절하게 극복하느냐가 인류와 문명의 성장과 쇠퇴를 결정짓는다는 이야기다. 필자는 우리 민족의 8대 인성 DNA 형성 또한 이러한 논리로 설명된다고 본다.

우리 민족이 지정학적 약점과 자원부족 그리고 강대국들의 패권다툼 속에서 5천 년 동안 생존할 수 있었던 것은 8대 인성 DNA가 시너지 효과를 발휘하여 보국과 호국의 역할을 했기 때문이다.

반만년 역사보존이 신기할 정도로 외줄타기 역사라 해도 과언이 아니다. 모진 국난극복의 역사를 이어온 원동력은 바로 '예禮'였다. 즉, 동방예의지국의 인성대국이었다. 우리나라는 일제강점기, 6·25전쟁 등 절체절명絶體絶命의 시기를 잘 견뎌내고, 제2차 세계대전 이후 식민지에서 해방된 나라 가운데 유일하게 선진국으로 발전했다. 최근에는 세계에 한류 붐을 일으키며 산업 강국으로 괄목할 만한 성장을 거두었다.

5천 년 세월 속에 숙성된 뛰어난 인성 DNA가 기적의 도약을 이루어낸 근원이었다. 8대 DNA는 자체적으로 성장함은 물론 분열, 확산되어 역량이 강화될 수 있다. 필자는 그동안 대학에서 강의하면서 얻은 연구결과를 바탕으로 한국인의 내면에 체득화된 8大 DNA로 연구 발표[3]한 바, 여기에서는 핵심사항만 요약·제시한다.

----

3 최익용, 『대한민국 5천 년 역사리더십을 말하다』, (옥당·2015), pp.52~131

홍익인간 사상 - 8대 DNA 근본 및 중심역할: (제6장 2 참조)

민족주의 - 준비된 국민

한 국가가 시대의 흐름에 따라 보낸 시간을 역사라고 하면, 민족은 그 역사라는 시간을 살아가는 주체다. 그리고 그 민족이 공통적으로 공유하고 있는 고유의 심리적·문화적 특성이 민족정신이다. 다시 말해, 민족정신은 어떤 민족에게 공통적으로 나타나는 심리적 특성이나, 그 민족이 환경의 변화에도 지속적으로 공유하는 문화적 특성을 말한다.

대한민국은 선진국 대부분이 100~300년에 이룬 산업화와 민주화, 정보화를 어떻게 반세기도 안 되는 기간에 이루어내고, 한강의 기적이라는 신화를 만들어냈을까? 일제의 수탈과 6·25전쟁으로 폐허가 되다시피 한 나라가 반세기 만에 경이롭게 성장한 원동력은 무엇일까? 세계가 궁금해하는 해답이 대한민국 5천 년의 인성대국 역사 속에 숨어 있다.

여기서 우리 민족(국민)이 세계 제1위의 IQ국가(홍콩은 도시로 제외)임을 자랑스럽게 생각하고, 민족적 자부심과 자긍심을 가져야 한다.

국제기관 및 대학의 세계 IQ(지능) 발표자료를 살펴보자.[4]

· 2002년 영국 리처드 린Richard Lynn과 핀란드 타투 바하넨Tatu Vahanen 교수가 그들의 공동연구서 『IQ와 국부』에서 제시한 IQ 조사 자료를 보면, 각국 국민의 평균 IQ 순위는 홍콩 1위(107), 한국 2위

---

4 조선일보 2008.11.3. 「아침논단 IQ 세계 제1위의 자신감을 잃지 말자」, 황태연 동국대 교수

(106), 일본 3위(105), 독일·이탈리아 6위(102), 중국·영국 12위(100), 미국·프랑스 19위(98), 이스라엘 26위(95), 인도 59위(81)다.

· 2003년 오스트리아 빈대학 메디컬스쿨의 조사자료도 홍콩 1위 (107), 한국 2위(106), 일본 3위(105), 독일·이탈리아 5위(102), 중국·영국 11위(100)의 대동소이한 순위를 보여준다.

· 2004년 스위스 취리히대학 토머스 폴켄Thomas Volken의 조사자료도 유사하다. (홍콩 1위(107), 한국 2위(106), 일본 3위(105))

한국이 그간 비약적 발선을 이룩해온 저력도 바로 이 세계 1위의 IQ에서 나왔을 것이다. 그럼에도 우리는 적잖은 식자들이 열등의식을 벗지 못한 채 종종 근거 없이 우리 민족을 비하卑下하는 소리를 듣는다. 어려운 때 자기비하는 독약이다. 오히려 이런 때일수록 우리는 '8대 DNA 등 근거 있는 자신감'으로 재무장해야 한다.

민족주의는 자기 민족 중심의 파괴적이고 반평화적인 이념으로 오해받기 쉽다. 그러나 민족주의는 인간에 대한 뜨거운 애정을 바탕으로 하는 이념이다. 일본, 독일 등의 민족주의를 연상하면 자동적으로 제국주의를 떠올리기 쉽지만, 역사 속에서 침략전쟁을 일으킨 나라들이 민족주의 때문에 그런 것은 아니었다.

IQ 세계 1위의 한민족은 21세기 제4차 산업혁명의 지식정보시대에 '준비된 국민'이다. 그런데 요즘 다문화 가족, 귀화인 등에게 인종 차별적 행태가 심화되고 있는 사실을 간과해서는 안 된다. 진정한 단일 민족의 자랑은 외국인을 차별하는 것이 아니라 역지사지의 입장에서 포용하고 동화시켜 더불어 사는 것이다.

문화 창조력 - 한류의 기반

공동생활을 하는 인간집단을 사회라고 할 때 하나의 사회를 이루고 있는 사람들이 다 같이 가지고 있는 사고방식이나 감정, 가치관을 비롯해 의식구조, 행동규범, 생활원리를 통틀어 우리는 '문화'라고 말한다.

문화는 우리 민족과 타민족을 구별 짓는 경계이고, 민족의 바탕이자 얼이며, 힘의 근간이다. 또한 문화는 오랜 세월 동안 축적되고 다져진 인류의 업적이다. 5천 년 민중의 삶이 쌓여 생긴 뿌리이자 결과물이 문화다. 나무가 죽었다가 되살아나는 것은 뿌리가 있기 때문이다. 우리 민족이 많은 질곡桎梏을 겪고도 도약할 수 있었던 것은 튼튼한 민족문화의 뿌리가 있었기 때문이다.

따지고 보면 일본문화의 뿌리도 한국문화다. 일본열도의 왜인들은 고구려, 백제, 신라 및 가야가 고대국가 체제를 갖추어 나가는 동안에도 아직 미개한 생활을 하고 있었다. 일본은 한반도의 수준 높은 문화를 받아들임으로써 고대문명의 싹을 틔웠고, 고대국가로 발돋움하게되었다.

우리 한민족 배달겨레의 독특한 문화야말로 오늘날 세계에 유일한 신명과 이화사상으로 점철된 정情의 문화인 것이다. 대표적으로 세계유일의 새마을 운동, 금모으기 운동 등 외국에서 볼 수 없는 정의 문화가 한민족의 유전자로 체득화된 사례를 들 수 있다.

최근 미국 CNBC방송 등 많은 국가들이 한류 예찬을 하고 있는데 한류의 힘도 우리 문화의 뿌리에서 나온 저력이 발휘되는 것이라고 볼 수있다.

민주주의 사상 – 인본주의의 애민사상

1948년 5월 10일 제헌국회의원 선거는 5천 년 역사상 최초의 보통·평등·직접·비밀·자유 선거였다. 민주적인 선거제도의 도입은 민주주의의 종주국인 영국에 비해 불과 20년 뒤졌을 뿐이다. 그 원동력은 무엇일까?

그것은 우리 역사에 배어 있는 고유의 민주주의 가치 덕분이다. 우리 역사가 내재적으로 서구 민주주의와 다른 홍익인간 사상에 뿌리를 둔 고유의 민주주의 가치 빛 인성을 인본주의로 구현한 역사임을 강조한다. 우리가 민주화를 훌륭히 이끌어 낼 수 있었던 것은 고조선부터 이어진 인본주의와 인내천人乃天 정신에 기인한다.

대한민국 5천 년 역사에 깔려 있는 인본주의 철학은 현대에 이르러서는 민주화를 아주 빠른 시간 안에 이루어내는 방향으로 작동했다.

물론 고조선부터 조선까지 국민은 국가의 주권을 가지고 있지 않았다. 비록 국가의 주권이 국민이 아닌 지배계급에 있었지만, 지배계급은 백성 없는 나라는 존속될 수 없다는 것을 알고 있었다. 이는 역사가 실제로 잘 보여주었다. 백성들을 탄압하고 자신의 이익을 많이 챙겼던 지배계급은 결국 패망했고, 더 심각하게는 나라 전체가 무너졌다. 따라서 많은 왕들이 하늘과 백성·민초民草를 두려워하라는 통치이념에 귀를 기울이려 애썼다.

그 때문에 위민·애민정신, 즉 인본주의 정신이 오늘날 민주주의를 이루게 하는 원동력이 될 수 있었다.

신명 - 흥(興)의 문화

우리 민족에게는 특유의 흥이 있다. 이 흥이 시너지를 내면 주변이 모두 신나는 분위기로 바뀐다. 그래서 흥이 오르면 어깨가 들썩거리고 앉아 있을 수 없게 되는데, 이를 "신명이 난다."라고 표현한다. 따라서 한국인에게 존재하는 이 특유의 흥을 이끌어내는 리더는 한국인을 가장 잘 이해하고 있다고 할 수 있으며, 이때의 인성을 '신명의 인성'이라고 말할 수 있다.

우리나라 사람들의 신명은 바람처럼 다른 이들에게 번지고, 그래서 신바람이 일면 자신이 가진 능력을 훌쩍 뛰어넘는 능력을 발휘하게 된다.

흥으로 세상을 살아가는 방식은 오랜 역사를 통해 우리 몸에 내재된 한민족의 유전자라 할 것이다. 이심전심의 마음은 우리의 삶을 흥이 넘치게 만든다. 2002년 월드컵 붉은악마 응원단에서 볼 수 있듯이 우리 지도자들이 국민의 인성을 선도하고 희망과 비전을 준다면, 국민은 부국강병과 통일의 역사적 과업을 흥의 문화로 신나게 이룰 수 있을 것이다.

우리나라 사람들은 모이면 춤을 추고, 노래를 부른다. 한국인의 신명은 긴장이 아니라 풀어진 상태에서 얻는 활력이다. 신바람은 우리 민족이 스스로 낙천성을 기르고 화합하면서 긴장을 푸는 고유의 방식인 셈이다.

은근과 끈기 - 곰삭음의 DNA

은근과 끈기란 어려움이나 괴로움을 참고 견디는 열정의 마음이다.

우리 민족은 '곰삭음'의 DNA를 가졌는데, 은근과 끈기 DNA가 바로 5천 년 동안 숙성된 한민족 특유의 DNA이다. 21세기 지식정보화 시대는 은근과 끈기의 지혜를 가진 지도자를 요구한다. 어떤 일을 어떤 자리에서 하든 은근과 끈기는 모든 사람에게 너무나도 중요한 덕목이다.

한반도는 세계의 전략적 요충지로, 우리 민족에게는 운명의 땅이자 시련의 땅이다. 그고 작은 전쟁에 시달리는 운명의 땅에서 5천 년 역사를 보전할 수 있었던 것은, 은근과 끈기의 인성 DNA가 지혜의 인성으로 승화된 덕택이었다.

전쟁으로 나라가 피폐疲弊해지고 국운이 풍전등화와 같은 위기에 처할 때마다 이를 극복하는 과정을 되풀이하면서 은근과 끈기 DNA가 형성되었다.

우리나라 사람들이 국내외에서 한강의 신화는 물론 세계 11위의 경제, 한류, 스포츠 강국 등 민족적 저력을 유감없이 발휘하는 것은 은근과 끈기의 민족성 때문이라고 해도 과언이 아니다. 미국의 유대인들이 한민족의 끈기를 인정하고 상권을 물려준 일화도 있을 정도다.

은근과 끈기의 민족성은 끈질긴 저항정신으로도 나타났다. 일제강점기에 독립을 쟁취하기 위해 투쟁한 영웅들 중에 안중근 의사, 이준 열사, 윤봉길 의사 등 수많은 독립투사들이 항일독립운동에 앞장섰다.

교육열: (제4장 3 참조)

호국정신 – 다종교문화의 호국 인성

우리 민족은 예부터 당시의 환경과 형편에 맞는 신앙을 가졌다. 최근의 조사결과를 보면, 한국에는 자생종교와 외래종교를 합쳐 50개 종교와 500여 개 이상의 교단, 교파가 있다. 그런데 이렇게 다양한 종교가 모여 있는 집합소임에도 우리 땅에서 종교분쟁이 일어난 적은 없고 오히려 호국 정신으로 승화되어 나라를 지키는 문화가 형성되었다. 필자는 세계의 유일무이한 다종교문화의 호국 인성으로 승화된 이유는, 홍익인간 이념과 민족혼이 융합된 결과물이라 생각한다.

우리나라는 세계에서 유일하게 석가탄신일(음력 4월 8일)과 성탄절(12월 25일)이 모두 공휴일로 지정되어 있다. 이것이 가능한 것은 종교적 신념이 다르다 해도 배척하지 않는 홍익인간 이념의 관용 덕택이다. 종교전쟁은 물론 큰 싸움 한번 없었으며, 오히려 이런 다종교 문화가 호국, 애국애족, 국태민안國泰民安 등을 기원하는 호국인성이라는 공통의 DNA를 가지고 있어 5천 년 역사를 보존하는 데 크게 기여했다.

정리하자면, 향후 8대 DNA를 상황에 맞게 결합하고 융합한다면 인성 분야뿐 아니라 정치·경제·문화·사회·안보 등 다양한 분야에서 예상 밖의 폭발적인 시너지 효과를 낼 수 있을 것이다. 또한 한국의 잠재력을 역동적으로 발휘케 하여 인성대국은 물론 초일류 통일 선진강국 건설의 동력이 될 것이다.

충·효·예 忠·孝·禮 사상과 선비정신

충·효·예의 사상은 대한민국이 원조(元祖)

우리 역사의 모태인 환국시대(BC7197)부터 조선왕조까지 이어져 내려온 '충·효·예' 사상의 줄기를 문헌상의 기록을 찾아 제시함으로써 대한민국이 충·효·예 사상의 원조임을 증명하고자 한다.

첫째, 환국시대에는 '다섯 가지의 가르침'이 있었는데, ① 성실하며 거짓이 없어야 할 것 ② 부지런하여 게으르지 않을 것 ③ 효도하여 부모를 어기지 않을 것 ④ 깨끗하고 의로워 음란하지 않을 것 ⑤ 겸손하고 온화하여 다투지 않을 것이다. 이 중 ③항에 효의 가르침이 있다.[5]

-----

5 고동영, 『단군조선 47대』, (한뿌리 · 1986), p.13

둘째, 배달국시대에는 '3륜9서'가 있었는데 3륜이란 사람이 반드시 지켜야 할 3가지 윤리로서 사랑, 예, 도이다. 여기에서 애愛의 윤리란 하늘로부터 받은 것이고, 예禮의 윤리는 사람으로 말미암은 것이며, 도道의 윤리는 하늘과 사람이 함께한다는 것이다.

셋째, 고조선시대에는 단군8조교와 중일경이 있었는데, 단군8조교의 제3조에 "너희는 어버이로부터 태어났고, 어버이는 하늘로부터 강림하셨으니 오직 너희는 어버이와 하늘을 공경하여 이것이 나라 안에 미치면 바로 충효이다.'라고 되어 있다.

넷째, 삼국시대는 신라의 화랑도, 고구려의 조의선인皂衣仙人(검은 옷을 입고 전시에 나라를 위해 목숨 바쳐 싸우는 무사집단), 백제의 무사도 등 충효정신이 왕성했던 시기로 부모의 생존 시는 물론 돌아가신 후에도 효를 행할 수 있도록 관료들에게 급가제를 마련하여 장례나 이장, 귀장, 성묘 시에는 휴가를 실시하였다. 삼국시대에는 불교가 전래되면서 효자경, 부모은중경 등 효에 관한 불교경전이 들어와 효행사상을 익혔다.

다섯째, 고려시대는 불교를 국교로 삼은 관계로 충·효·예의 관습이 불교경전에 의해 지켜져 왔다. 성종 때는 유교주의에 입각한 정치이념을 국가통치이념으로 확립하기 위하여 효를 군주가 지녀야 할 기본사상으로 삼았으며, 효행의 사상적 학제를 마련하여 국자감의 학과과목 중 『효경』과 『논어』를 최우선 과목으로 정하고 다른 경전보다 앞서 배우도록 했다. 또한 고려 말 간행된 『명심보감明心寶鑑』[6]은 효와 선의 생활화를 발전시키는 데 크게 기여하였다.

여섯째, 조선왕조시대는 태조 이성계가 군신의 관계를 저버린 상황

----

6 『명심보감』: 고려 충렬왕 때 명신이었던 추적이 저술(계선 등 19편)하였음

에서 출발하였기 때문에 충·효·예 정신의 면에서 다소 변질된 상태로 적용되었음을 부인할 수 없을 것이다. 그러나 개국과 함께 성리학을 중심으로 한 유교정책을 실시하여 국가시책과 일반민중의 생활양식을 모두 『주자가례』에 의한 유교적 생활방식으로 개혁하였다.

따라서 삼강오륜은 정치적·사회적 생활규범으로서 체계화되었고, 아울러 인쇄술의 발달과 문화의 향상에 힘입어 효사상의 보급이 상당히 발달하였다. 특히 명종 때 박세무가 지은 『동몽선습童蒙先習』은 예의와 착한 심성의 행실을 중심내용으로 한 '어린이 교육을 위한 우리나라 최초의 인성교과서'로서 효행을 쉽게 배울 수 있게 하였다.

1577년 율곡 이이가 청소년 학습용으로 편찬한 『격몽요결擊蒙要訣』은 백행의 근본을 효에 두었고 효를 사회규범과 가치의 정점으로 삼아 효의 원형을 확립하고 가르쳤다.

이렇듯 우리의 충·효·예 정신은 중국보다 훨씬 앞서 자리 잡고 발전하였다. 그야말로 우리 고유의 홍익인성철학과 사상적 바탕 위에서 지켜져 왔음을 알 수 있다.

그런데 우리나라는 농경사회에서 산업사회로 변천하면서부터 시작된 가족제도의 변화로 후대에 효의 가치를 대물림하는 인식은 차츰 희석됐고 효문화도 퇴색돼 가고 있다.

2014년 한국의 노인빈곤율은 49.6%(일본 19%)로 OECD 34개 회원국 중 가장 높았다. 그러다 보니 최근 우리나라에서 '불효자방지법' 개정이 추진되고 있다. 우리의 자랑스러운 효문화를 살리려면 이는 근본적으로 인성회복을 통해 해결해야 할 국가적 주요과제이다.

우리 고유의 충·효·예란 무엇인가

영국의 역사학자인 토인비 박사는 "한국의 효사상, 가족제도 그리고 경로사상은 인류의 가장 위대한 사상으로 세계인이 따라야 할 위대한 문화유산"이라고 극찬했고, 미국 하버드대학 엔칭연구소 투웨이밍 소장은 국제적인 새로운 윤리를 제정할 것을 제의하면서 그 핵심윤리로 "한국의 효사상·경로사상을 기본으로 하자."라고 제창했다.

그러나 최근에 효의 의미를 부정하는 일들이 발생하고 있어 안타깝기 그지없다.

충·효·예는 하나로 연관된 정신덕목으로서 각각의 의미는 다음과 같다.[7]

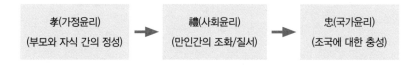

첫째, 효의 일반적인 의미는 '자식이 부모에게 향하는 일방적 수직논리'로 알려져 왔다고 할 수 있다. 그러나 옛날부터 전해오는 우리의 순수한 정신은 일방적이거나 수직사상이 아닌 쌍무호혜적 정신이었음을 알 수 있다.

역사적으로, 특히 신라시대 김대성은 중시(현 국무총리)로서 높은 벼슬을 버리고 부모를 향한 효심과 살생에 대한 반성으로 불국사와 석굴암

---

7 김종두, 「군 장병의 효심과 복무자세 간 관계에 관한 연구」, (영남대 석사학위논문·1996), p.6

을 건설하는 한편, 경덕왕도 효심으로 에밀레종을 제작하였고, 조선의 퇴계 이황은 "어버이를 섬기는 정성으로 하늘의 도리가 밝혀진다."라고 말했다.

① 효는 덕의 근본으로 아랫사람이 윗사람에 대하여, 윗사람은 아랫사람에 대하여 사랑과 정성이 담겨져 있음을 알 수 있다.

② 가정에서의 효는 사회에서 지켜져야 될 예의 기초가 되며, 국가의 기강인 충의 기반이 된다.

둘째, 사회의 윤리이자 조화 및 질서인 예는 "인간이 마땅히 지켜야 할 도리"라는 뜻으로서 일반적으로 도덕, 윤리 등과 같은 의미로 사용되고 있는 용어이다.

① 예를 지킴으로써 남에게 폐를 끼치지 않고 불편을 주지 않음으로써 조직이나 집단의 구성원이 조화를 이루고 질서를 유지하게 된다.

② 예의 본질은 그것만이 아니라는 것이다. 즉 정도를 가야 그것이 예인 것이다. 무엇이 정도인가? 바른 길을 가는 것이다.

셋째, 국가에 대한 충忠은 "임금에 대하여 신하와 백성으로서의 본분을 다할 것을 요구하는 사상", "참마음에서 우러나오는 정성"이라 할 수 있다.

가장 중요한 덕목인 예와 효를 기본으로 하고 국가와 민족에 충성해야 함은 인성교육 본연이 가지는 최고의 교육기준이라고 할 것이다.

① 도산 안창호는 "자기의 일에 최선을 다하면 그것이 곧 애국이요 충"이라고 말했다. 충은 조국과 나의 마음이 하나가 되는 것이다.

② "오직 나라를 위해 정성을 다하고 마음을 하나로 하는 것이 나라를 위하는 근본이다."라고 『충경忠敬』에 나와 있는 것처럼, 오직 조국을 생각하고 '조국과 내가 하나가 되는 것'을 의미한다.

우리 민족은 국가가 위기에 처할 때마다 그 어느 나라보다 애국지사와 의병들이 충성심으로 단결하여 굳건히 이 나라를 지켰기 때문에, 홍익배달민족의 긍지와 뿌리를 지켜올 수 있었다. 그렇다면 우리는 어떻게 충·효·예를 현대적 관점에서 바르게 이해하고, 이를 실천 및 행동화할 수 있을 것인가?

첫째, '충·효·예' 정신은 옛날이나 지금이나 그 본질적 측면에 있어서는 큰 차이가 없다는 점을 짚고 넘어가야 한다.

① 충은 오직 나라를 위하는 참된 마음으로 나의 직분에 맞게 최선을 다하는 것이요,

② 효는 부모님이 원하시는 방향으로 부모님이 기뻐하시고 걱정하시지 않게 행동하고 실천하는 것이며,

③ 예는 사람으로의 도리를 다함으로써 조화와 질서를 유지케 하는 것이다.

둘째, 상호주의적 관점에서 21세기의 충·효·예를 생각해보자.

① 국민은 국가지도자에게, 부하는 상관에게, 자식은 부모에게 일방적 희생과 헌신을 강요하는 개념이 아니라 지도자가 먼저 지도자답게 함으로써 국민이 국민답게 하도록 선도해야 하는 것이다.

② '충·효·예'는 아래(하급자)의 문제가 아니라 위(상급자/지도자)의 문제이다. 왜냐하면 가정의 경우에도 부모가 바로 서지 않고서는 자녀가

바로 서기 어렵고, 사회에서도 기성세대가 바로 서지 않고서는 자라나는 신세대가 바로 설 수 없으며, 나라의 경우에도 지도자가 지도자답지 않고서는 국민들로부터 존경과 신뢰를 받을 수 없기 때문이다.

고려대 홍일식 전 총장은 다음과 같은 지론을 펼친 바 있다.[8]

우리가 21세기 인류문명의 주역이 될 것이다. 이런 미래의 희망을 우리 전통문화의 핵심적인 본질로서 효사상이 장차 인류를 구원하는 세계적인 사상으로서 인류문명에 기여하게 될 것이다.

주목할 것은 유교의 효사상이 우리에게 유입되기 이전에도 우리에게는 효사상이라고 이름해야 할 사상이 본래부터 있어왔다는 것이다. 바로 원시 종교적 샤머니즘에 뿌리를 둔 부모와 조상에 대한 숭배사상이 그것이다. 한국인의 효사상이 곧 유교에서 나왔다고는 할 수 없다. 어디까지나 그 본질을 이루는 부분은 우리 본래의 효사상인 것이다.

예전부터 우리 조상들은 우리 고유의 충·효·예를 전통문화로 실천하고 많은 관련 문헌들을 보관했었으나 수많은 전쟁, 외침 등 국난으로 인해 소실燒失되거나 분실되었다. 특히 일본의 식민통치하의 역사·문화 말살정책으로 말미암아 더욱 훼손되고 왜곡될 수밖에 없었던 것이다.

흔히들 이러한 역사적 고난을 잘 이해하지 못한 채 효사상이 공자로부터 유래되었다거나 유교적 사상으로 보고, 마치 충·효·예 정신이 중국의 유교사상에서부터 출발된 것으로 인식하고 있음은 안타까운 현실

----

8 홍일식, 『우리에게 무엇이 있는가』, (정신세계사·1996), p.159

이다.

우리 고유의 정신인 충·효·예 사상[9]은 하늘의 뜻을 존중하여 자신을 소중히 여기고 동시에 부모에게 효도하며 가족사랑과 더불어 이웃을 사랑하며 대립과 갈등이 없는 조화로운 사회를 구현하고자 하는 것이다.

정리하건대, 유교를 숭상했던 조선왕조 500년 동안에 중국의 유교사상 영향을 받았음은 사실이다. 그러나 유교의 역사는 2,500여 년에 불과하고 우리 충효의 역사는 반만년 이상임을 결코 잊어서는 안 된다. 우리 조상의 충·효·예 사상이 기록된 자료들이 유실되어 전해지지 않기 때문에 중국자료에 의존할 수밖에 없었을 뿐이며, 부끄러운 일이지만 일부 친일사관, 사대주의 사학자들에 의하여 왜곡된 부분이 허다하다는 점을 간과看過해서는 안 된다.

우리의 전통적인 충·효·예 사상에 대하여 자부심을 가지고 그 정신을 적극적으로 본받고자 하는 역사적 사명감을 가져야 한다.

---

9 홍익이념 보급회 편저, 『홍익학술총서』, (나무·1998), p.238

선비정신

선비는 예의, 청렴, 의리, 지고, 학식 등을 겸비하고 실천하는 이를 뜻한다. 선비라고 하면 책을 읽는 모습이 떠올라 나약하거나 유약하다고 오해하는 경우가 많다. 하지만 나라가 어려울 때에는 항상 선비가 있었다. 그 예로 임진왜란 때도 있었던 '선비정신(나라가 위태로울 때 목숨을 바친다)'은 현대인들이 반드시 배워야 할 덕목이며 한국적 노블레스 오블리주이다.

藏器於身, 待用於國者, 士也. 士所以尙志, 所以敦學, 所以明禮,
(장기어신, 대용어국자, 사야. 사소이상지, 소이돈학, 소이명예,)
所以秉義, 所以矜廉, 所以善恥, 而又不數數於世也.
(소이병의, 소이긍염, 소이선치, 이우불수수어세야.)
- 신흠(申欽, 1566~1628)의 〈사습편(士習篇)〉
몸에 역량을 간직하고 나라에 쓰이기를 기다리는 사람이 선비다.
선비는 뜻을 숭상하고, 배움을 돈독히 한다. 예를 밝히고, 의리를
붙든다. 청렴을 뽐내고, 부끄러워할 줄 안다. 하지만 이런 사람은
세상에 흔치 않다.

역사 속 선비들은 탐욕을 멀리했다. 오로지 수신과 학습에 정진하며 청빈한 생활을 추구했던 선비정신이 5천 년 역사 보존을 가능케 했다. 예부터 선비들은 "집은 겨우 비를 가리는 것으로 족하고, 옷은 겨우 몸을 가리는 것으로 족하며, 밥은 겨우 창자를 채우는 것으로 족하다."라며 가난을 떳떳하게 여기고 겸손함을 미덕으로 여겼다.

우리 선조들은 청렴과 검소를 몸소 실천해 사리사욕을 멀리했던 공직자를 '청백리淸白吏'라 부르며 존경과 칭송을 보냈다.

한국학중앙연구원 이배용 원장은 조선 중종시대의 유학자이자 정치가인 조광조의 과거급제 답안을 보고 "선비들은 과거답안을 쓸 때도 목숨을 걸고 소신을 밝혔다."라면서, "한류의 원천은 우리 고유의 전통에 있다."라고 감탄하였다.

독일의 저명한 사회학자 베버Max Weber:1864~1920는 "구미의 기사도나 개척정신에 맞먹는 한국의 정신적 전통을 들라면, 나는 조선시대의 문인 신분층을 밑받침한 정신적 정통, 즉 선비정신을 꼽겠다."라고 말한다.

선비는 "자기 자신의 수양을 통해 타인을 교화시키며, 내면적으로 성현의 덕을 갖춤으로써 국가사회에 왕도를 구현한다."라는 이념으로, 사회현실 문제에 깊이 관여하면서도 현실세계에 매몰되지 않고 이를 초극하는 세계를 지향하는 태도가 바로 선비의 인격의 발현發顯인 것이다.

선비사상을 외래 사상인 유교적 가치에서만 그 근원을 찾고자 함은 잘못이다. 오히려 선비사상은 우리 민족의 오랜 역사 속에서 부각되어 온 한국적 고유의 인간상과 매우 밀접한 관계가 있어 둘 사이에 상당한 수준의 유사성을 지니고 있으며, 그런 연유로 유교적 인격체로서의 선비가 우리에게 친근했던 것임을 알아야 한다.

17세기 조선조에 들어와서 한동안 선비정신이 훼손되고 당쟁이 심화되어 위기를 불러왔다. 그러나 중국의 유학자들과는 달리 소인배들의 불의·불선과 같은 내부적 모순에 강렬히 저항했던 사실과, 남왜북로南倭北虜 등 잇단 외부의 무도한 침략에 저항한 의리학자와 의병들의 전통이 확연히 빛났음을 볼 때, 선비적 인격은 유교적이라기보다 한국적이라고 하는 것이 올바른 평가라 할 수 있다.

　다산 정약용은 선비정신의 국가구현 목표로 "백성을 위한 옳은 정치를 펼치는 것"이라고 했다. 다산은 유배流配를 가서도 백성을 위한 서적 편찬에 힘써 500여 권의 저서를 남겼다. 문학의 보고 역할을 하면서 생을 마감할 때까지 학문연구에 전념했다. 특히 경학, 예학, 문학, 역사학, 역학을 포함한 여러 방면에서 학문적 업적을 남겼다. 그중 『경세유표』, 『목민심서』, 『흠흠신서』 등의 역작을 남겼는데 모두 인성교육의 기반을 제공하는 보물 같은 책들이다.

　『목민심서』에서는 수령의 자세에 대해 "청렴은 수령의 본本이요, 모든 선善의 근원이요, 덕의 바탕이니, 청렴하지 않고서는 수령이 될 수 없다."라 한 바 있다. 이것이야말로 선비정신의 귀감으로 한 시대를 살아가며 갖추어야 할 덕목과 자세이다. 특히 현대의 정치인, 관료, 언론인 등 모든 공인들이 반드시 지켜야 할 덕목인바, 솔선수범의 섬김인성이 너무나 필요하다.

　살펴보건대, 작금의 대한민국 상황은 혼돈의 상태이다. 우리 국민들은 한 가닥 신념과 이성도 찾아보기 어려운 정치인들, 소신도 철학도 없는 지식인들, 설계도 없이 미래를 꿈꾸는 젊은이들에게 절망하고 있다. 그런 의미에서 선비정신이 우리의 정신사를 다시 일으켜 세울 각성제가 되도록 학습하고 성찰하는 계기를 가져 보자.

제7장

5천 년
역사보존의 비밀
– 호국인성문화

1

동방예의지국의 인성문화,
호국護國의 힘이 되다

대한민국 국민은 문화민족으로서 조상의 애환과 꿈이 DNA를 통해 전승되어, 겨레의 빼어난 자질과 진선미眞善美의 정신이 번득인다. 그리하여 우리는 인류 앞에 얼과 빛을 내세우는 인성대국의 문화임을 자처해왔다.

우리는 민족정기를 강조한다. 민족정기가 시들면 국가도 민족도 설 땅을 잃는다. 그런데도 우리는 그 민족정기가 호국인성의 DNA를 먹고 자랐다는 사실을 잊기 쉽다. 민족문화에 대한 재인식은 물론 그 올바른 전승과 창출에 각별한 관심을 가질 때다.

우리나라가 수많은 국난 속에서도 5천 년 국가를 보존할 수 있었던 인성 DNA는 무엇일까? 그것은 찬란한 동방예의지국의 문화 덕택이라

고 홍일식은 말한다.[10]

중국, 크기로 보나 인구로 보나 어마어마한 이 나라는 역사적으로 볼 때 불가사의한 하나의 큰 용광로였다. 역사상 한족漢族에게 걸려 들어 녹아들어가지 않은 민족이 없고, 녹아들어가지 않은 문화가 없다고 해도 과언이 아닐 것이다.

여기에서 하나 주목할 만한 사실이 발견된다. 한때는 각자가 자기 역사의 주체였을 이 55개 소수민족 중에서 지금 중국 영토 밖에 독립주권 국가를 이루고 있는 민족은 우리와 몽골, 오직 둘뿐이라는 사실이다.

그러면 문제는, 우리 민족이 무슨 힘으로, 어떤 경로를 거쳐, 중국이라고 하는 거대한 불가사의의 용광로 속에 녹아들어가지 않고 지금까지 수천 년 동안 고유한 영토를 확보하고, 고유한 주권을 지니고, 혈통의 순수성을 보존하고, 독자적인 문화와 언어를 지켜올 수 있었을까?

나는 그것이 바로 다름 아닌 '문화의 힘'이었다는 결론을 내리게 되었다.

실로 우리 민족은 남북방의 대립과 동서방의 연결이 작용하는 위치에서 반만년의 역사를 엮어온 위대한 인성대국의 나라이다. 이는 우리의 고대사에서만 있었던 현상이 아니라 인성대국의 호국인성 DNA가 민족사 전체를 관통하며 지속되어온 현상 및 결과물이다. 우리 민족의 전통 인성문화는 이러한 역사 속에서 형성되고 전개되었다.

----

10 홍일식, 『한국인에게 무엇이 있는가』, (정신세계사 · 1996), pp. 13~34 요약

국립국악원 국학진흥과 박희정은 "20세기에 한 나라의 위상을 판단하는 기준이 경제력과 군사력이었다면 21세기에는 그 나라의 문화(인성)가 그 나라의 위상을 판단하는 주요한 기준이 되었다."라고 말한다.

인성문화란 우리 민족과 타민족을 구별 짓는 경계이며 민족의 바탕이요, 얼이며, 힘의 근간으로 국가의 최대 자본이다. 또한 인성문화는 오랜 세월 동안 축적되고 다져진 인류의 업적으로 인류의 최대 자본이다.

어느 시대에 특별한 사람이 나오게 되고, 그 사람이 학문적 전환점에 서면 그를 따르는 사람이 나오게 되고, 그를 따르다 보면 그 사람이 발견치 못한 새로운 사실을 알게 되고, 다시 그 사람을 능가하는 사람이 나타나 새로운 세계와 학문을 이룬다. 이러한 일이 끊임없이 반복되면서 오늘날 이 지구상에는 물질문화와 정신문화가 조화調和를 이루어 인성문화의 꽃을 피웠다.

인성문화는 인간을 진정 인간답게 만드는 것으로 어떻게 인간이 인간다워질 수 있는가에 대한 끊임없는 물음이야말로 인성문화에 대한 탐구인 것이다. 문화예술의 창작, 향유뿐만 아니라 우리 삶의 거의 모든 국면이 인성문화의 양태라 할 수 있다.

정리하자면, 한민족의 전통적 호국인성문화는 현대의 문명세계에 자랑스럽게 내놓을 수 있는 동방예의지국 표상이다. 21세기에 향후 우리 국민들이 대한민국 5천 년 인성대국문화를 토대로 더욱 예의의 나라로 발전할 때 한민족의 자부심과 인성문화의 가치가 더욱 고양되어 인성자본국가 → 인성대국 → 초일류 통일선진국으로 선순환적 발전을 이룰 것이다.

2

임란 시 투항한 일본장수 사야가
- 조선은 예의의 나라

일본군 장수로 조선에 쳐들어왔다 투항하여 왜군과 싸워 임진왜란과 정유재란 승리에 크게 기여한 숨은 장수가 많이 있다. 그 대표적인 인물이 사야가(김충선. 1571~1642)이다.

사야가는 임진왜란 시 도요토미 히데요시의 선봉장 가토 기요마사 휘하의 장수였으나 일본의 전쟁광이었던 도요토미 히데요시의 선봉대임에도 불구하고 효유문曉諭文(알아듣도록 해명한 글)을 내걸고 경상도 병마절도사 박진 장군에게 항복문서를 보내어 투항했다. 조선은 동방예의지국의 예의의 나라로서 일본이 침략할 명분이 없다면서 조총부대 500명, 장수 3,000여 명을 이끌고 귀순하여 곽재우 등의 의병과 함께 조선 방어에 75회 출전하여 전승을 거두었다. 항복문서의 내용은 다음과 같다[11]

....

11 유광남, 『사야가 김충선』(스타북스. 2012), pp 5~10, 61 요약

임진년 4월 일본군 우선봉장 사야가는

삼가 목욕재계하고 머리 숙여

조선국 절도사 합하에게 글을 올리나이다.

지금 제가 귀화하려 함은 지혜가 모자라서도 아니요,

힘이 모자라서도 아니며,

용기가 없어서도 아니고,

무기가 날카롭지 않아서도 아닙니다. (중략)

저의 소원은 예의의 나라에서

성인의 백성이 되고자 할 뿐입니다!

예의禮儀라는 말은 참 깊은 의미가 새겨져 있는 영혼의 단어다. 사람과 나라의 문화에 있어서 가장 존중해야 할 어구가 바로 이것이다.

당시 사야가 김충선은 수군을 지휘하던 충무공 이순신 장군에 필적할 만한 육전 영웅이었다. 김충선과 함께 투항한 장병들은 조총 제작기술, 화약제조법, 조총부대 조직, 왜군에 대한 각종 정보 제공 등 다양한 활약으로 조선군 승리에 크게 기여했다. 예의의 나라를 수호하기 위한 김충선 장군의 노력은 이후로 10년간 자진하여 북방의 여진족을 방어·소탕하였고, 이괄의 난과 병자호란에서 활약하는 것으로 이어졌으며, 지금 우리는 그를 조선의 삼난三亂공신으로 부른다. 그는 일본의 예의문화가 조선에서 이어받은 역사적 사실과 인성의 본질을 잘 알고 실행한 지도자였다.

사야가는 일본인 아버지와 한국인 어머니 사이에서 태어나 동방예의지국 조선의 예의를 잘 알고 가훈을 목판에 새겨 거실에 걸고 실천하였다.

· 德本文末 先孝後文(덕본문말 선효후문): 덕행이 근본이며 그 후에 학문을 하는 것이다.

· 入則孝 出則弟(입즉효 출즉제): 가정에 들어가서는 효도하고 밖에 나가서는 공손하라.

· 謹而信 汎愛衆(근이신 범애중): 근신과 신의로 널리 대중을 사랑하라.

· 而親仁(이친인): 인덕이 있는 사람과 친해야 한다.

사야가는 혁혁한 전공으로 3품 당상堂上에 올랐으며, 선조로부터 김충선이라는 이름이 하사되었다. 그 후 현재 그의 후손들인 사성賜姓(임금이 공신에게 내린 성) 김해 김씨는 18대 이상 내려오며 20여 만 명이 살고 있다. 김충선의 우국충정은 역사적인 귀감이다.

살펴보자면, 동방예의지국인 조선의 힘은 일본의 칼이 지니는 힘과는 분명 다른 것이다. 인성대국의 힘은 고차원적인 것으로 때로는 위기의 나라를 구원할 수 있는 힘을 가지고 있다. 그러한 예의의 힘을 가졌던 나라가 우리의 조선이었음으로 기억하고 우리는 반드시 동방예의지국으로 다시 돌아가야 한다. 이것이 역사정신, 역사지능의 준엄한 역사적 교훈이다.

〈 6 〉 김충선 가훈에서 얻는 교훈

우리 선조들이 남긴 귀중한 가훈家訓의 문화는 동방예의지국의 전통을 유지하는 데 크게 기여했다. 일본 장수에서 귀화한 김충선은 우리 민족 못지않은 가훈으로 충·효·예를 지키는 데 모범을 보였다.

『명가의 가훈』에서 발췌한 사야가(김충선) 가家의 가훈내용은 다음과 같다.[12]

"내가 몸을 한반도에 의탁한 것은 평생의 강개한 뜻을 이룩할 뿐만 아니라 예의와 겸양의 미풍을 사모하여 자손들로 하여금 대대로 예의와 겸양을 위하는 사람이 되게 하려는 까닭이다. 지금 여기 대구의 녹촌에 살 자리를 잡았으니, 내 뜻을 체득하여 지위가 높고 귀하게 되는 것을 사모하지 말고, 농사일에 힘쓰고 학업을 부지런히 하고, 남의 부귀를 원하지 말고, 청백을 숭상하고 검소한 생활을 숭상하라. 가정에 있어서는 어버이에게 효도하고, 사회에 나가서는 임금에게 충성하라. (중략)

우리 집이 성을 얻고 이름을 얻은 뒤에는 항상 사사로운 신분의 황공함이 있는 것이었다. 대저 충성 충忠 자와 착할 선善 자는 내 평생에 감당하지 못하고 다할 수 없는 것인데, 내 자손이 되는 사

---

12 김종권 편저, 『명가의 가훈』, (가정문고사·1982), pp.522~523

람은 임금을 섬기는 데 충성을 다하고, 맡은 일을 실행하는 데 최선을 다하라."

우리나라 율곡 이이 등 수많은 선현들이 가훈을 집에 가보로 보관하면서 인성교육의 근간을 이뤘다.

『명가의 가훈』에서 말하는 가훈의 주요 내용(전통)은 다음과 같다. "학문을 권하는 말勸學, 마음을 바로잡고 뜻을 세우는 일心志, 몸가짐을 바로잡는 일修身, 가정을 잘 다스리는 일齊家, 세상을 살아가는 일處世, 아름다운 말嘉言, 착한 행실善行, 부녀자의 바른 행실婦德 등 8가지로 나누고 있다.

이와 같이 좋은 가훈을 통해 올바른 마음가짐과 몸가짐을 닦아서 어떤 고난이라도 이겨내어 그야말로 행복한 가정을 만들고, 사회발전과 국가의 융성에 힘쓰고, 나아가서는 세계인류의 자유와 평화에 도움을 가져오게 하자는 데 목적이 있었다.

현대에도 가정의 가훈은 가문의 역사와 전통을 살리고 인성교육을 위해서도 꼭 필요하다.

가훈에 따라 사야가는 바른 인성과 정의롭고 지혜로운, 아름다운 인성을 승화해낸 인물로서 일본공영방송 NHK다큐멘터리 방영이후에는 일본 내에서도 평화주의자로 존경받게 된 의인義人이다.

3

5천 년 역사의 주체
- 국민·민초民草의 호국인성문화

고대에서 현대사에 이르기까지 수많은 애국애족의 인성이 민족사를 수놓았다. 그들은 한 치의 허장성세虛張聲勢도 없이 목숨을 바쳐 나라와 겨레사랑을 실행에 옮긴 지고지순한 인성을 지닌 사람들이다. 대한국인은 이들의 애국심과 애족심 인성에서 역사의식과 국가정체성을 이어가야 한다. 우리의 영원한 지향점은 조국과 민족이요, 최후의 보루는 국토와 국민에 대한 뜨거운 사랑이다.

대한민국 5천 년을 수호한 순국선열과 전몰장병 그리고 학도병, 소년지원병, 민간지원병, 군속 등의 수많은 무명용사들의 조국수호정신과 헌신을 우리는 결코 잊어서는 안 된다. 더욱이 소년지원병과 학도병은 병역의무가 없는 데도 조국을 위해 목숨을 던졌다. 6·25전쟁에 참전한 소년지원병은 2만 9,616명으로, 이 중 2,573명이 전장에서 사망했다. 한편 학도병學徒兵은 2만 5,000~3만 명의 펜 대신 총을 잡고 나온 애국자들이다. 당시 정부는 나라의 미래를 위해 어린 학생들의 참전을 극구 만류했지만, 이들은 나라를 구하겠다는 일념으로 자원해서 전선에 뛰어들었다. 학도병에는 어린 중학생, 대학생은 물론 귀국한 유학생, 여학생들까지 있었다. 그중 희생된 사람의 수는 3,000여 명으로 추산된다. 그러나 군번도 없고 소속도 없었기에 이름도 남기지 못하고 포화 속으로 사라져간 학도병의 수는 더 많을 것으로 보인다.

미군 특수부대에 편입되어 군번도 없이 훈련을 받고 구월산부대 철수작전, 옹진반도·원산항 침투 및 철수작전, 함흥 철수지원 작전 등에 투입되어 목숨을 잃은 민간지원병들도 상당수다. 국난이 일어나 지도자가 도망갔을 때도 이들은 의병, 의용군이라는 이름으로 조국을 지켰다. 그 순수한 애국정신을 깊이 새겨 정부는 물론 국민들도 특별히 관심을 가져야 마땅하다.

그러한 관심의 시작으로 '순국선열의 날'과 '현충일'의 의미를 제대로 알고 마음속에 되새기길 바란다. 과거 항일투쟁으로 순국하신 선열들의 얼과 위훈을 기념하기 위한 '순국선열의 날'은 11월 17일이고, 6·25전쟁의 전몰장병을 추모하는 '현충일'은 6월 6일이다. 고려의 8대 왕 현종도 1014년 6월 6일에 전사한 병사들을 추모(출처: 고려사)했다.

우리는 선열들의 숭고한 뜻을 받들기 위해 우리나라를 더욱 부강하게 하여 평화롭고 정의로운 인성의 나라로 만들어나가야 한다. 이를 위해서는 무엇보다도 인성선진국 → 안보선진국 → 경제선진국 → 초일류 통일선진국으로 뒷받침되지 않으면 안 된다.

2016년 6월 국민안전처에서 발표한 '국민 안보의식 조사'(코리아리서치 센터)에서는 전쟁 발발 시 성인의 83.7%가 참전하겠다고 응답했다. 대부분의 국민들에게서 나라사랑의 호국인성이 생동하고 있는 것이다.

미국의 저명한 사상가인 헨리 소로H. D. Thoreau는 다음과 같이 말했다.

> 다수의 사람은 육체로서 국가에 봉사한다. 소수의 사람은 두뇌로서
> 국가에 봉사한다. 일부 사람은 양심의 인성으로서 국가에 봉사한다.

그는 국가에 봉사하는 데는 ① 육체 ② 두뇌 ③ 양심 등 3가지 방식이
있다고 보았다. 우리는 제각기 형태만 다른 방식으로 국가와 민족에 봉
사하고 있다. 핵심은 희생과 봉사의 질이다. 얼마나 나라사랑·겨레사
랑의 정신으로 봉사하느냐의 문제인 것이다.

첫째, 희생과 봉사로 보답하는 마음에서 나오는 것이다. 예컨대 조국
으로부터 내가 의식하든 않든 국가의 보호와 덕을 받고 있는 것이다. 그
은혜에 보답하기 위해 행하는 것이 바로 희생과 봉사의 생활화다.

둘째, 희생과 봉사는 인간존엄의 인성으로서 이타주의를 좇는 대승
적인 인성을 가진 자만이 할 수 있는 일이다. 그래서 그 정신과 자세가
바로 국가사회의 빛과 소금의 역할을 하게 된다.

셋째, 희생과 봉사는 서번트 인성으로 마음, 정성, 친절, 관심, 신뢰
등을 주는 것이며 그 자체가 기쁨과 보람을 생각하는 것으로 아름다운
인성이다.

우리는 오랜 역사 속에서 독자적으로 창조해냈던 우리 민족의 인성문
화 창조의 능력과 저력은 민중의 역사의식으로 발양되어 신라가 당나라
에 복속服屬됨을 막아냈고, 일제의 침략에 맞서 줄기차게 독립운동을 펼
쳤으며, 굽힐 줄 모르는 호국사상과 민족정신으로 광복을 쟁취해냈다.

나라를 구한 의병(義兵) - 5000년 역사를 지킨 첨병

우리는 구한말, 일제강점기와 같은 치욕의 시대를 거치면서도 오늘날 우리가 뿌듯하게 민족적 긍지를 가질 수 있는 것은 의병들의 끊임없는 투쟁 덕분이다.

우리 민족은 외적의 침입으로 나라가 위태로울 때마다 진충보국盡忠報國의 의병정신을 발휘하여 나라를 구해냈다. 우고조선시대에는 한반도 주민들이 일어나 한사군을 몰아냈고, 백제가 멸망했을 때는 성충誠忠을 비롯한 의사들이 백제의 부흥을 위해 봉기했다. 고려시대에는 목숨을 걸고 대항했던 삼별초가 있었다.

이러한 의병정신은 조선시대에 이르러, 임진왜란 당시 풍전등화와 같은 국가의 운명을 되살린 원동력이 되었다. 관·민 할 것 없이 온 민중이 유격전으로 적에게 맞서 대항한 의병항전은 일본군을 무찌르는 눈부신 활약을 거두었다.

임진왜란 당시의 의병은 임금을 위해 충성을 다한다는 근왕勤王정신에 의해 자생적으로 일어났다. 정부가 국방능력을 상실한 상황에서 봉기한 의병은 침략자를 물리쳐 국토를 지키고, 왕실과 가족을 스스로 보호하는 것을 기본목표로 하고 있었다. 그랬기에 의병이 온전한 전투력을 갖추지 못한 비정규군이었음에도, 자기희생을 전제로 하는 강인한 정신력을 견지함으로써 전세를 역전시키는 주역이 될 수 있었다. 민족자존의 정통성을 유지·계승해온 의병정신은 19세기 말에 밀어닥친 외세에 대항하는 민족운동으로 계승되어, 구한말 의병운동으로 독립운동에 크게 기여했다. 이러한 의병의 정신은 예비군으로 이어져 북한의 휴전선 목함 도발 시 예비군의 자진 참전 지원자들이 많아서 화제를 낳았다.

3·1운동, 임시정부를 탄생시키다

민중(민초, 백성)이 역사창조와 국가수호의 주체세력임을 감안할 때, 한민족의 저력이란 민족사관에 입각한 민중의 인성문화에서 발현된 호국인성 DNA의 역사의식에서 나왔던 것으로서 3·1운동이 대표적인 사례이다.

일제의 강점 이후 국내에서의 독립운동은 그들의 탄압 때문에 결사운동으로 변모되었지만, 도시의 중산층과 개화지식인들이 중심이 되어 조직적으로 전개됐다. 이들은 독립의군부, 광복회, 조선국권회복단 등 수많은 항일결사를 조직하고 각종 선언문·격문 등을 통해 독립사상을 고취했으며, 민족문화의 우월성을 바탕으로 광복에 대한 희망과 신념을 북돋았다.

3·1운동은 인류 공동의 가치를 담은 자랑스러운 민족의 독립운동이다. 가치선점 투쟁은 우리 역사의 민족의 혼魂이다. 1919년 고종 황제의 장례식을 계기로 발생한 3·1운동은 한국인들 스스로 민족의식과 독립의식을 일깨우는 계기가 되었다. 일제의 강점이 계속되자 한국의 독립운동계는 대대적인 독립운동을 준비하기에 이른다. 이런 분위기에서 불교, 천도교, 기독교 3개의 종교단체가 연합하여 1919년 3월 1일에 시위를 벌였다.

전국 220개 군 가운데 212개 군에서 만세시위운동에 참여했다. 집회횟수 1,542회, 집회참여인원 205만 명, 피살자 7,500여 명, 부상자 1만 6천여 명, 투옥된 자 5만여 명, 건물소실 800여 동 등의 통계숫자가 말해주듯이 3·1운동은 그야말로 온 겨레의 총궐기였고, 민족자결의 대大함성이었다. 인구의 85퍼센트를 점하는 농민들이 주축이 되어 만세시위를 벌이고, 노동자는 파업으로, 학생들은 대중시위와 동맹휴학 등으로 호응하며 투쟁을 이어간 그야말로 전국적·전全 민족적 독립투쟁이었다.

3·1절이 되면 제일 먼저 생각나는 인물이 유관순 열사이다. 유관순 열사는 "손톱이 빠져나가고 귀와 코가 잘려나가고 손과 다리가 부러져도 그 고통은 이길 수 있사오나 나라를 잃어버린 그 고통만은 견딜 수가 없다. 나라에 바칠 목숨이 오직 하나밖에 없는 것만이 이 소녀의 유일한 슬픔이다."라는 유언을 남겼다. 일제가 폭압적인 무단통치를 하던 그때는 어린 여고생이 일제에 맞선다는 것은 감히 상상도 할 수 없던 시대였다. 일신一身의 안위를 위해 매국을 한 이도 있었지만, 그녀는 옥중에서도 조국 광복을 외치다 가혹한 고문으로 죽임을 당했다.

우리는 3·1운동을 통해 주체성과 자주성을 확인했고, 독립의지를 전 세계에 천명했으며, 중국·인도 등 세계 여러 곳에서 반제국주의 민족운동을 촉발시켰다. 3·1운동은 독립운동을 보다 조직적이고 체계적으로 발전시켰고, 민주공화제를 표방한 대한민국 임시정부를 탄생시켰다.

1926년에는 3·1운동의 영향을 받아 학생들을 중심으로 자발적인 민중 항일독립운동인 6·10만세운동이 일어났다. 6·10만세운동은 전문학교 학생과 사립고등보통학교 학생, 그리고 사회주의계 인사들에 의해 추진되었다. 순종의 인산因山일인 6월 10일, 학생들은 격문을 살포하고 독립만세를 외치며 대규모의 만세운동을 전개했다.

1929년 11월 3일에는 광주학생 항일운동이 일어났다. 광주에서 일본 남학생이 한국 여학생을 희롱한 사건을 계기로 한·일 학생 간에 충돌이 일어났는데, 이를 수습하는 과정에서 일본경찰이 일방적으로 한국학생들을 검거하고 탄압했다. 그러자 광주의 모든 학교 학생들이 궐기했고, 이에 일반 국민들이 가세함으로써 광주학생 항일운동은 전국적인 규모의 항일투쟁으로 확대되었다.

> 그날이 와서 오오 그날이 와서
> 육조 앞 넓은 길을 울며 뛰며 뒹굴어도
> 그래도 넘치는 기쁨에 가슴이 미어질 듯하거든
> 드는 칼로 이 몸의 가죽이라도 벗겨서
> 커다란 북을 만들어 들쳐 메고는
> 여러분의 행렬에 앞장을 서오리다. (중략)

심훈은 1930년 3월 1일 「그날이 오면」이라는 시에서 민족 해방에 대한 간절한 염원을 표현했으며, 영국의 비평가 세실 모리스 바우라는 비평서 『시와 정치』에서 이 시를 세계 저항시의 한 본보기로 평가했다.[13]

이처럼 3·1운동 이후에도 민족의 독립항쟁은 6·10만세운동, 11·3광주학생 항일운동으로 계승되었고, 특히 학생들이 독립투쟁의 주역으로 전면에 나서면서 전국적인 규모로 발전해갔다.

----

13 최익용, 『대한민국 5천 년 역사리더십을 말한다』, (옥당·2014), p.338

IMF 금모으기 운동 - 국민인성의 쾌거

금모으기 운동은 우리 국민들의 나라사랑 인성을 상징하는 대표적 사례이다.

1997년 IMF 구제금융 요청 당시, 대한민국의 부채를 갚기 위해 국민들이 자신이 소유하던 금을 나라에 자발적인 희생정신으로 내어놓은 운동으로서, 투자의 활성화와 IMF 관리체제 조기 졸업을 위해 크게 기여한 바 있다. 특히 전 국민적인 금모으기 운동은 국민의식 전반에 우리 민족혼과 애국심을 불러오는 큰 변화를 가져와 사회적 연대감을 조성하였다.

당시 대한민국은 외환부채가 약 304억 달러에 이르렀다. 전국 누계 약 351만 명이 참여한 이 운동으로 약 227톤의 금이 모였다. 그것은 대략 21억 3천 달러어치의 금이었다. 국가경제의 어려움 속에서 국민들의 자발적인 희생정신의 대표적인 사례가 됐다.

탈식민지, 6·25 전쟁, 산업화, 민주화의 4대 난제難題를 한꺼번에 해결한 나라다. 세계사에 처음 있는 일이다. 그것만으로도 한국의 경험은 인류문명의 유산이자 보물인데 더 경이적인 일이 세계 최초로 한국에서 벌어진 것이다. 바로 'IMF 금모으기 운동'이다.

우리 민족(민초)의 호국인성문화 DNA는 1997년 IMF 위기 때 세계적으로 유례가 없는 금모으기 운동에 나섰다. 금모으기 운동으로 외환위기를 극복해낸 우리의 국민인성 사례는 2015년 초 다시금 세계의 주목을 받고 있다. '그리스 국가부도 사태' 때문이다.

그리스 정부는 IMF 빚을 다 못 갚겠다면서 채권국 독일을 향해 "70여 년 전 나치가 강제로 가져간 돈부터 내놓아라."라고 오히려 역공逆攻을 가하는 정부의 행태로 말미암아, 세계가 IMF 사태 시절의 한국을 모범 국가로 여기고 IMF의 교과서처럼 활용하고 있다. 외환위기를 맞자 모든 국민이 나서 금모으기 운동까지 할 정도로 전 국민이 힘을 모아 모든 빚을 청산한 나라로, 대한민국이 전 세계의 주목을 받고 있는 것이다.

살펴보건대, 세계의 여러 나라들이 우리나라의 외환위기 대처방식과 우리의 독보적인 경제성장 과정을 배워 활용코자 한다. 이를테면 한국과 아프리카의 여러 나라들이 지식 공유모임을 가지기 시작했다. 매년 2월 12일을 '한국의 날'로 정하고 2년마다 한·아프리카 회의를 갖기로 결정했다.

이러한 운동이 아프리카뿐만 아니라 더 많은 나라로 퍼져나가 함께 발전하는 계기가 되길 소망한다.

4

리더보다 '더' 리더 같은 국민인성
- 모든 국민이 호국 리더로 사는 나라

우리는 수많은 국난으로 혼란을 겪었지만 온 민족이 한마음으로 단결하여 5천 년 역사에서 유례를 찾아볼 수 없는 리더보다 '더' 리더 같은 국민들의 호국인성으로 역사를 보존해왔다. 그 결과, 산업화와 민주화를 이루는 비약적인 발전으로 원조를 받는 나라에서 원조를 주는 나라가 된 것이다.

그러나 근간 우리나라 국민들은 국가인성이 무너져 도덕성 실종, 양극화 현상과 이념 분열 행태行態에 위기를 느끼고 있다. 작금의 국제적 상황은 신新 냉전체제가 조성되어 강국들이 다시금 한반도의 영토 안팎에서 자국의 잇속만 차리며 우리를 위협하고 있다.

100여 년 전의 열강(미·중·일·러)들의 패권싸움이 재현되는 것 같다. 우리는 안중근 의사의 동양 평화론처럼 한·중·일 중심의 '원아시아 One-Asia'로 가야 하나 미래의 아시아는 21세기의 화약고가 될지도 모른다. 우리는 한반도에서 대륙과 해양세력이 격렬하게 부딪히는 가운데 핵, 미사일로 도발을 계속하는 북한을 상대하여 통일시대를 열어가야 한다. 미국은 세계 패권국으로서 지속적 유지를 위해 노력하고 있으며, 중국은 강대국 부상의 꿈으로 세계 전략을 짜고 있으며, 일본은 강한 국가로 다시 태어나기 위해 군국주의로 회귀하고 있으며, 러시아도 옛 소련의 패권을 회복하려 하고 있다. 우리의 처지는 매우 복잡한 국제관계 방정식의 파고 속으로 말려들어가고 있는 형국이다.

지금까지 우리 국민들은 나라를 수호하기 위해 호국인성의 첨병尖兵 역할을 해왔다. 국민인성의 역할과 기능은 5천 년 역사에서의 민족혼을 생각할 때 아무리 강조해도 지나치지 않다. 우리 국민들이 대한민국의 후대손손까지 생각하고 책임지고 살아온 호국인성문화로 나라를 수호하기 위해서는, 동방예의지국의 인성문화를 반드시 회복해야 한다는 공감대와 사명감을 가져야 한다. 대한국인은 인성이 무너진 지금의 상황에 좌절하지 않고, 인성의 위기를 기회로 만들도록 한국혼魂을 살려 후손들에게 떳떳한 조상이 되어야 할 것이다.

을사늑약으로 나라가 넘어가기 직전인 1905년 12월 28일 신채호 선생은 〈대한매일신보〉에 쓴 논설 「시일야우방성대곡是日也又放聲大哭」에서 "앞으로 하와이의 이민과 같이 미국영토에 붙어살까? 블라디보스토크의 유민같이 러시아땅에 예속되어 살까? (……) 심성을 이야기하고 이기를 논하는 것이 소용없소. 농, 공, 상이 급한 것이오.'라고 말했다.

신채호 선생의 이야기는 100여 년이 지난 지금까지도 그 의미를 그대로 보존하고 있다. 신채호 선생의 언급은 당장 국가가 안보경제위기에 빠져 있는 데도 불구하고 안보·경제를 살릴 생각은 하지 않고 좌우

이념논쟁과 다툼만 일삼는 철없는 국가지도자들에게 경종을 울리는 소리가 되어야 할 것이다.

조선일보 사설(2016년 3월 5일)은 다음과 같이 말한다.

> 한반도가 처한 현실을 제대로 아는 것만으로는 부족하다. 어떤 외부 도발에도 대처할 수 있는 군사력을 갖춰야 하고, 그 군사력을 지탱해줄 경제력도 강건하게 유지해야 한다. 그중에서도 가장 중요한 것은 단합된 국론과 그 국론을 이끌어줄 정치적 리더십이다. 구한말 이후 우리의 실패의 역사를 돌아보면 공통적으로 나타나는 현상이 있다. 외세가 한반도에서 각축을 벌일 때마다 위정자들은 예외 없이 분열돼 있었고, 국익보다 개인과 당파의 이익을 앞세웠다. 그들은 나라와 민족의 운명이 열강의 책상 위에서 요리되고 있는 것도 모르고 안에서 권력싸움에 몰두했다. 이 나라 위정자爲政者들은 국가 안보와 국민의 생존이 위협받는 엄중한 상황 앞에서 다시 정쟁에 날을 지새우고 있다. (중략)

나라가 어려움에 빠져 있을 때 위기를 극복하는 힘은 항상 국민으로부터 나왔다. 무엇보다도 우리의 총화단결과 자강自强이 핵심이다. 정말 리더보다 '더' 리더 같은 국민인성이 자랑스러운데 반해 지도층(리더그룹)의 호국인성은 너무나 한심스럽다. 북한은 휴전선 인근에 5,000문이 넘는 구형 방사포(사거리 70km)를 배치해 놓고 미사일 청와대 타격 훈련을 하고 있는 데도 불구하고 정치 지도자들은 안보·경제위기에 제대로 대응치 못하고 있다. 선진국이 되려면 국민들의 호국인성보다 지도층의 호국인성이 더 앞서가서 국민을 끌고 밀고 해야 되지 않겠는가.

우리는 분열된 국론을 지양하고 홍익정신으로 남북한 통일을 향한 정책과 전략을 마련하면서 마치 고슴도치처럼 바늘을 세우고 내공을 키워야 할 뿐만 아니라, 한반도의 상징처럼 호랑이로 우뚝 서서 이른바 주변 4강의 세력을 극복해야 한다.

그렇다면 호국인성대국의 일류통일선진국으로 가기 위한 선결조건은 무엇일까?

첫째, 노블레스(국가지도층)의 대오각성大悟覺醒 없이는 이 나라 미래의 발전과 보존은 공염불이 됨은 불을 보듯 뻔한 것이다. 노블레스 그룹들은 환골탈태하여 솔선수범 섬김의 인성리더십을 실천하여 소통과 상생의 인성으로 국가적 현안을 조속히 해결해야 한다. 국가 인성을 회복하여 세계 일류선진국으로 도약하기 위해서는 지도층의 수신修身과 성찰省察이 절실한 시점이다.

둘째, 국가 지도층의 지략이 없으면 백성이 망하고 지략이 많으면 태평성대를 누린다는 말이 있다. 국민소득 3만 달러(3050클럽 진입: 인구 5,000만 이상 나라 중 국민소득 3만 불 진입)를 넘어 4~5만 달러를 목표로 삼는 등 경제성장을 도모해야 한다. 애덤 스미스는 국부론과 국방론을 두고 뗄 수 없는 관계라고 강조했다. 경제와 안보는 동전의 양면과 같아서 안보가 튼튼해야 경제가 성장하고, 경제가 발전해야 안보가 보장된다는 것이다.

셋째, 5천 년 역사를 국민 개개인이 호국인성으로 품어야 한다. 국민이 나라를 지키는 가장 쉬운 방법은 나라를 사랑하는 것이다. 나라를 사랑하는 마음을 가지려면 우리의 역사부터 제대로 알아야 한다. 역사 속 고난극복 과정과 위인들의 모습을 제대로 알면 인생관, 국가관, 세계관이 바로 서고, 그 속에서 진정한 애국 애족의 자신을 발견할 수 있다.

역사학자 에릭 홉스봄Eric Hobsbawm은 "역사학은 영토분쟁의 학문적 첨병으로 때로는 핵물리학보다 더 무서울 수 있다."라고 경고한 바 있다.

넷째, 21세기를 사는 국민들은 지도자가 바른 길을 찾아갈 수 있도록 감시하면서도 늘 관심을 갖고 지원해야 국가의 발전이 따라온다.

미국 하버드 케네디스쿨 교수 바버라 켈러먼Barbara Kellerman은 『팔로워십Followership』(더난, 2011)에서 팔로워를 크게 다섯 가지 유형으로 나누어 분석했다. ① 무관심자Isolate(제일 나쁜 팔로워) ② 방관자Bystander(무임승차자) ③ 참여자Participant ④ 운동가Activist(신념의 참가자) ⑤ 완고주의자Diehard(상황에 따라 리더보다 더 리더 같은 역할을 하는 자) 등이다.

이 중 완고주의자가 대한민국 국민들의 인성에 가장 적합한 팔로워라고 생각한다. 즉, 상황에 따라 리더보다 '더' 리더처럼 행동하고 중요한 역할을 하는 팔로워 인성이다. 바버라 켈러먼은 "때로는 방관하지 말고 리더를 옳은 길로 인도하고, 내부고발도 하고, 자기 일처럼 열심히 해야 좋은 팔로워"라고 말한다. 리더보다 '더' 리더처럼 살아야 하는 대한국인大韓國人의 국민문화인성을 말하는 것 같다.

최근 실시된 〈2015 국민안보의식 조사〉에서 "남자 대학생의 74.6%가 우리나라에서 전쟁이 발발勃發할 경우 참전하겠다."라고 답했다. 전문가들은 이 결과에 대해 "젊은 층이 애국심이 부족하고 국가안보에 관심이 없다는 것은 과거의 고정관념으로 북한의 계속된 도발과 우리 군사력에 대한 자신감이 만들어낸 변화"라고 분석했다.

또한 2015년 7월 북한이 지뢰와 포격으로 도발해오자 병사·부사관 87명이 전역 연기를 신청했다. 예비군들도 인터넷과 SNS를 통해 '준비됐다. 내 나라는 내가 지키겠다.'는 결의 등 청년 세대의 결기가 대단했다. 이들은 '전쟁이 일어나면 내가 먼저 나가 싸우겠다'는 다짐을 쏟아 냈다. 이들의 결단은 날로 개인주의화하는 우리 사회에 경종과 함께 큰 감동을 주기에 충분했다. 우리 현역·예비역 장병들은 현역에서는 열심히 전기전술을 갈고닦고, 예비군이 되어서는 국가 수호에 앞장서겠다는 의지가, '리더보다 더 리더 같은 호국인성'의 표상으로 우리 국민들의 가슴에 큰 울림을 주었다. 매일경제신문 설문조사 결과를 살펴보자.[14]

    2030세대의 안보관은 확고했다. 북한의 핵실험과 미사일 발사로 초래된 개성공단 폐쇄에 대해 2030세대는 이번 사태의 책임이 북한에 있다고 판단했다. 북한의 노림수인 남남갈등은 감지되지 않았다.
    북한의 미사일 도발에 대응하기 위해 정부가 추진 중인 사드 THAAD(고고도미사일방어체계) 도입에 대해서도 지지의견이 반대의견을 크게 앞서 향후 사드 도입을 둘러싼 국내여론 흐름에 중대한 시사점을 주고 있다.

충무공 이순신은 "일부당경 족구천부一夫當逕 足懼天夫", 즉 한 사람의 장정이 길목을 잘 지키면 능히 천 명의 적도 두렵게 할 수 있다고 말씀하셨다.
    우리 국민들이 지금까지 6·25전쟁, 4·19, 5·18 등의 위기와 역사적 분기점을 지혜롭게 극복하며 세계 제6위의 수출대국으로 성장해왔듯, 세월호 참사와 메르스 사태라는 국가적인 위기도 국민의 역동성과 전화위복 인성으로 극복하였다. 최근의 대북위기를 반드시 전화위복의

----

14 매일경제신문, 2016년 2월 15일, 「남남 갈등 없다', 든든한 2030」 제하의 기사

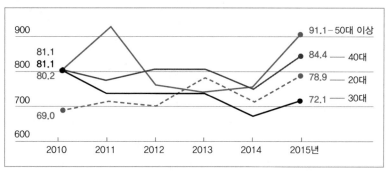

전쟁 발생 시 참전하겠다는 응답 비율 　　　　　　단위: %

기회로 만들어야 한다. '사필귀정事必歸正'이라는 말이 있듯이, 김정은의 폭정은 오래가지 못할 것이다. '남북한시대'를 열어 평화통일의 기회가 될 수 있도록 준비해야 한다.

결론적으로, 대한민국을 지키는 가장 큰 힘은 국민의 하나 된 마음과 애국심, 즉 리더보다 '더' 리더 같은 국민의 호국인성이다.

지금 나와 우리 가족, 우리 사회, 우리나라가 과연 옳은 길로 가고 있는가? 나와 가족을 위해, 이 사회를 위해, 이 나라와 세계를 위해 내가 해야 할 일이 무엇인지를 깊이 생각하며 살아야 한다. 우리 지도자들은 21세기 호국의 길에 생명을 바칠 각오가 되었는가를 자문자답하고 성찰해야 될 것이다. 운명의 한반도, 운명의 내 고향, 운명의 내 땅, 내 나라를 내가 지킨다는 한민족(민초)의 자랑스러운 호국인성은 역사사랑, 나라사랑으로 승화되어 대한민국은 영원무궁할 것이다.

현재의 다

4부

현재의 대한민국 인성

– 인성실종, 위기의 나라

제8장

동방예의지국이
붕괴된 요인

직접적 요인 - 격동기 역사의 시련

우리 민족은 단군 할아버지께서 나라를 세운 후 4349년의 역사를 이어오면서 주변국 또는 서양열국으로부터 수많은 침략을 받았다.

대한민국의 인성문화가 붕괴된 요인은 우리의 역사와 직접적 관련이 있다. 조선의 쇄국정치로 인해 우리는 스스로의 힘으로 근대화할 수 있는 기회를 잃고 말았다. 1875년 일본의 침략의 서곡序曲이었던 강화도조약부터 1945년 8월 15일 독립을 이룰 때까지 70여 년 동안 우리 민족은 일제의 야욕과 한국혼魂 말살정책으로 숨 가쁜 격동기 및 시련기를 겪어야만 했다. 일제의 탐욕과 폭력이 극악에 달해 눈물과 피와 땀으로 얼룩진 채 끝없이 펼쳐진 칠흑 같은 나날들을 보내는 동안, 한민족의 아름다운 인성과 신뢰의 전통은 잔혹하게 훼손됐다.

일제는 일본정신을 주입시키려는 철저한 사상개조 교육을 감행했다. 한국어 과목의 폐지와 일본어 상용, 신사참배 강요, 창씨개명 강요,

한민족의 인성붕괴 역사일지(歷史日誌)

연도별	시대별	주요사건이 인성문화에 끼친 악영향
1875~1910	· 조선말기 · 대한제국	· 1876년 강화도조약(일본 강압에 의한 불평등조약) · 1895년 을미사변(명성황후 시해) · 1905년 을사늑약(한반도와 만주 일대 권리 점유) · 1907년 한·일신협약(외교권 박탈, 고종황제 폐위) · 1910년 한일강제합병(주권 병탄)
1919	· 상해임시정부	· 3·1운동의 영향: 상해임시정부 수립
1910~1945	· 일제강점기	· 극악무도한 한민족 말살 및 수탈정책 · 식민지 노예화정책, 사상개조 교육
1945~1948	· 남북분단	· 38선을 경계로 남은 미국, 북은 소련이 분할통치 · 좌우이념 대립의 극대화 및 정치테러 지속발생
1948. 8.15	· 대한민국광복	· 자유민주주의 체제의 건국
1950~1953	· 남북한전쟁	· 김일성, 스탈린, 모택동의 음모로 기습남침 · UN군 참전으로 공산화 방지, 전국 황폐화
1950년대	· 전후 복구	· 미국 원조로 먹고사는 시대 · 빈곤의 악순환 지속, 전쟁 복구사업 추진
1960년대	· 군사정부 · 경제개발	· 1960. 4·19혁명: 이승만 독재정권 퇴진 · 1961. 5·16쿠데타: 박정희 군사정권 출범 · 5개년 경제개발계획 수립 적극 추진
1970년대	· 경제개발시대	· 수출 주도의 경제개발 성공, 빈곤시대 탈출 · 경제성장 고도화시대 · 1979. 10·26 박정희 서거(암살) · 12·12 쿠데타로 전두환 정권 출범
1980년대	· 민주화 산업화시대	· 전두환 군사정권 재출범에 따라 민주화운동 열풍 · 1987. 6·10민주화항쟁 · 1987 노태우 대통령 직선제 선출
1990년대	· 문민정부시대	· 1992 김영삼 정부에 이어 97년 김대중 정부 집권 · 1997 IMF 경제위기 도래
2000년대	· 선진국진입시대	· 2002 노무현 정부 집권에 이어 이명박 정부 집권 · IMF 위기, 경제 압축성장 등의 후유증으로 갈등 고조

학생 강제동원 및 징병, 징용제 등이 대표적이다. 특히 창씨개명은 우리 민족이 당한 가장 큰 인성말살의 상징적인 사건이다. 강제로 성과 이름을 하루아침에 일본식으로 고치게 해 우리 민족의 혼과 정체성 등 인성을 뿌리째 뽑아버리고 말살하겠다는, 세계 역사에 유례없는 대사건이었다. 또한 민족의 2대 일간지인 동아일보와 조선일보는 물론 한글로 발행되는 모든 간행물을 폐간시키고, 조선어학회와 진단학회 등 문화학술연구단체를 해산시켰다.

1945년에 독립하여 건국을 했으나 남북으로 분단되어 이념전쟁 등 다시 한 번 수많은 혼란과 시련을 겪었으며, 1950년 6·25 기습남침이 김일성, 스탈린, 모택동의 음모로 자행됐다. 1,129일간의 6·25전쟁은 동족에 대한 살육과 전 국토의 초토화 등 비극적 전쟁으로 확전되었고, 일진일퇴의 참화 속에 우리 민족 인성파괴의 상처는 더욱 깊어졌다.

1953년 7월 27일 정전협정으로 전쟁의 포성은 멎었지만 300만 명의 인명과 엄청난 재산피해를 입고 국토는 잿더미가 됐다. 당시 1인당 국민소득은 30달러 정도로 세계에서 가장 가난한 나라 중 하나였다. 국민들은 폐허 위에 지어진 판자촌에서 전쟁 후 남겨진 군수물자를 재활용해 만든 생활물자로 생계를 유지했으며, 당시 세계 최하위 소득으로 연명하기조차 어려운 나라였다. 반세기가 넘는 세월이 흘러 경제적으로 엄청난 발전을 이룩했음에도 불구하고, 남북분단과 정전의 아픔은 여전히 현재 진행형進行形이다.

인성 붕괴현상은 하루아침에 생겨난 것이 아니다. 위 도표의 역사일지에서 볼 수 있듯이 적폐가 쌓이고 각종 문제가 분출되어 인성이 붕괴되고 실종되는 현상에 이르렀다. 고도 경제성장이 국가의 최우선 정책이 되면서부터 인성의 실종위기는 이미 예고되었다.

우리 사회는 농경사회, 산업사회를 거쳐 현대의 정보화 사회에 이르기까지 산업화, 민주화 그리고 급속한 외래문물 유입 등 급격한 성장과 변화를 경험하게 됐다. 더욱이 IMF를 거치면서 돈이 인간의 생명까지 좌우하자 물질·황금만능주의에 물들어 국민인성이 더욱 훼손되었다. 동방예의지국의 전통에 대한 애정과 관심은 사라지고, 물신·물본주의 物神·物本主義가 사회를 지배했다.

이렇듯 국가의 사회적인 환경이 급변함에 따라 인성교육은 제대로 실시될 수 없었다. 더욱이 산업화, 민주화가 동시 성공해 소득 수준이 올라가면서 우리의 의식과 인성도 더 자율화되며 여유롭게 돌아가게 될 것 같은데, 현실은 정반대로서 지난 10년간 1인당 국민소득이 3만 달러의 문턱을 넘지 못하고 있으며, 사회 곳곳에 인성문제는 물론 국가발전과 성장의 저해요소들이 부딪히고 있다.

최근 한국 사회의 갈등양상이 사회기반을 무너뜨릴 수 있을 만큼 위험수위에 다다랐다는 충격적인 연구결과가 나왔다. 김문조 고려대 명예교수 등 국내 대표적 정치·사회학자 5명으로 구성된 연구팀은 2015년 대통령 직속 국민대통합위원회 측 의뢰를 받아 〈한국형 사회갈등실태 진단〉 연구보고서를 발표했는바, 주요내용은 다음과 같다.

① "불안·경쟁·피로 등 한국사회에 축적된 갈등이 포기와 단절·원한·반감 등 극단으로 치닫고 있다."라며 "경제력에 따른 계층 간 갈등이 적절하게 통제되지 않으면 한국사회를 무너뜨릴 수 있는 수

준까지 나아갈 것"이라며 강력 경고했다.

② "점점 심해져 중산층이 사라지고 상하계층만 남을 것", "있는 사람은 계속 발전하고, 없는 사람은 계속 쪼그라드는 구조" 등 극히 부정적인 답변이 쏟아졌다.

③ 한국사회 갈등유형으로 불안을 넘어선 강박, 경쟁을 넘어선 고투, 피로를 넘어선 탈진, 좌절을 넘어선 포기, 격차를 넘어선 단절, 불만(분노)을 넘어선 원한, 불신을 넘어선 반감, 갈등을 넘어선 단죄 등 8개로 분류했다.

④ "사회불안 심리는 세계 보편적 현상이지만 외길경쟁이 치열한 한국사회에서 더욱 심각하게 전개되고 있다."라고 진단했다.

이처럼 양극화한 계층구조에서 젊은 세대는 물론 기성세대까지 생존에 대한 불안감이 커지면서 발생하는 총체적 불만이 한국사회를 분노 이상의 원한사회로 이끌고 있다는 평가다. 연구팀은 위험 수위에 다다른 사회적 갈등을 풀 제1의 해법으로 일자리 문제를 제시했다.

결론적으로, 인간은 기계적·물질적일 수 없는 존재이므로 내면의 정신적 가치 충족이 이루어져야만 아름다운 인성이 생성되어 진정한 행복을 느끼게 된다. 황금만능주의와 인간관계의 불안과 소외감에서 벗어나 삶의 기쁨과 보람을 맛보기 위해서는 정신주의와 물질주의 조화(제15장 참조)를 통한 인성회복으로 우리 민족 본연의 아름답고 고귀한 인성대국의 본모습을 되찾아야 한다.

2

간접적 요인
- 청산해야 할 우리의 나쁜 인성 2가지

나쁜 인성이 나쁜 국가운명을 만든다

우리의 역사를 돌아보면 우리 민족은 황하 이북의 중국대륙과 만주 벌판, 한반도를 생활무대로 하여 살아오면서 한족(漢族)과 북방민족 그리고 왜족(倭族)으로부터 끊임없는 침략을 받아왔다. 불행 중 다행인 것은 선조들은 어려운 고비마다 굳건한 단결력과 끈질긴 저항정신과 호국인 성으로 나라를 지키면서 5천 년 역사를 어렵게 이어왔다는 것이다.

우리의 역사에는 지혜로운 인성을 갖춘 지도자를 만나 백성들이 편 안하고 평화로운 태평시대를 구가한 적도 많았지만, 나쁜 인성을 갖춘 지도자를 만나 평화보다는 폭정과 갈등으로 백성들이 고초를 겪는 국 난시대로 점철된 역사도 많았다.

우리 역사 속 국난시대의 국면이 끊임없이 발생한 근본원인을 살펴보면, 백성들의 무지보다는 무능하고 부패한 나쁜 인성 지도자들의 백성의 안위를 돌보지 않는 무책임한 행태, 고질적인 파벌의식과 패거리 문화로 인한 국론 분열, 국난 극복 후에 뼈아픈 교훈을 쉽게 잊는 병폐病弊를 들 수 있으며, 이러한 점들은 곧 고질적인 나쁜 인성문화를 형성하게 되었다.

우리 민족은 단일민족으로 삼국시대에는 오랫동안 전쟁과 갈등으로 대립하다가 신라가 통일을 이루었고, 후삼국시대에도 또다시 신라, 후고구려, 후백제로 나뉘어 갈등과 전쟁을 치르고 나서야 고려로 통일되었다.

그나마 조선시대에는 한민족이 분열되어 나라가 쪼개지는 일은 없었으나 무능한 군주와 권신들로 인해 당파가 갈려 국론의 분열과 정쟁이 격화되면서 임진왜란과 병자호란 등 전쟁과 침략의 수난을 겪어야 했으며, 끝내 일제에 의해 국토를 강점당하고 국권을 박탈당하는 민족적 수모受侮를 겪어야 했다.

8·15 해방 이후에는 강대국의 이해관계와 이념적 대립으로 남북으로 나뉘어져 정부가 수립되었고, 결국 동족상잔의 6·25전쟁을 거쳐 현재까지 대치하고 있는 상황이다. 단일민족이 또다시 분열된 슬픈 역사를 안고 사는 것이다.

나쁜 인성문화를 가진 지도자들이 우리 사회의 주축을 이룬다면 우리 국민들은 불행해질 수밖에 없다. 부정부패, 부정축재, 탈세, 공금횡령, 부동산투기, 축첩蓄妾, 자식의 부정입학, 군복무 기피 등을 일삼는 문제인물이 도덕적으로 열심히 산 사람을 밀어내고 당당히 공직에 나서서 큰소리치는 사회가 된다면 우리 사회는 안정과 행복, 발전과 번영을 구가할 수 없는 것이다.

우리 모두 '악화가 양화를 구축하는 격'의 그레셤 법칙Gresham's Law이 지배하는 정의롭지 못한 사회분위기가 되지 않도록 경계해야 한다.

우리 사회에는 패거리문화의 악습으로 리더가 지연·학연·혈연이 다른 상대편에서 나오면 시기와 질투는 물론 중상모략도 서슴지 않는다. "사촌이 땅을 사면 배가 아프다."라는 말을 보면 배고픈 것은 참을 수 있지만 배가 아픈 것은 참을 수 없다는 기이한 문화가 은연중에 널리 퍼져 있는 것을 알 수 있다.

훌륭한 리더가 탄생하면 손뼉을 치며 좋아해야 하는데, 아이러니하게도 공연히 배 아파하는 풍토風土가 만연해 있는 것이다.

새겨보자면, "자랑스러운 인성문화를 가진 민족만이 번영을 누릴 수 있다."라는 말을 망각하지 말자. 나쁜 인성문화를 제거하면서 주체적으로 역사를 가꾸고 발전시켜 나간다는 것은 참으로 의미 있는 일로 나라를 지키고 살리는 길이다. 나라의 국격을 높이고 인류평화에 기여하면서, 행복하고 활기찬 선진국으로 발전하는 데 걸림돌이 되는 나쁜 인성문화를 국민적 혁신운동으로 반드시 청산해야 한다.

우리의 역사 속에 불행한 순간이 많았던 이유는 지정학적 요인, 세력 확장을 위한 불가피한 충돌, 천재지변, 반란, 전쟁 등 불가항력의 측면도 있으나 냉철히 생각해볼 때 우리 민족의 내면에 흐르는 나쁜 인성을 고치지 못한 업보業報가 슬픈 역사를 만든 요인이라고 볼 수 있다.

청산해야 할 역사 속 나쁜 인성 DNA란 무엇인가

앞장(3부 6장)에서 언급한 8대 DNA가 코리아 5천 년 역사를 통틀어 국가수호 및 민족의 생존과 번영에 기여한 반면, 나쁜 역사 인성 DNA는 대물림되어 오면서 민족의 생존과 안녕을 위태롭게 했다.

나쁜 인성 DNA는 국민을 도탄에 빠뜨리거나 불행하게 만들고 국가의 기강을 흩뜨리거나 발전을 가로막는 것은 물론, 국가안보까지도 위태롭게 만들기 때문에 반드시 청산해야 할 부정적인 인성의 특성이다. 대표적인 나쁜 인성 DNA는 크게 2가지를 들 수 있다.

① 대한민국의 암적 존재, 패거리 인성문화

② 노블레스 오블리주의 실종, 속물근성 인성문화

이와 같은 나쁜 인성 DNA로 우리 사회는 상관(상사)은 많아도 참다운 윗사람이 드물다고 한다. 지연·학연·혈연 등을 따지면서 편 가르기와 패거리 짓기에 여념이 없다. 능력 없는 지도자의 모습은 더욱 가관이다. 어리석은 리더(상관·상사)는 능력 있는 팔로워(부하직원)들이 제대로 능력을 발휘하도록 동기를 부여하지 못한다.

우리 사회의 많은 리더들은 '노블레스 오블리주' 인성이 실종되거나 결여된 속물근성의 인성 특성을 가지고 있어 리더다운 리더가 되기보다는 수단과 방법을 가리지 않고 자기 곳간 채우기, 자기 울타리 지키기에 급급하여 세상을 어지럽히거나 혼탁하게 만든다. 고위공직자 인사 때마다 도덕성 기준 논란에 휩싸이는 일은 어제오늘의 문제가 아니다. 이른바 지도자들이 변명하기에 급급하고 허둥대다가도 소란이 조금 잦아지면 쉽게 잊어버리는 망각증후군 인성행태는 우리 사회에서 반드시 청산해야 할 병폐이며 나쁜 인성 DNA다.

대한민국의 암적 존재, 패거리 인성문화 – 나쁜 인성 DNA ①

(1) 역사적으로 본 패거리 인성문화의 형성 요인

역사적으로 패거리 인성문화가 형성된 요인은 무엇일까? 그 원인에 대해 수많은 학자가 다양한 관점을 제시했으나 논리적으로 설명되지 않는 점이 여전히 많다. 혹자는 깊은 역사적 뿌리를 지적한다. 서기 4~7세기 삼국이 치열한 경쟁을 벌였고 신라가 통일한 뒤 정복지역에서 실시한 심한 차별정책에서부터 영호남 균열은 시작되었으며, 후삼국시대에 들이 더욱 악화되었다.

고려의 태조 왕건은 지방호족 세력을 회유, 포섭하기 위하여 각 지방의 유력한 29명의 호족의 딸과 정략적으로 혼인하여 34명(25남 9녀)의 자녀를 두었다. 혈연 네트워크를 통한 인성을 발휘하여 나라를 다스린 것이다.

또한 왕건은 『훈요십조訓要十條』에서 "차령 이남과 공주강 밖은 산수山水 형세가 모두 배역背逆으로 향했다."라며 전라도 지방의 인재를 등용하지 말 것을 유훈으로 남기기도 했다. 왕건의 이러한 유훈은 조선시대 이익의 『성호사설星湖僿說』과 이중환의 『택리지擇里志』에도 그대로 이어져 있으며, 호남이 고려시대부터 반역의 땅이라고 기록하고 있다. 선조 때 호남에서 일어난 '정여립 모반사건'은 호남 출신 인사의 관계 진출을 어렵게 만들었고, 왕건의 유훈을 더욱 정설로 여기는 계기가 되었다.

고구려·신라·백제가 같은 형제의 단일민족 국가들이면서도 장기간의 전쟁 끝에 신라가 통일을 이룬 것처럼, 왕건 역시 후백제와 20여 년 동안의 길고 험난한 싸움을 통해 후삼국을 겨우 통일할 수 있었다. 이러한 통일전쟁 과정에서 왕건은 죽음 직전까지 가는 참담한 패배를 당하기도 했다.

『훈요십조』(그중 8조)를 정말 왕건이 남겼을까 하는 의문이 생긴다. 다시 말해 국론 통합이 절실했던 고려의 건국왕이 국민총화를 저버리고 지역차별을 공식화하는 정책을 펼쳤을까 하는 점이다.

왕건은 항복한 견훤과 그의 아들 신검을 죽이지 않고 방면한 바 있다. 더욱이 왕건은 전라도 나주 지역의 호족 오다련의 딸 장화왕후 사이에서 낳은 혜종을 후계자로 삼기도 하였다. 태조가 『훈요십조』를 남기지 않았을 수도 있는 가능성에 무게를 실어주는 사례들은 한둘이 아니다. 왕건의 최고 심복장수이자 팔공산전투에서 왕건을 살리기 위해 대신 목숨을 잃은 호남 출신 신숭겸은 고려의 1등 개국공신이었다. 왕건은 목도 없이 죽어간 그를 기리기 위해 머리를 금으로 만들어 묻어주고, 자손들의 병역의무도 면제해주며 극진히 우대하였다. 이렇듯 포용의 인성으로 고려를 세운 왕건이 지역차별을 노골화했다는 주장에 대해서는 합리적인 의심을 해보아야 한다.

어찌 됐건 지역적 편견과 차별로 인한 갈등은 8·15해방과 남북분단, 6·25전쟁과 남북한의 대치, 3공화국 이후의 영호남 갈등, 최근 대한민국 내 공직진출 및 승진 시 발생하는 지역차별 인식으로 인한 지역갈등의 조짐 등에서 적나라하게 드러나고 있다. 지연·학연·혈연·관연 등의 패거리문화가 진화를 거듭하면서 나쁜 인성 DNA로 악화된 것은 부정할 수 없는 사실로서 국가발전의 암적 요인은 물론 망국의 근원이 될 수 있으므로 조속히 개선해야 한다.

(2) 국가를 망치는 지연·학연·혈연·관연의 패거리 인성문화

'패거리'란 이념이나 가치처럼 '방향지향성'이 아닌, 지연·학연·혈연·관연의 '연고지향성'을 중심으로 함께 어울려 다니는 사람들의 무리를 낮잡아 이르는 말이다. 같은 패라는 집단의 울타리 안에서 서로만을 돌봐주며 존재의 안위를 구하고 공생하는 그들만의 '끼리끼리' 문화가 바로 패거리문화다. 이른바 진영논리다. '당동벌이黨同伐異'와 같은 이분법적 사고다. 당동벌이는 '일의 옳고 그름은 따지지 않고 뜻이 같은 무리끼리는 서로 돕고 그렇지 않은 무리는 배척함'을 이루는 말이다.

역대 대통령 모두가 패거리문화에 휩싸여 친인척 및 권력형 대형 비리의 책임에서 자유롭지 못했다. 후진적 연고주의의 횡행이 각종 권력형 비리와 추문을 가능케 한 병리적 토양임은 새삼 말할 필요가 없다.

이런 연고주의의 문제는 2015년도 OECD 보고서[1]에서도 드러난다.

> 한국 국민 10명 중 7명은 정부를 신뢰하고 있지 않다. 또한 사법제도에 대한 한국인의 신뢰도는 27%로 드러났는데 이는 조사대상인 42개국 중 밑바닥 수준인 39위를 차지하는 수준이다. 사법신뢰도가 우리보다 낮은 국가는 콜롬비아(26%), 칠레(19%), 우크라이나(12%) 등 3개국에 불과하다.

이러한 사실은 한국에 만연한 총체적 불신사회의 충격적 단면이 아닐 수 없다.

서울대학교 송호근 교수는 한국의 뿌리 깊은 연고주의의 만연과 연

----

1 OECD, 『한눈에 보는 정부 2015(Government at a Glance 2015)』, 2015.7

고비리의 비극적 폐해를 신랄한 어조로 고발한다.[2]

　'커넥션 코리아' 온갖 연고를 총동원해 목적을 성취해내는 저돌성,
힘없는 '을乙'들의 십종경기를 느긋이 지켜보는 '갑甲'의 야비함, 줄 찾
는 자와 대는 자들이 내지르는 허망한 교성으로 한국사회는 뻑적지
근하다. (중략) 전통적 비리연줄망은 망국亡國이란 최고의 비용을 치
르고도 조선시대 이래 아직도 건재하다.
　평균 3.5명이면 타깃에 닿는다는 한국의 고밀도 연줄망에서 연고
緣故와 안면顔面의 활차가 윙윙거리며 위력을 발휘했다. 고학력, 전문
직, 상위계층이라면 타깃과의 거리는 더욱 좁아졌고, 그렇게 맺어진
연緣은 파워커넥션으로 발전해 초대형 비리를 만들었고, 또 기획 중
이다.

　사회단체 활동을 하는 한국인 성인 40% 중 상부상조를 열창하는 동
창회, 향우회, 종친회 등 연고단체 활동이 6할을 넘고, 3할은 여가 및 종
교단체다. '최빈국에서 선진국 문턱까지 연고를 부여잡고 매진한 나라'
라는 오명은 한국의 자화상임에 분명하다.
　건국 이래 11명의 대통령이 탄생했지만, 역대 대통령의 혈연 및 친인
척 비리로 지금까지 범국민적인 존경을 받은 대통령은 한 명도 없었다.
　여기서 이원계(이성계의 형)의 냉철한 청렴성을 통해 역사의 인성교훈
을 배우자.

----

2 송호근, 「커넥션 코리아」, 2011년 6월 21일, 중앙일보

이원계보다 5년 아래인 이성계는 이복형임에도 형에 대한 예우를 깍듯이 하고 형제간 우애가 돈독해 세인들의 칭송을 받았다. 이원계는 무과와 문과에 모두 급제했으며 두 차례의 홍건적 침략을 격퇴했고, 군 원수元帥로서 왜구의 침공을 물리쳤다.

그는 이성계의 위화도 회군에 극렬히 반대했으며 고려를 멸망시키려는 이성계의 뜻을 알고는 1388년 10월 자결(58세)했다. 동생 편에 가담했으면 온갖 영화를 누렸으련만 충신불사이군忠臣不事二君이라는 불퇴전不退轉의 강한 신념으로 생을 마감한 인물이다.

-선문대 박희 교수-

근간 친인척 비리로 얼룩진 우리의 현실을 볼 때 역대의 대통령들은 물론, 미래의 모든 지도자들이 타산지석으로 삼아야 할 생생한 교훈이라 하겠다.

원광대학교 조용헌 교수는 연고주의緣故主義에 대해 다음과 같이 말한다.

유럽이나 미국이나 일본이나 한국이나 모두 연고주의가 작동한다. 연고는 정리情理에서 나온다. 인간사회는 논리論理도 있지만 정리도 또한 있는 것이다. 정리를 인수분해하여 보면 지연, 학연, 혈연, 관연官緣이다.

현재 한국의 주류사회는 '경상도'라고 하는 지연, '재벌'이라고 하는 혈연, '서울대' 출신이라고 하는 학연, 그리고 '고시합격'이라고 하는 관연으로 얽혀 있다. 어느 사회나 연고주의가 없을 수는 없다. 그러나 정도 문제는 있다. 이게 심하면 사회가 자유로움과 활력을 잃고 썩어버린다. 위험 수준에 와 있다고 생각한다.

조선의 명종~선조 때에 지역을 근거한 사림士林은 수많은 학자를 배출했다. 당연히 스승과 출신지역을 중심으로 학파가 형성됐다. 영남좌도의 이언적·이황, 영남우도의 조식·정인홍, 기호지역의 이이·성혼, 호남의 김인후·기대승 등이 그렇다. 학파는 문벌·지벌과 연결되어 파벌을 낳고 붕당朋黨정치와 당쟁, 당파로 이어져 조선이 망하는 원인이 되었다.

1961년 박정희 정권 이래 50여 년간 영남지역이 장기집권하다 김대중 정부부터 호남지역이 집권하여 인사 권력을 번갈아 독점해오면서 권력을 놓치면 '푸대접론'으로 세력이 되어 나라를 어지럽히는 원인이 되어왔다. 다시 말해 영남이 인사를 싹쓸이하고 나면 그다음 호남정권에서 다시 싹쓸이하여 이른바 한풀이의 악순환이 반복되는 불행이 지속되고 있다. 이로 인해 서울, 경기, 강원 지역 사람들은 '푸대접론'보다 못한 '무대접론無待接論'을 제기하며 불만을 터뜨린 경우도 비일비재하다.

결론적으로, 현대의 시대정신의 핵심은 '사회통합'이다. 패거리문화의 씨앗 역할을 하는 영호남 지역주의 편중인사 등 제반문제에 과감한 인사탕평책을 통해 국민대통합을 이루어야 한다. 대통령을 비롯한 각계의 모든 주요 지도자들은 명예와 국운을 걸고, 고질적인 패거리 인성문화를 청산하는 데 앞장서야 할 것이다.

〈7〉지도층의 부정부패, 학생들이 배운다

동서고금의 모든 나라가 지도층의 인성이 살아 있지 않으면 그 사회·국가의 미래는 밝을 수 없다.

"윗물이 맑아야 아랫물도 맑다."라는 속담과는 달리 윗물이 혼탁하여 국가 장래가 걱정스럽다. 더욱이 외부에 드러난 비리는 빙산의 일각이며, 실제 저질러진 비리와 부정부패는 가늠조차 할 수 없다. 우리 지도층이 먼저 수신·성찰하여 부정부패 청산 등을 제대로 해야만 해결될 수 있는 중대한 사안이다.

「정치권 부패 척결이 훨씬 중하다」(조선일보 2015년 12월 03일) 제하의 사설을 살펴보자.

정치인들의 부패와 도덕적 해이가 국민이 참을 수 있는 선을 넘어서고 있다. 국회 말고는 대한민국의 어느 조직체가 구성원의 7% 가량이 부패, 비리, 선거부정 등의 사유로 직업을 잃거나 감옥에 갇히는 곳이 있겠는가. (…) 출판기념회는 뇌물모금회라는 말까지 나올 만큼 부패통로가 돼버렸다. (…) 민심은 국회의 타락과 부패에 진저리치고 있다. 법안 수백 개를 만드는 일보다 정치권의 썩은 부위를 도려내는 일이 몇 배 중요하다는 말도 나온다. (…)

유인태 더불어 민주당 의원도 2016년 3월 2일 밤 국회 본회의장에서 "여기 있는 초선 의원들 중에 사회적으로 존경받던 분들도 여기 와 4년만 지나면 다 죄인이 되는데, 이런 잘못된 풍토와 정치 혐오가 심해질 경우 이 나라와 민족이 암담해진다."라고 연설했다.

정치인들이 소명인 책임 윤리를 스스로 내팽개치면서 국가적 위기를 키우는 형국으로서, 공복公僕이 오히려 상전이 되어 부정부패의 주범이 되는 격인 데다, 조선시대 당쟁 같은 패거리 싸움으로 국민들이 위기의식을 느끼게 한다.

현재 EU 등 선진국에서는 정치를 봉사하는 직업으로 명예를 중히 여겨 봉급이 없는 나라가 많고 부정비리는 거의 없다. 그들은 국회의원이 힘들어 못 하겠다는 소리가 나올 정도이다. 북유럽국가 국회의원들은 대중교통을 이용하며 보좌관도 없다. 법안을 발의하거나 대정부 질의를 할 때는 자정을 넘어 퇴근하는 것이 다반사다. 특히 스웨덴에서는 가장 고된 직업이 정치인이다. 1995년 잉바르 칼슨 총리가 하야下野를 천명하고 집권 사민당이 총리후보 5명을 추렸으나 그중 4명이 총리직을 거부했다.

여기서 우리나라 국회의원들의 혜택을 살펴보자. 이러한 혜택은 세계에서도 으뜸가는 실정으로 200여 개의 특권(불체포 및 면책, 세비 등 30여 억 원)을 누리고 있다. 지금까지 용두사미로 그친 특권내려놓기 약속을 이젠 지켜야 한다는 것이 국민정서, 국민여망이다.

* ○○대 총학생회, 교비로 외국 나가(오마이뉴스 2014년 08월 22일)

○○대 학내여론이 들끓고 있다. 총학생회 집행부가 교비 일부를 지원받아 '교육명목'으로 지난 18일, 4박 6일 일정으로 말레이시

아로 떠났기 때문이다. (…) 이와 관련 ○○대 총학생회는 총학생회장과 부학생회장, 사무국장을 포함한 총 18명의 집행부가 학교가 제공한 '○○○' 프로그램에 따라 말레이시아의 한 대학에서 교육 중이라고 밝혔다.

이와 같은 유사한 비리가 많은 대학에서 자행되고 있다는 사실을 알고, 부패의 싹이 더 자라기 전에 조속히 뿌리 뽑아야 한다. 노블레스 계층의 부정비리는 물론 그 아래에서 공부를 하는 학생들마저도 부정부패를 따라 하고 있다. 이러한 대한민국의 총체적 부패현상은 대한민국을 좀먹고 인성을 실종시키는 큰 요인이며 자라나는 청소년 등 인성의 새싹을 자르는 현상이다.

정치학의 아버지라 불리는 마키아벨리에 따르면 "시간이 흐르면 도덕성도 함께 부패하고, 치료를 하지 않으면 도덕성의 부패는 그 나라 정체성의 파멸을 불러온다."라고 한다. 너무도 정확한 표현이다.

맹자는 정치인의 덕목으로 여민동락與民同樂(무슨 일이든 민중과 함께 즐거움을 나눌 것)과 천명天命(민심이 곧 천심으로 천명은 민중의 소리이다)을 꼽는다. 플라톤은 "정치에 관심이 없는 자에게 내리는 벌은 그가 자기보다 더 열등한 자에게 지배받게 되는 일이다."라고 말한다.

나라가 바로 서면 천심이 순해지고(國正天心順: 국정천심순) 공직자가 깨끗하면 국민이 저절로 편안해진다.(官淸民自安: 관청민자안) 장원壯元, 시詩가 우리의 가슴에 울림을 준다.

노블레스 오블리주의 실종, 속물근성 인성 DNA – 나쁜 인성 DNA ②

(1) 노블레스 오블리주 인성문화의 실종

선진국들은 '노블레스 오블리주Noblesse Oblige(국가·사회 지도층의 지위에 있는 인사들이 상응하는 사회적·도덕적 책무를 다한다는 뜻)'의 전통을 갖고 있다. 동양에서는 윗사람이 하는 대로 아랫사람이 따라 한다는 것을 가리켜 '상행하효上行下效'라는 비슷한 취지의 전통이 있다. 지도층의 공직윤리를 강조하고 사회적 자본으로서의 신뢰에 대한 최소한의 기준을 제시한 것이다.

그러나 한국은 노블레스 오블리주의 인성실종 현상으로 이른바 '노블레스 NO블리주'라는 신조어도 생겼다. 노블레스 오블리주의 인성실종은 국익이나 공익을 우선하지 않고 자신의 일신이나 친인척의 영달만을 생각하고 그 수단으로 금전이나 영예·권력을 얻는 것을 제일로 치고 눈앞의 이익에만 관심을 가지는 부끄러운 인성 특성이며, 이는 나쁜 인성문화 DNA로 아래의 '속물근성' 때문이다.

① 심각한 모럴 해저드Moral Hazard의 횡행
② 언제나 소 잃고 외양간 고치는 사후약방문과 위기 후 쉽게 잊는 망각증후군
③ 탐욕과 물질만능주의로 인한 뜬구름 잡는 식의 한탕주의의 만연

한편 총리, 감사원장, 장관, 대법관 임명에 따른 청문회를 보면 도덕적으로 흠이 없는 인물이 거의 없을 정도이다. 신문마다 단골메뉴가 된 대통령 친·인척 및 측근들의 비리사건을 비롯해 사회 각계각층에서 부정부패가 만연해 있는 실정이다. 정치, 경제, 공직사회, 지역사회, 문화,

교육, 금융, 건설, 복지, 시민사회 등 어느 한 분야도 비리와 부정부패로부터 성한 곳이 없다.

국민들은 지금 우리 사회의 노블레스 오블리주 인성실종 현상에 대해 분노를 넘어 자포자기 상태에 있다고 해도 과언이 아니다. 관피아, 정피아, 세월호 사건 등 노블레스 오블리주 인성의 실종사례는 수를 헤아리기 힘들 정도이다. 그런데 일본인은 1800년대 1%도 되지 않던 노블리스 계층(사무라이)에서는 자기부터 희생하고 혁신하는 주체 세력이 되었다. 이른바 메이지유신의 성공은 주체세력인 사무라이의 계급적 희생(자살) 결과였다고 한다.

산업화와 민주화를 30여 년 만에 동시에 이룬 지능지수가 높고(IQ 106: 세계 1위) 근면성실한 민족이 축구선수가 골대 문전에서 헛발질하듯 선진국 문턱에서 사회지도층의 비리와 부정부패로 인한 사회적 갈등과 분열 때문에 헛발질하고 있는 형국이다.

얼마 전에 서울대 사회발전연구소가 행정안전부 의뢰로 한국 사회의 노블레스 오블리주 지수를 측정했다. 모든 집단이 합격선인 66점을 넘지 못했을 뿐만 아니라 평균 26.48점으로 낙제점수였다. 대학교수 집단이 45.54점으로 최고였던 반면, 국회의원과 정치인은 16.08점을 얻어 가장 도덕적이지 못한 집단으로 나타났다.

우리나라 최고의 지도자 집단에서 노블레스 오블리주 인성이 실종되었다는 사실은 대통령, 정치인, 공무원 인성 등 국가 중심세력의 공공인성이 도덕적 불감증으로 이어졌다는 데 있다. 이는 곧 정치허무주의, 정치무용론 등으로 확산擴散되고 있다.

이러한 현상이 더욱 악화될 경우 국가의 리더는 물론, 노블레스 계층이 비난과 조롱을 받는 것은 물론 최악의 경우 급진·선동주의자들에 의해 타도의 대상이 되는 위험한 사회로 치달을 수도 있다.

우리는 역사적으로도 노블레스 계층의 타락으로 나라를 잃은 아픔이 있다. 구한말 주재외교관들은 한결같이 자신과 가족의 안위 외에는 관심이 없는 조선의 군정대신들을 비난하며 조선의 멸망을 경고했다.

김지하 시인은 한국경제신문 인터뷰에서 우리나라에 만연한 노블레스 오블리주의 실종현상을 극명하게 대변하고 있다. 그는 "1970년에 시詩 '오적五賊(재벌, 국회의원, 고급공무원, 장성, 장차관)'을 발표했으니 벌써 40년이 넘었군요. 요즘에도 '오적'이 있습니까?'라는 질문에 "오적? 오적이 아니라 오십적, 오백적이 설쳐요. 별의별 도둑놈들이 많아.'라고 하였다.

비리의 행태는 전두환, 노태우, 김영삼, 김대중, 노무현, 이명박 어느 정권에서도 큰 차이가 없다. 정권 쟁취와 정치과정이 뇌물을 챙기기 위한 도구에 불과했다는 생각이 들 정도이다. 우리나라처럼 정권 말기마다 대통령 측근이나 친·인척이 줄줄이 감옥에 가는 나라는 없다. 세계 10위권의 경제권과 브랜드가치 15위권의 대한민국에서 지금 벌어지고 있는 일들을 보면 도대체 이해가 가지 않는다.

국가의 청렴도를 상징하는 것이 부패인식지수CPI(Corruption Perceptions Index)이다. 2015년 국제투명성기구에서 발표한 전 세계 부패인식지수에서 한국은 174개국 중 43위를 기록했다. 가까운 일본은 15위, 35위인 대만보다 훨씬 낮은 순위로, OECD 국가라고 하기엔 부패지수가 너무 높은 게 현실이다.

홍콩 정치경제위험자문공사는 조사에서 "한국의 국가청렴도는 아시아 16개국 중 11위로 태국과 캄보디아보다도 낮았다."라고 발표했다.

미국 국무부의 2011년 국가별 인권보고서의 '공직자부패와 정부투명성' 항목에서는 한국 관료들의 뇌물수수 등에 대해 신랄한 지적을 받았다. 현대경제연구원의 '부패와 경제성장' 연구결과에 따르면 "부정부패만 줄여도 연평균 성장률이 0.65% 포인트 오를 수 있다."라고 한다.

이른바 고위층의 공직부패, 기업부패, 시민부패를 청산하지 못하는 한 GDP가 아무리 높아져도 대한민국이 선진국 문턱을 넘는 날은 오지 않을 것이다.

박근혜 대통령은 2016년도 1월 5일, 새해 첫 국무회의를 주재하면서 첫 일성으로 부패척결을 거론했다. "적폐積弊가 경제활력 회복의 걸림돌이라는 점을 분명히 인식해야 한다. 경제활성화를 위한 정책도 중요하지만 그것을 갉아먹는 적폐나 부패를 척결해야 한다."라고 말했다.

공자는 "나라에 도가 있을 땐 가난하고 천한 것이 수치요, 나라에 도가 없을 땐 부유하고 귀한 게 수치다.(邦有道 貧且賤焉恥也 邦無道 富且貴焉恥也 - 태백편)'라고 말했다. 즉, '부귀는 정의로움이 전제되어야 한다.'라는 의미로서 도道와 예禮가 땅에 떨어져 권력의 전횡과 비리가 판을 칠 때, 녹봉이나 축내며 일신의 안위를 누리는 것은 공직자의 도리가 아니라는 뜻이다. 모든 공직자들은 청렴성을 상실한 현재의 풍토를 성찰하고 환골탈태하여 정신과 물질이 조화를 이루는 가치관을 정립해야 할 것이다.

지금 대한민국에 도道가 있기는 한가? 국민들은 노블레스 그룹에게 지도자와 가진 자의 바른 인성, 청렴 인성을 간절히 바라고 있다.

(2) 우리 역사 속의 노블레스 오블리주 인성문화 실태

노블레스 오블리주 인성문화가 국가전통으로 뿌리내린 나라는 사회 전체가 건강하고 생동감이 넘치며 기풍 또한 드높아 발전과 번영을 기약할 수 있는 반면, 부정부패가 만연하고 물질만능주의가 팽배한 나라는 경쟁에서 뒤처지고 낙오되어 결국 몰락의 길을 걷게 된다.

일찍이 한비자는 나라가 망하는 47가지 징후를 열거했는데 이 중 "중신의 알선으로 관직이 주어지고, 뇌물을 바쳐 작록爵祿(관작과 봉록을 아울러 이르는 말)을 얻을 수 있는 나라는 망한다."라는 구절이 있다. 이는 부패와 타락 그리고 나쁜 인성이 나라를 망하게 할 수 있는 요인으로 작용함을 일깨워주는 것이다.

이렇듯 노블레스 인성에 따라 그 나라, 그 민족의 흥망성쇠興亡盛衰가 결정되었던 사례는 동서고금의 역사에서 어렵지 않게 찾아볼 수 있다. 먼저 우리 역사에서도 노블레스 오블리주 리더들이 보여준 자랑스러운 호국인성 사례가 있다.

역사적으로 볼 때 다수의 참다운 선비들에 의해 국사國事가 논의되고 국정이 운영될 때 국가는 발전하며, 반대로 그들이 설 땅이 좁아질 때 국가기강은 무너지고 백성은 핍박받는다.

우리 세대는 초등학교 시절 "황금 보기를 돌같이 하라."라는 음악교과서에 실린 최영 장군의 노래를 즐겨 불렀다. 고려시대 최영 장군은 국왕 바로 다음의 권력을 가졌지만, 청렴결백했다. 집도 굉장히 초라했고 늘 낡은 옷을 입었고 집의 쌀독이 빌 때도 있었다. 평소 고고한 지조를 지켰던 최영 장군은 "내가 탐욕의 마음을 가졌다면 무덤 위에 풀이 날 것이요, 그렇지 않으면 나지 않으리라."라는 유언을 남겼다. 그의 유언대로 무덤에는 풀이 나지 않았다고 전해진다.

그런가 하면 조선 중기에 자신과 가족의 목숨을 초개와 같이 나라에 바친 고경명(高敬命, 1533~1592) 장군도 노블레스 오블리주를 실천한 대표적인 인물이다. 당시 고경명의 집안은 임진왜란이라는 절체절명의 위기에 맞서 삼부자 모두가 귀중한 목숨을 나라를 위해 바쳤다. 그리고 그들 모두가 국가로부터 불천위不遷位를 받아 오늘날까지도 그 이름과 업적을 기리고 있다. 조선왕조 500여 년 동안 한집안에서 삼부자가 불천위를 받은 것은 고경명 집안이 유일하다.

임진왜란 당시 홍의장군 곽재우의 의병봉기는 자발적인 의병활동의 시발점이며 유격전의 시초다. 꺼져가는 국가의 운명을 되살리고자 분연히 일어나 자신의 몸을 헌신한 곽재우의 삶의 발자취와 의병활동은 노블레스 오블리주의 표상이라고 해도 과언이 아니다. 특히 그의 신출귀몰한 전략과 용병술은 왜적들의 간담을 서늘케 했다.

위 사례와 반대로 노블레스 오블리주가 실종된 부끄러운 속물근성 인성을 살펴보자.

우리의 역사는 노블레스 오블리주가 실종된 속물근성 인성 때문에 국가가 망했다고 해도 과언이 아니다. 그중 자기 일신만을 위하는 부패한 리더, 도피행각을 벌인 지도자, 거짓말하는 지도자가 백성들에게 가장 깊은 상처와 한을 남기고 나라를 망하게 만들었다. 지도자가 싸우지도 않고 백성을 버리고 도망가거나 거짓말하는 지도자는 국가와 국민을 버리는 비겁한 속물근성의 소유자일 뿐이다.

고구려 연개소문의 대를 이은 남생·남건 형제의 권력투쟁에서 패배한 형 남생은, 적국(당)으로 도망가 적군의 장수가 되어 모국을 공격하는 데 선봉장 역할을 했다. 백제 의자왕은 20여 만의 나·당 연합군이 공격하자 계백장군에게 5,000여 명의 장병으로 결사 항쟁하도록 하고 자신은 도망가는 데 급급했다. 신라 경순왕은 고려로 도망가는 것도 모자라 스스로 신라를 고려에게 통째로 주고 자신의 안일과 영화를 보장받은 귀순歸順왕이 되었다.

조선의 14대왕 선조는 왜倭의 침략에 대한 두려움을 견디지 못하고 의주로 도망가서 나라를 버리고 중국으로 망명하려다 영의정 유성룡의 간언과 만류로 포기했으나 역사상 최악의 도망간 왕으로 평가받고 있다. 조선의 제26대 왕 고종高宗은 그러한 비극적인 역사드라마의 한가운데 있었던 비운의 왕으로서, 민족적 연민에도 불구하고 도망간 왕으로 역사는 기록한다. 고종은 아관파천俄館播遷의 주인공이다. 아관파천이란 신변에 위협을 느낀 고종과 왕세자가 약 1년 동안(1896년 2월 11일~1897년 2월 25일) 왕궁을 버리고 러시아공관으로 피신 갔던 일을 말하는 것이다.

조선 멸망의 결정적 원인은 일제침략에 있었으나, 외세침략을 당하면서도 조정에서 대원군을 정점으로 하는 수구파, 김옥균 등을 중심으로 한 개화파, 민비(명성황후)를 정점으로 한 민씨 일파의 외세의존 책략(친청親淸·친러親露·친미親美) 등이 서로 충돌하면서 벌어진 내부분열, 파벌싸움 등도 망국의 요인이 되었다.

대한민국 역사문화원 이정은 원장은 "일제강점기에 사회지도층의 노블레스 오블리주 사례가 의외로 많지 않았다. 망국 당시의 많은 고관대작들은 일제에 협력하여 작위爵位와 은사금恩賜金을 받아 호의호식했다."라고 망국과 노블레스 오블리주의 인성문화 실종의 관계를 지적하였다.

근간 병역을 면제받은 사람을 신神의 아들로, 공익근무 요원은 장군의 아들로, 현역복무 부적격자는 수렁에서 건진 아들로 풍자하고 있다. 사회적으로 신분이 높은 사람들의 자제가 불법으로 병역을 면제받는 풍토가 많다 보니 생겨난 말이다.

우리 지도층 자녀들의 병역면제율이 일반 국민들보다 훨씬 더 높은 현상은 비판의 대상이 되고 있다. 우리나라의 이른바 '잘나가는 사람들의 2세나 친인척들은 물론 고위관료, 정치인들이 신체이상자(?)가 많이 있다는 것'은 정말 이상한 일이지 않은가? 수많은 국난을 겪으면서 우리 민족이 배운 것은 유비무환의 안보정신이거늘 아직도 우리 지도층 중에는 안보정신의 소중함을 망각한 사람들이 상당수인 것 같아서 걱정스럽다.

영국의 경우를 보자. 1945년 3월 4일 놀랍게도 엘리자베스 2세 영국 여왕이 '230873' 군번의 주인이 되었다. 제2차 세계대전 당시 공주 신분이었던 엘리자베스 여왕이 입대하였다. 엘리자베스 여왕을 비롯해 참전으로 노블레스 오블리주를 실천한 영국왕실의 전통이 이어져 1982년 아르헨티나가 영국령 포클랜드를 점령하자 여왕은 그의 아들, 앤드루 왕자를 전장으로 보냈다.

결론적으로, 노블레스 오블리주! 그것은 단순히 개인에게만 지워지는 짐이 아니라 우리 모두가 함께 이행하여야만 하는 시대적, 역사적 요구이다. 노블레스 오블리주가 잠시 편한 방편이 아닌 영원한 사랑을 받는 길이 그러한 정신에 있는 것이다. 동서고금 역사적 교훈은 노블레스 오블리주의 솔선수범 인성이다.

〈8〉노블레스 오블리주의 자화상 - 인성실종의 주역

　인간은 태어나서부터 죽는 날까지 주위 모든 사람들과 더불어 살면서 길러진다. 즉 가정분위기(가풍), 국가사회분위기(국풍)에 의해 인성은 좌우된다. 그러나 안타깝게도 노블레스 오블리주의 실종이 인성실종으로 이어지는 불행한 현상을 보이고 있다. 일본의 보도매체가 '세계 제일의 부패대국, 사기대국'이라고 비아냥거려도 노블레스 그룹들은 책임감을 느끼고 대오각성大悟覺醒하기는커녕 침묵하고 있다. 여기서 노블레스 오블리주의 유래를 살펴보고 준엄한 역사적 교훈을 강조하고자 한다.

　영국과 프랑스 간의 백년전쟁이 한창이던 1347년, 프랑스 북부의 항구도시 칼레가 영국의 에드워드 3세에 의해 포위되자 식량이 바닥나면서 항복할 수밖에 없었다. 그런데 영국의 에드워드 왕은 항복을 수락하는 조건으로 지도자 여섯 명을 대표로 처형하겠다면서, 만약 여섯 명을 보내지 않으면 도시 전체를 파괴하겠다고 했다. 이에 최고지도급 인사 일곱 명 중 피에르가 먼저 자결하고 남은 여섯 명이 칼레를 위해 목숨을 바치겠다고 결연한 의지로 교수대로 향하였다. 전후사정을 전해들은 왕비가 왕에게 간청하여 이들을 모두 살려주었다고 한다.

　모든 노블레스들은 칼레의 교훈을 가슴에 새기어 솔선수범 인성으로 인성회복운동에 앞장서서 도리를 다해야 한다.

제9장

인성붕괴로
표류하는 한국호(號)

1

대한민국 공동화 현상과 문제

현재 우리 사회에서는 인성실종을 우려하는 목소리가 점점 더 커지고 있다. 예의禮儀의 나라가 무너지면서 리더다운 리더의 부재로 이어졌고, 이로 인한 패거리문화, 노블레스 오블리주의 실종으로 국민인성은 더욱 악화되었으며, 기업들은 정부의 눈치만 보며 재투자를 통한 일자리 창출에 소극적인 실정이다. 2016년에는 청년실업자가 100만여 명, 12%선에 이르고 있다.

최근 통계청이 발표한 고용동향에 따르면 최근까지 실업률은 전혀 개선되지 않고 있다. '이태백(이십 대 태반이 백수), 청백전(청년 백수 전성시대), 십장생(십 대도 장래 백수가 될 것으로 생각), 화백(화려한 백수)'이라는 달갑지 않은 용어가 생길 정도로 청년실업률은 매우 심각하여 사회문제가되고 있다. '앵그리맘'(자녀교육과 관련된 사회문제에 분노하고 적극적으로 참여하는 여성), '임금절벽'(물가는 오르는데, 임금은 오르지 않아서 경제적 어려움을 겪는 사례)과 같은 신조어들 역시 우리의 현 실정을 잘 보여주고 있다.

또한 이미 한국사회의 고질병으로 깊게 뿌리내린 노사대립과 갈등양상은 한국사회의 깊은 불신의 골을 형성하여 경제발전에 심각한 저해요인이 되고 있으나, 노동개혁도 지지부진하다. 이는 각 기업의 문제에 국한된 것이 아니라, 외국인 투자기피로 이어져 더욱더 큰 국가적 손실로 이어지는 것이 현실이다.

이와 같은 현상이 자살로 이어져 우리나라 자살률은 10년이 넘도록 OECD 34개 회원국 중 1위를 차지하고 있다. 데이터뉴스 통계센터STAT에서 성인을 대상으로 조사한 결과 자살충동 이유로는 "삶의 공허함"이 43%를 차지해 가장 많았고, 그다음으로 "경제문제"가 36%였다. 결국 '삶'과 관련된 문제가 80%에 이른다. 인간다운 삶의 부재, 물질만능주의가 우리 사회에 얼마나 만연해 있는지를 적시하고 있다.

자살예방은 범국가적인 차원에서 추진되어야 한다. 관련부처 간 긴밀한 협조체계를 구축構築하고 사회구성원들 상호 간의 사랑과 배려가 필요하다.

또한 아버지의 권위 및 교권의 실추 그리고 지도력을 상실한 정치인은 물론 기업정신을 망각한 CEO 등 도덕성의 부재로 인한 문제가 사회 곳곳에서 끊임없이 발생하고 있다.

우리 사회의 열악한 청소년 보호환경은 인성교육의 싹을 짓밟고 있다. 2014년 말 노동부가 전국 중·고생을 대상으로 실시한 조사에서 응답자 중 40%가 아르바이트 유경험자였고, 대부분이 부당노동 행위에 시달리는 것으로 나타났다. 더욱더 충격적인 사실은 수만 명에 달하는 중·고등학교 여학생들이 단란주점이나 노래방 등의 유흥업소에서 아르바이트를 한 경험이 있다는 점이다.

요즘 듣기조차 민망한 '헬조선(지옥 한국)'이라는 신조어가 우려된다. 기득권으로 가득 찬 세상에서 일자리는커녕 연애와 결혼도 꿈꿀 수 없는 암담한 현실을 자학적으로 표현한 말이다. 헬조선의 자기비하감과 신세 한탄을 하는 젊은이들이 확산되는 조짐을 보이는바, 이는 지나친 현상으로서 더욱 악화되면 국가적 문제로까지 이어져 위기, 공멸의 상황이 올 수도 있다.

우리나라 청년들은 무한한 잠재력을 가지고 있으므로 실업문제로 우리 청년들이 주눅 들지 않게 해야 한다. 특히 정치인 등 지도자들은 그들이 절망과 포기의 가두리에서 빠져나올 수 있도록 도와주어야 한다. 이를 위해 효과적이고 실질적인 인성교육은 물론, 젊은이들의 정서와 문화를 이해하고 경제활성화 등 모든 정책을 동원해야 한다.

극단적인 자학과 분노가 흙수저, 금수저로 이슈화되고 있다. 금수저는 특혜가 될 수 있지만 치명적인 독이 될 수도 있다. 삼성가三星家의 이맹희 CJ그룹 명예회장이 2015년 180억의 빚을 남기고 세상을 떠났다. 그는 금수저를 물고 나왔지만 불명예스럽게도 흙수저의 인생이 되어 생을 마감했다.

금수저를 물고 태어났다고 해서 행복하고 흙수저를 물고 태어났다고 해서 불행한 것은 아니다. 근간 '흙수저 자성론'을 불 피운 어느 대학생의 언론보도가 많은 사람들의 콧등을 시큰하게 만들었다. "나는 흙수저라는 말이 싫다. 부모님이 그 단어를 알게 될까 봐 죄송하다. 나는 부모님에게 건강하게 자랄 수 있는 좋은 흙을 받았다. 그래서 감사하다. 가진 것은 쥐뿔도 없지만 덤벼라 세상아!" 흙수저가 자아실현을 통해 금수저로 되는 길이 바른 인성의 삶으로 성공한 인생이다. 젊은이들 스스로

가 흙수저에서 금수저로 거듭나야 한다.

이어령 이화여대 명예교수는 흙수저론에 대해 "자기의 몫을 찾아 자신의 목소리를 내는 것이 필요하다."라고 말하는 한편 도올 김용옥은 "젊은이들의 흙수저론은 말도 안 된다. 정치참여 등 자신의 적극적인 행동이 요구된다."라고 강조한다.

사실 대한민국은 5천 년 역사 이래 가장 잘사는 시대이며, 한강의 기적을 이룬 세계가 동경하는 경제 10위권의 경제강국이다. '일체유심조一切唯心造'라는 말이 있듯이 희망적, 긍정적, 진취적 사고방식으로 살아가는 것이 바른 인성의 길이다. 부정적인 마음의 씨앗은 부정의 결과를 가져오고 긍정적인 마음의 씨앗은 좋은 결과를 가져오는 것이 세상을 지혜롭게 살아온 사람들의 공통적인 생각이다.

경희대 임마누엘 페스트 라이쉬 교수는 자신의 저서 『한국인만 모르는 다른 대한민국』에서 한국인이 간과하고 있는 한국의 우수성에 대해 이야기한 바 있다.

페스트 라이쉬 교수는 한국은 이미 국제사회에서 남부럽지 않은 위상을 떨치게 되었으나, 스스로 자학적인 태도를 취하는 한국인들의 의식을 문제점으로 지적한다.

근본적인 문제는 선진국을 마치 유토피아처럼 생각하는 한국인들의 선진국에 대한 인식이다. 자신들이 선진국의 반열에 있다는 현실을 직시하지 못한다. 그는 한국인들이 생각하는 것처럼 한국보다 대단한 높이에 위치한 '유토피아' 같은 선진국은 존재하지 않는다고 단언한다.

한국의 진짜 심각한 문제는 바로 '국가 내부에 존재하는 갈등'이라고 지적한다.

한국이 헬조선인 가장 큰 이유 중 하나는 '빈부격차'이다. 하지만 미국이 한국보다 훨씬 심각하나 미국인들은 자신의 조국을 헬아메리카로 비난하진 않는다.

결국 한국인들이 헬조선이라는 자조에서 깨어나지 못할 경우 국가발전의 기회를 스스로 거부하고 국제적인 신뢰를 잃게 됨은 물론, 대내적으로는 진짜 헬조선이라는 불편한 족쇄에 채워지는 결과를 초래할 수도 있다고 경고한다.[3]

따지고 보면 예수도 공자도 가난하게 태어났으나(흙수저) 성현聖賢이 되었으며, 인간으로서 보낸 삶은 약자였으나 세계인이 믿는 기독교와 유교의 시원이 되었다. 윌리엄 셰익스피어(1564~1616)도 흙수저 출신이다. 1564년 장갑공장의 아들로 태어나 초등학교(문법학교)에 다닌 것이 유일한 학력으로 비웃음의 대상이었다. 그러나 식민지 인도와 셰익스피어 가운데, 인도는 포기해도 셰익스피어는 포기할 수 없다고 한 토마스 칼라일의 말은 세계적인 대문호 셰익스피어의 위상을 웅변하는 것이다. 따지고 보면 우리나라의 건국 왕들과 전직 대통령 대부분이 흙수저 출신이었다.

한국사회가 계층, 이념, 노사, 지역, 세대 간의 갈등의 심화로 분노사회를 넘어 원한사회로 치달아 공동화현상을 보이고 있다. 근간 가정과 사회에서 발생하는 각종 사건·사고는 국가의 기반마저 뒤흔들어놓고

----

3 미래한국, 2015.12월호 pp.48~49 발췌

있다. 가정, 사회, 국가적 인성문제에 대한 정확한 진단을 통해 문제의
원인을 찾아내야 한다. 그런 후에 국가적 어려움을 극복하기 위해 인성
교육진흥법의 실천적 방안 등 근본적인 해결책을 강구해야 한다. 인성
교육진흥법을 범국민적으로 시행하여 하루빨리 건실한 나라를 건설할
수 있게끔 하여야 한다.

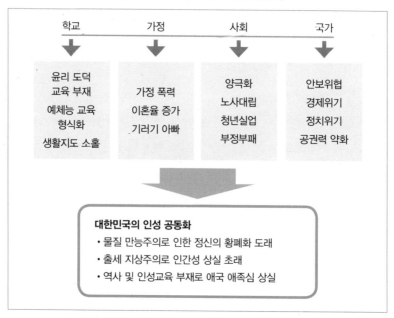

대한민국의 인성문화 공동화(空洞化)현상

현대경제연구원에 따르면 2016년 우리나라 경제성장률이 3% 이하에
머물고, 저성장시대로 접어들 것으로 전망했다. 또한 표면적으로는 IMF
를 극복했다고 하지만 아직도 한국경제의 위기는 계속되고 있다.

2014년 세월호 사고 때 대한민국 여러 곳에 박혀 있던 부정부패와 부
조리가 드러나면서 대통령은 대한민국 개조를 부르짖었지만, 메르스

대처부실로 인해 대한민국은 다시 세월호 이전으로 되돌아갔다.

이와 같은 국가현실과 산적한 국내외 현안문제가 나라의 위기를 불러올 수도 있다는 우려로 인해, 국민들은 편안한 삶을 영위하지 못하고 있다. 국민인성 회복을 통해 근본적으로 치유해야 한다는 여론이 비등하면서 다시 인성교육의 중요성을 일깨워주고 있다.

불과 얼마 전까지만 해도 "오 필승 코리아~"와 "대~한민국! 짝짝~짝짝짝"을 소리 높여 외치던 신명나는 홍의 문화마저도 국민결집력과 함께 약화되어 가고 있다. 이러한 현상은 바로 인성실종에 따른 대한민국의 공동화현상이다.

그렇다면 우리는 대한민국의 국민으로서 어떠한 결단을 내려야 할 것인가? 인성이 실종된 나라가 되어 5천 년 역사의 한국혼魂을 표류토록 할 것인가? 아니면 동방예의지국의 자랑스러운 전통과 역사를 다시 살려 위기를 슬기롭게 극복하고, 초일류 선진통일강국으로의 발판을 만드는 당당한 국민이 될 것인가?

살펴보건대, 이제는 우리 국민은 물론 정부가 나서야 한다. 특히 청년에 대한 집중투자를 통해 노년의 생존도 활성화되도록 새로운 패러다임을 도입해야 할 것이다. 그래야 청년들은 실패를 두려워하지 않고 모험을 할 수 있으며, 더불어 노년층도 몰락을 두려워하지 않고 제2의 생업에 매진할 수 있다. 청년투자와 노년보장이 같이 어우러져야 시너지 효과가 나오며 성장 중심의 경제패러다임이 유지되어 복지국가가 될 수 있다.

대한민국 공동화현상의 문제를 대한국인大韓國人의 민족혼과 지혜로운 국민인성으로 슬기롭게 극복하자.

〈 9 〉 대한민국 공동화 현상 위기에 대한 해법은?

최근 우리 사회는 서로 뺏고 뺏기는 제로섬 게임의 각축장이 되어버린 지 오래다. '금수저(부잣집 자녀)' ↔ '흙수저(가난한 집 자녀)'라는 말도 등장하여 심히 충격을 준다. 이른바 금수저·흙수저는 인생의 출발점이 다르다고 인식하여, 불공정하고 정의롭지 못한 사회구조로 인한 상대적 박탈감에 대한 풍자諷刺이다.

최근의 흙수저, 금수저 이슈를 살펴보자면, 대부분의 입지전적 인물들은 지혜와 대승적 인성을 토대로 4전 5기의 고난을 극복하고 자아실현을 이룬 사람들이다.

수많은 실패와 좌절 속에 고유한 인생철학과 인간다운 인성으로 삶의 질을 높여 행복을 이룬다.

역사적으로 볼 때도, 이순신, 을지문덕, 장보고, 장영실, 칭기즈 칸, 링컨 등 대부분의 위인들이 흙수저로 태어나 4전 5기로 성공한 인물들이다. 흙수저가 고난과 역경 등 부정적 요인과 의미만 있는 것이 아니라 오히려 반전, 성취감, 희열, 열정, 쾌락, 자부심 등 긍정적 요인이 더 많을 수 있다.

금수저로 평생을 산다면 무슨 인생의 재미와 행복의 의미를 알 수 있겠는가? 더욱이 금수저로 태어나 몰락할 경우, 그 불행의 골은 더욱 깊고 험해진다.

삶에는 금수저나 흙수저 같은 등급은 없다. 우월감은 교만을 낳고 열등감은 패배를 낳는다. 최선을 다하는 주체적 삶이야말로 금수저보다 더한 가치이다. 일찍이 빌 게이츠는 "태어나서 가난한 건 당신의 잘못이 아니지만 죽을 때도 가난한 것은 당신의 잘못이다."라고 부富에 대한 편견을 지적했다.

2016년 1월, 블룸버그의 자료에 의하면 한국의 재벌들은 금수 저이지만 미·중·일 등 다른 나라들의 부호들 대부분은 스스로의 창업을 통해 부를 쌓아갔다. 세계 부호 상위 400명을 부의 원천에 따라 분류했을 때 259명(65%)은 자수성가, 나머지 141명(35%)은 상속으로 집계됐다. 그런데 유감스럽게도 한국 부호 5명은 모두 상속자들이다.

통계청이 발표한 '2015년 사회조사 결과'에 따르면 국민 10명 중 2명이 계층이동의 사다리가 여전히 존재한다고 믿는 것으로 나타났다. "개인의 노력으로 사회경제적 지위가 높아질 수 있을까?"라는 질문에 2009년에는 35.7%가 "그렇다"고 답했지만 올해는 21.8%로 매년 떨어지고 있다.

또한 한 조사에 의하면 '헬조선'이 생기는 이유로 "경제적 부의 분배가 공정하게 이뤄지지 않아서"를 꼽은 응답자 비율이 21.6% 로 가장 많았다. 또 다른 이유로 "개인적 노력을 통한 사회경제적 지위상승이 힘들어서"가 뒤를 이었다. 둘 모두 이 사회에서 성실 하고 양심적으로 노력하며 살았을 때 정당한 대가를 얻을 수 있다 는 '정의'의 상실이 그 원인으로 지목되고 있는 셈이다.

대학생들이 뽑은 올해의 단어로 '흙수저', '금수저'와 '헬조선', 'N

포세대(수학에서 부정수를 의미)'가 선정됐다. 이러한 용어는 우리 사회를 분열시키려는 의도意圖도 내재되어 과장표현된 것 같다는 여론도 있다.

위와 같은 현상은 일부 문제가 있는 것도 사실이나, 이는 지나친 부정적 가치관을 갖는 요인도 있다. 우리가 이룩한 '한강의 기적' 등의 성취의 뒤안길엔 개선, 개혁 등 고쳐야 할 부분이 없을 리 없다. 젊은이와 기성세대 모두가 역지사지 입장에서 배려하며 윈·윈 방법으로 지혜롭게 적극적으로 풀어가야 한다. 미래지향적인 사고와 열정 등 지혜로운 인성이 절실히 요구되는 실정이다.

대한민국은 금수저 없이도 누구나 자신의 미래를 꿈꿀 수 있고, 고생한 대가를 공정히 얻을 수 있다는 희망이 우리 사회에 가득하여 모든 구성원이 행복해질 수 있기를 기대한다.

국민대통합위원회가 대통령 직속기관으로 발족한 것을 계기로 이제 우리 사회의 갈등문제를 위기는 물론 상처 없이 해결토록 범국가적으로 혼신의 노력을 기울여 반드시 해결해야 한다.

2

인성붕괴로 인한 국가적 위기

근간에 우리나라는 무너져가는 인성으로 인해 너무 많은 정쟁과 대립, 사회적 갈등으로 엄청난 국력과 정신적 에너지를 소실했으며, 그 과정에서 사회양극화 현상은 도를 넘어 괴리감에 이른 극단적 이기주의의 팽배마저 초래하였다.

그런데 더 큰 위기는 우리 사회 속에 내재하고 있다. 인성실종으로 계층과 지역, 나이와 출신 서열을 따지며 서로가 서로에게 미움과 비판의 화살을 겨누는 사분오열四分五裂의 상태가 우리 사회의 현주소이다.

시대를 이끌어가는 기반은 인성에 있고 인성에 기반이 없는 국가 발전은 사상누각이 될 수 있다. 우리나라는 2012년 20·50클럽, 즉 GDP(국내총생산) 2만 달러에 인구 5천만을 넘은 7번째 국가에 가입했다. 이어 2013년부터는 전 세계에서 6개국밖에 없다는 무역 1조 달러까지 달성해, 적어도 경제의 질적·양적인 부분에서는 선진국에 근접했다. 그런데도 우리는 왜 선진국이라고 자부하지 못하는가?

그러나 경제적 성장만이 국민을 행복하게 만드는 것은 절대 아니다. 일제수탈기와 전쟁으로 폐허가 된 절대빈곤絶對貧困의 시절에는 인성문 제보다 먹고사는 것이 당면과제였을 수도 있을 것이다. 그러나 현재 대한민국은 경제선진국이다. 우리 사회는 예절과 영욕을 구분하며 바르고 지혜로운 인성이 봇물처럼 넘쳐흐르는 세상이 되어야 마땅하지만, 이와는 반대로 인성이 무너져 양극화의 심화 및 계층 간 대립은 깊어지고, 잘못된 인성은 사람들로 하여금 물질적인 기치를 더 신봉하게 만들어버렸다.

건강한 인성국가가 되려면 비정상적인 국가적·사회적 문제가 발생하지 않게 정책을 강력히 시행함과 동시에, 중간에서 작동하는 분노조절 장치가 있어야 한다. 개인 차원의 기부, 봉사와 함께 국가·사회 차원의 정의와 공동체정신, 정책 등이 조화를 이룰 때 건강한 인성사회 기반이 만들어진다. 인성교육의 강화로 건강한 국가를 만들어야 한다.

지난 5년간 자료를 보면[4] '성인 인격 및 행동장애' 한 해 환자 수가 1만 3,000~1만 4,000여 명에 이른다. 남성이 여성보다 2배 이상 많은 것으로 나타났다.

인격장애 및 행동장애는 정상적인 사회적 기능을 하는 데 장애를 일으키게 되는 성격이상으로 지나친 의심, 냉담함, 공격성, 분노 표출 등이 지속적으로 나타날 때를 말한다. 문제는 이런 인격과 행동장애가 범죄로 이어질 수 있다는 점이다. 한 해 우발적인 이유로 폭행범죄를 저지

----

4 건강보험심사평가원, 2015.3.2

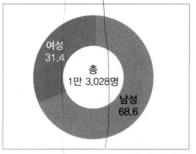

인격장애와 행동장애로 의심되는 증세	성별 '인격·행동장애' 진료 인원 단위: %

– 끊임없이 대인관계에 문제를 일으킨다.
– 충동을 조절하지 못하고 툭하면 분노를
  폭발한다.
– 항상 뭐든지 자기만 옳다고 믿고 우긴다.
– 매사를 의심하고 계속 의혹을 제기한다.
– 사회적 윤리를 어기는 행동을 서슴지 않
  는다.
– 분위기에 맞지 않게 언제나 자기 과시에
  열을 올린다.
	여성 31.4
	총 1만 3,028명
	남성 68.6

자료: 건강보험심사평가원

른 사람이 5만여 명, 상해범죄를 일으킨 사람도 5만 명 선이다.[5]

백병원 정신건강의학과 우종민 교수는 "우리나라는 갈등 자체가 많은 데다 이를 적절히 걸러줄 시민의식이나 제도적 장치가 없어 인격·행동장애가 어린아이가 떼깡 부리거나 청소년이 깽판을 치듯 분노 표출表出로 발전할 가능성이 크다."라고 말한다.

이런 분노조절 장애는 분노를 지배·조절하고 관리하는 것이 제대로 되지 않을 경우 상대방을 해치거나 손상을 주고, 심지어는 자신까지 망가뜨릴 수 있는 심리적 장애상황을 뜻한다. 경찰청에 따르면 2014년 기준 전국에서 검거된 폭력범 36만 6,527명 중 15만 2,249명이 우발적으로 범죄를 저지른 것으로 나타났다. 이는 범죄자 10명 중 4명이 인성결여로 홧김에 범죄를 저질렀다는 것을 의미한다.

강북삼성병원 정신건강의학과 신영철 교수 등 정신의학 전문가들은 한국형 분노폭발은 평소 불만, 음주상태, 모멸감 등 삼박자가 겹치면서

---

5 『범죄백서』, 2011~2013년

범죄로 이어진 것이라며 그 배경으로 3가지를 든다.

① 경제양극화와 경쟁과잉 사회분위기에서 '배고픈 것은 참아도 배 아픈 것은 못 참는' 상대적 박탈감

② 화가 나면 술부터 찾는 음주에 관대한 한국문화

③ 멸시감과 열등감을 유난히 못 참는 국민성향

분노는 참으면 스트레스가 되어 병이 되고, 분노를 터트리면 자신과 상대방 모두에게 화를 입히고 업業이 된다. 그러나 관찰자가 되어 분노를 객관적으로 바라보면서 마음을 가라앉히면 분노는 슬그머니 사라진다. 톨스토이는 "분노는 한때의 광기에 불과하다."라고 말했다. 즉 분노 상황을 일시적으로 벗어나는 것이 더 중요하므로, 화가 났을 경우 그 자리를 피하거나 심호흡을 길게 해서 이성을 회복해야 한다.

한국힐링센터 전경수 심리학자의 분노 다스리는 법을 소개한다.

① 화가 가슴에 쌓이기 전에 풀어라: 분노는 쌓일수록 증폭해 언젠가 폭발한다.

② 사소한 것에 목숨 걸지 마라: 새치기, 끼어들기 해결 안 됐다고 내 삶이 크게 안 바뀐다.

③ 자기가 통제할 수 없는 것은 잊어라: 비행기 결항문제 따져야 소용없다.

④ 함께 발전하고 변하는 방향으로 가자: 나만 불평불만 늘어놔 봐야 세상 안 변해, 서로 노력해야 한다.

세계보건기구who의 건강 기준은 신체적, 정신적, 사회적으로 안녕한 상태를 말하며, 분노를 잘 다스릴 줄 아는 인성을 강조한다.

정목 스님은 『비울수록 가득하네』에서 분노에 대해 다음과 같이 설명한다.

우리의 마음이 흙탕물과 같다고 했다. 흙탕물을 마구 저으면 흙과 물이 멋대로 섞여 물이 탁해지지만, 잠시만 가만히 내버려두면 더러운 흙은 바닥으로 가라앉고 깨끗한 물이 위로 떠오르게 된다.

우리의 마음도 이와 같다. 화가 잦을수록 멋대로 욕하고 난폭하게 굴면, 우리의 마음은 안정을 찾아가기 어렵다. 오히려 잠시만 화를 참으면 우리는 용서라는 마음의 안정을 우리 안에서 찾아낼 수 있다.

사회가 다원화되고 생존경쟁이 치열해지면서 어느 나라나 분노조절과 스트레스관리가 화두다. 미국병원과 심리치료센터에서는 최근 불교 명상원리를 이용한 '마음챙김훈련Mindfulness Practice' 프로그램을 운영하는 것이 붐이다. 받아들임과 공감共感훈련을 통해 자신의 분노와 아픔을 치유한다.

우리나라도 반복적 분노폭발은 중요한 질병이며 알코올 중독성 범죄처럼 치료해야 함을 인식해야 한다. 최근 분노 범죄가 대형 사건·사고로 이어져 국가·사회적인 불안을 조성하고 있다. 국가는 대형 사건·사고의 예측·예방 정책을 전개함과 더불어 국민들이 정신적·육체적으로 건강할 수 있도록 국민체육 및 문화 활동을 활성화시켜야 한다.

〈 10 〉 '욱' 하는 분노를 다스릴 줄 알아야 행복하다!

동서고금을 막론하고 '욱' 하는 분노는 인성 자체의 뿌리를 흔들고 범죄로 이어지는 등 불행과 악의 근원이 되어 개인은 물론 사회의 인성을 파괴하고 때로는 운명을 가르는 요인이 된다.

분노는 마음이 '욱' 하고 끓어올라 불꽃처럼 타오르는 것이다. 이런 분노조절 장애障碍는 일종의 질환(국민의 24.7%)에 해당되지만, 스스로 인정하려 들지 않는 것이 문제이다.

일찍이 톨스토이는 다음과 같이 말한다.[6]

분노는 누구보다 분노하고 있는 자신에게 더 해롭다.

세상의 사람들이 종종 분노에 사로잡혀 그것을 억제하지 못하는 것은, 분노 속에 일종의 남자다움이 있다고 착각하기 때문이다. 그러나 그러한 행동은 착각이다. 분노는 나약함의 증거이지 힘의 증거가 아니라는 것을 인식하지 않으면 안 된다.

필자는 분노를 현대적인 병, 어리석은 인성결여의 병이라고 부른다. 분노를 잘 다스리면 오히려 전화위복이 되어 행복할 수 있는 정신적 비결을 설명한다.

----

6 톨스토이, 『톨스토이 인생론-인생을 어떻게 살 것인가』, 박효완 역, (아이템북스·2014), p.155

첫째, 인생 목표를 실현해야 한다는 신념으로 참아라.

둘째, 대부분의 사람들은 나는 최선을 다했는데 가족은, 이웃은, 동료는, 상사는 날 알아주지 않는다고 불만을 갖거나 원망하기 때문에 분노의 마음이 생성된다. 이런 경우에는 '내가 이 사람에게 인정 못 받는 것이 내 인생을 좌지우지할 만큼 절대적인 것인가?'라는 당위성當爲性으로 마음을 바꾸어야 한다.

셋째, 나를 보고 세상을 보고 세계를 보는 인생관을 가져라.

세계는 197개국 73억여 명이 생존경쟁을 하며 살아가고 있다. 여기에서 나의 위치를 생각하라. 세계인의 15% 정도가 하루 1달러 정도로 생활한다.

이러한 세상에서 '나는 어떻게 잘살아야 할 것인가?'를 고민하고 자신을 발전시키는 방향으로 신념을 수정해야 한다.

분노는 결국 부메랑이 되어 자신에게 더 큰 화가 되어 돌아온다. 어떻게 분노를 긍정적이고 생산적으로 다스릴 것인가를 생각해 보자.

① 몸과 마음을 이완시키는 음악·독서·산책·운동 등을 생활화하여 분노의 근원을 없애라.

② 그래도 분노가 생긴다면 일단 장소를 피해 잠시 생각하고 여유를 가져라.

분노는 잘 다스리면 아름다운 인성이고, 잘못 다스리면 정신적·육체적 병 등 만병의 요인이라는 것을 알고 참을 인忍을 마음속에 세 번 이상 새기면서 또 자제하여 극복하자.

미래의 대

5부

미래의 대한민국 인성
– 다시 동방예의지국으로

한민국 인성

제10장

이심전심
'한국형 인성교육철학'
조직모형 구축하기

'한국형 인성교육철학' 조직모형 구축의 필요성

21세기 대한민국은 인성붕괴, 인성실종의 위기라는 지적과 우려가 고조되고 있다. 더욱이 최근 헬조선, 청년실업, 사회공동화현상 등은 이러한 위기의 우려가 현실로 다가오고 있음을 시사한다. 인류는 세계화의 영향으로 날이 갈수록 하나의 공동권共同圈으로 형성되고 발전될 것이므로 국가 백년대계를 위한 '한국형 인성교육철학'의 정립이 긴요한 실정이다.

현대와 미래에는 인성의 가치가 더욱 중요시되는 시대가 될 것이며, 지난 세기 인성이 미친 병폐와 가치의 혼돈 등을 극복하는 대안으로서 동서양의 경계를 허물고 학문의 융합으로 통합을 추구하게 될 것이다. 한국과 동양의 문화, 지혜, 정신, 통찰적 사고 등과 서양의 문화, 지식체계, 이성Logos, 분석적 사고 등이 결합되어 20세기와는 또 다른 한국 철학과 인성교육철학이 창조될 것이며 인성교육의 대大전환점이 될 것이다. 다시 말해 시대의 흐름에 따라 서양 중심의 인성교육이 한국과 동양의 인성교육철학을 통해 보완·발전시키는 과정과 단계를 거쳐 동서양 모두가 인성교육철학의 공동발전을 추구할 것이다.

우리 시대의 가장 보편적인 갈망 가운데 하나는 강력하고 창조적인 '한국형 인성교육철학'에 대한 빈곤을 해결하는 것이다. 더욱이 미래는 4차 산업혁명시대, 인공지능시대로서 지식기반의 새로운 패러다임과 시대상황에 맞는 새로운 인성교육철학이 등장할 것이다. 소크라테스와 칸트에 이르기까지 서양에서 주도한 인성교육철학의 한계를 보완·발전시킬 수 있는 한국의 철학과 동양의 철학적 가치를 반영한 '한국형 인성교육철학韓國型 人性敎育哲學'이 정립되는 시대가 올 것이다.

김영민 철학교수는 우리 모습을 두고 '식민지적 지식인'이라고 자조적인 말을 한다. 이에 대해 배병삼 영삼대 교수는 "제가 디딘 땅을 자부하며, 자기 삶을 고유한 가치로서 당연시하는 곳에서만 지성과 문명은 탄생한다. 옴팔로스! 지구가 둥글다면 내가 서 있는 곳이 세계의 중심이다. 내가 디디고 선 땅이 어디의 동쪽이 아니라 지구의 한 중심이라는 말이다.'라고 말한다. 우리 대학들은 여태껏 서양을 좌표삼아 학문을 해와 서양학문을 고작 중계전송하는 데 급급했다는 의미이다.

특히, 최근의 화두는 동방예의지국으로 다시 돌아가는 새로운 패러다임의 인성교육을 요구하고 있어, 많은 교육 자료가 존재하고 계속 만들어지고 있다. 그러나 이 많은 자료 중 우리나라 상황과 실정에 맞는 한국의 순수한 창작의 인성교육 자료는 드문 실정이다. 한국형 인성교육의 독창적인 이론 창작에 소홀하고 외국의 이론을 지나치게 의존하고 적용하다 보니, 한국 실정에 맞지 않는 현상이 많이 나타나고 있다.

이젠 우리의 철학, 문화, 가치 그리고 상황여건에 알맞은 인성교육이 필요하다. 우리의 5천 년 역사에서 홍익인간철학의 전통사상을 살려서 국민이 공감하고 감동할 수 있는 인성교육이 생성되도록 해야 한다. 철학의 나무에서는 다음과 같이 말한다.[1]

"철학"이란, "다른 학문에 비해서 세계에 대해 보다 근본적인 것들을 알아내며, 그래서 세계에 대한 가장 근본적 이해를 얻을 수 있는 학문"이라고 한다. 플라톤은 고대 그리스의 아테네에 학교를 만들었는데, 그 학교 이름을 "아카데미아Academia"라고 했다. 그 이름에서 유래되어 오늘날 "공부하는 장소"를 뜻하는 말로 "아카데미Academy"라는 말을 널리 사용한다. 자신의 연구에 대한 원리를 반성해보지 못한 사람은 그 학문에 대한 성숙된 자세를 갖지 못할 것이다. 다시 말해서 자신의 학문에 대해 철학을 해보지 못한 과학자는 결코 조수나 모방자에서 벗어나지 못한다.

살펴보건대, 대한민국의 인성교육 관련 학문도 우리 고유의 인성교육철학과 인성교육학을 창출創出하고 연구·발전시켜 단 한 줄, 단 한 장이라도 창작을 해야 효과적인 교육이 가능하다. 우리가 넘어야 할 벽은 높지만, '한국형 인성교육철학'을 토대로 진정한 '한국형 인성교육학'이 자리 잡고 발전되도록 최선을 다해야 한다.

----

1 박제윤, 『철학의 나무』, (함께북스 · 2006), pp.7, 12, 37, 46 요약

2

문제 제기 - 인성교육철학의 부재

우리의 삶은 물론, 인성과 관련하여 철학만큼 명쾌한 해답을 제시하는 학문이 없다. 일찍이 전 이화여대 총장 김옥길은 '앎의 변화가 삶의 변화를 가져온다'는 교육철학을 강조했으나 근간 입시·취직 위주의 교육으로 인간다운 인간의 삶과 인성의 변화를 기대하기 어려운 실정이다. 더욱이 우리나라는 부실不實한 철학교육으로 인해 인성교육도 부실화되고 있다.

우리는 지금 사회의 모든 분야에서 창조적이고 효과적인 인성교육을 요구하는 시대에 살고 있다. 그러나 우리나라 교육과정에서는 철학을 등한시해왔다. 철학은 올바른 개인의 가치관과 세계관을 확립하게 만들어 개인은 물론, 사회와 국가발전의 원동력과 정신적 지주가 되는 것이다. 프랑스에서는 고등학교에서도 철학교육을 필수과목으로 가르치고 있다. 그런데 우리는 언제부터인가 입시 위주 교육에 매몰되어 학교에서 철학교육이 사라지고 있다. 곧, 인성의 기반이 무너지는 현상이다.

다음의 『철학이야기』[2]에서 서양의 인성교육철학을 이해해보자.

> 철학에는 즐거움이 있고 형이상학의 신기루에도 매력이 있다. 자
> 연적 생존의 조잡한 필요 때문에 사상의 언덕으로부터 경제적 투쟁
> 과 획득의 시장으로 끌려 내려올 때까지 모든 학생들이 느끼는 즐거
> 움이고 매력인 것이다. 우리들 대부분 철학이 실제로 플라톤이 말한,
> 이른바 귀중한 즐거움이었던 청년이라는 인생의 황금기를 알고 있다.
> 알 듯 모를 듯한 진리에의 사랑이 육신의 쾌락이나 세상의 보잘것없
> 는 일들과는 비교할 수 없을 만큼 영광스럽게 여겨지던 때인 것이다.

최근 대한민국은 인성교육 부실이 총체적인 교육문제로 대두되어 인
성붕괴, 인성실종의 위기로 심지어 교육계에서도 성추행 및 성폭력 문
제가 발생하여 듣기조차 민망할 지경이다.

대학교수들은 2015년 한 해를 되돌아보는 사자성어로 '혼용무도混用
無道'를 꼽았다. 마치 암흑이 뒤덮인 것처럼 온통 어지럽다는 뜻이다.

인성교육은 역사와 국혼國魂에 바탕을 둬야 하고 정의와 국가공동체
에 대한 자긍심을 갖게 하면서 사회의 보편적 가치관을 담아야 한다.
그러나 우리 교육은 입시와 취업준비에 치우쳐서, 인성교육 부재 현상
을 보이고 있다.

오죽하면 영국의 파이낸셜타임즈 서울지국장이 한국을 떠나면서
"교육에 모든 걸 바치고도 아무것도 못 건지는 딱한 민족"이라고 말하였

---

2 윌 듀런트, 『철학이야기』, 황문수 역, (한림미디어·1996), p.17

겠는가?

우리는 세계 10위권의 경제대국으로 성장했으나 인성교육, 정신문화 측면에서는 오히려 후퇴한 결과를 초래하여 인성이 붕괴되는 나라가 되었다.

한 나라가 아무리 물질적인 번영을 이루었다고 하더라도 인성이 붕괴되어 돈이면 전부라는 물본·물신주의에 빠져들면 결코 살기 좋은 나라라고 할 수 없음은 물론 국가사회의 위기를 불러 경제·안보위기까지 초래될 수 있다.

우리 사회는 나 혼자 사는 것이 아니며 함께 살아야 할 운명의 공동체이다. 개인적인 삶의 행복을 넘어, 정의와 사회공동체를 추구하는 삶이 가치 있는 참다운 삶이다. 바르고 지혜로운 인성이란 궁극적으로 이타주의로 공동체정신을 발휘하며 박애주의로 사는 것이다.

정리하자면, 우리가 철학을 공부하는 이유는, 세상을 바라보는 지혜와 혜안의 인성을 기르고 사회를 정의롭게 키워나갈 역량을 제공하기 위한 것이다. 그러나 우리는 환웅시대(BC. 3898)부터 쌓아온 한민족 고유의 홍익철학을 발전시키지 못해 철학 리더십, 인성 철학 등 선진 철학을 정립하지 못했다고 볼 수 있다. 철학은 인생의 의의와 정서적, 정신적 심연으로 기반을 이룬다. 그러나 인성철학교육 부재는 물론 황금만능주의의 사회풍조와 입시, 취직교육에 매몰된 국가 사회적 분위기가 인성교육 소홀로 이어져 국가적으로 큰 문제로 대두되고 있다. 우리는 인성철학의 중요성을 절감하고 홍익철학을 바탕으로 한 이심전심以心傳心 '한국형 인성교육' 활성화에 심혈을 기울여야 한다.

대한민국과 동서양 철학의 이해

홍익인간 사상철학의 뿌리

우리 조상들의 역사는 선사시대부터 형성되었다. 선사시대 부족장들의 돌무덤이라는 고인돌은 한반도, 만주, 일본, 유럽, 북아프리카에 분포되어 있다.

특히, 한반도는 세계적으로 고인돌의 왕국이라 하여 유네스코에서

홍익인간 사상철학의 형성

환인시대(BC 7197)	환웅시대(BC 3898)	단군시대(BC 2333)
환 국	배 달 국	고 조 선
3,000년(7대)	1,500년(12대)	2,000년(47대)
홍익인간 창시	홍익인간 실천(천부경)	홍익인간·제세이화 이념 정립

세계문화유산으로 지정되었으며 그래서 현 인류의 시원始原이 한반도
라고 한다.

대다수 한국인은 식민사관의 교육에 젖어 우리 민족을 부여와 고구
려를 거쳐 만주를 지배했다가 지금은 남북으로 갈라져 있는 약소민족
으로 잘못 생각하고 있다. 사실상 한족의 절정기에 있던 부여 이전의 역
사는 제대로 알지 못하고 있다.

대외적으로는 중국이 우리의 찬란했던 홍익인간 사상과 관련한 상고
시대의 역사적 사료들을 인멸하는 한편, 일제강점기에도 한반도의 강
압통치를 위해 수십만 권의 고대 사서史書를 소각하는 등 사료인멸 작업
을 대대적으로 벌인 결과이다. 또한 대내적으로는 수많은 국난으로 소
멸된 데다가 우리 학자들의 기록·보존은 물론 연구에 소홀했음도 자성
해야 될 것이다.

최근 우리 학자들 간에 우리 민족이 5천 년 역사를 뛰어넘어 1만여
년 이래로 문화선진국이었다는 사실을 밝혀내기 위한 연구가 활발하
다. 이참에 홍익인간 사상철학의 뿌리도 제대로 찾아야겠다.

『동국여지승람』 등 사서에 의하면, 우리 민족의 건국시조 신화라고
일컬어지는 단군신화에 나오는 하늘의 신, 환인桓因은 환웅桓雄의 아버
지이며, 단군檀君의 할아버지로 하늘나라의 신釋帝·天神·上帝이다. 환인
의 의미와 성격은 한자漢字의 차용과 불교문화의 융성이라는 시대적 배
경 속에서 찾을 수 있다.

우리 조상 환인桓因은 마음을 맑게淸心 하고 정기를 불어넣어 주고 오
래 사는 법을 가르쳐주었다. 이때 사슴글자鹿圖文字로 천부경(경전)이 만
들어진 것으로 전해온다.

환웅은 환인에게 가르침을 받아 깨달음을 얻은 후에 풍백風伯, 우사雨師, 운사雲師와 3천 명의 신선을 이끌고 내려와 신시神市를 열었다. 환웅은 천산에서 천부인(거울·검·방울)을 받았는데, 하늘의 신표였다. 신시에 사는 천손天孫들은 높은 정신문명을 누리면서 살았다고 한다.

단군신화는 우리 민족이 위기에 처하거나 큰일을 마주할 때 민족정체성을 불러내고 민족을 통합하는 기능을 하여, 홍익인간 사상철학이 우리 민족의 민족성을 좌우하는 토대가 되었다고 해도 과언이 아니다.

우리 조상들은 자연스럽게 천손의 후예로서 천리天理에 따르는 법을 배우고 익혔으며 자연과 더불어 사는 지혜로운 인성의 천인합일天人合一의 사상과 철학이 자연스럽게 형성되었다.

살펴보자면, 우리 민족의 선인정신仙人精神을 이어온 인성 DNA의 시대별 사례를 보면, 고조선 홍익인간 - 부여의 연맹 선인 - 고구려 조의선인 - 백제 무사도 - 신라 화랑도 - 고려 국선도 - 조선 선비도 - 대한민국 우리이즘wooreism(필자 의견)이라 볼 수 있다. 우리이즘은 홍익인간의 타인을 이롭게 한다는 이타주의의 공동체정신(공동선)을 발전시켜 대한민국 정신으로 발전시켜야 한다는 생각이다.

이렇듯이 시대와 나라에 따라서 다른 나라 명칭을 사용해왔지만 홍익 사상과 철학의 뿌리와 본질은 같은 것이다.

대한민국 인성교육철학의 이해

우리의 홍익인간 철학은 중국보다 일찍이 고조선 시대부터 쌓아왔고 '널리 이롭게 살아가는 경제와 공동체 정신'을 인류최초 도입하여 정립한 개념이다. 우리의 철학원리는 1단계 현실, 관념주의(산시산山是山, 수시수水是水) → 2단계 이상주의, 초월주의, 심경일체주의(산시수山是水, 수시산水是山) → 3단계 현실, 실체주의(산시산山是山, 수시수水是水)로 귀착: 대승적으로 승화되어 현실적으로 다시 돌아오는 원리로서 동양철학과 같다. 그런데 서양철학은 3단계가 없어 동서양철학의 원리가 다소 다르다.

우리 민족은 5천 년을 살며 어려운 자연조건과 주변국가의 침입이란 도전을 극복했다. 이 과정에서 우리만의 고난극복 인자를 체화했는데 그것을 필자는 '인성 8대 DNA(6장 참조)'라 명명한다. 이 8대 DNA가 서로 결합·융합함으로써 창의적이고 근성 있는 국민성을 만들었고 이것이 결국 우리 민족의 홍익인성 철학으로 전인적 성장全人的 成長을 가능케 했다.

우리가 가진 ① 홍익인간 사상 ② 민족주의 ③ 문화 창조력 ④ 민주주의 사상 ⑤ 신명 ⑥ 은근과 끈기 ⑦ 교육열 ⑧ 호국정신 등 8대 DNA에는 홍익인간 철학과 사상이 중심이 되어 서로 결합하고 융합해 시너지 효과를 낸다. 그 결과, 우리는 반세기 만에 세기의 변방에서 중심국가로 진입해 세계평화에 기여하고 어려운 나라를 돕는 나라가 되었다.

그렇다면 5천 년 역사를 이끌어온 한민족의 혼魂, 대한민국의 절대정신은 무엇인가? 이러한 질문에 대한민국 국민 대다수는 '홍익인간 사상 철학'이라고 대답할 것이다.

홍익인간 철학을 바탕으로 우리의 사상과 철학은 고조선시대의 두

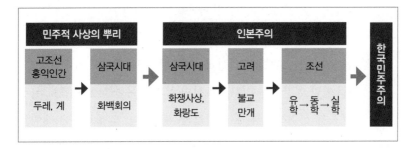

레·계, 삼국시대의 화백회의·화쟁사상·화랑도, 고려시대의 유학·불교, 조선시대의 선비정신·유학·실학·동학 등으로 이어져 현대 한국 민주주의의 사상으로 인본주의를 실현하고 인본주의 그 자체로 민주주의가 정착될 수 있는 원동력이 되었다.

많은 나라가 고유의 철학과 사상을 갖고 있으며 그 철학과 사상을 바탕으로 인성을 형성해왔다. 이러한 사상과 이념들은 각 국가의 철학·정신문화이자 영혼이며, 기층을 형성하는 토대로 맥을 이어오면서 국가의 정체성을 유지·발전시켜왔다.

홍익인간이 내포하고 있는 "널리 인간을 이롭게 한다."라는 철학적 의미는 현대의 위민, 여민주의 정치사상에 부합한다. 즉, 인간의 행복추구를 국가정치의 궁극적인 목표로 삼는 민본정치와 구성원들의 자치원리인 민주주의를 의미하는 개념이다.

그러므로 홍익인간은 우리 민족의 건국정신인 동시에 민족적 신념이고 이상이다. 우리 민족의 삶의 애환과 철학이 농축되어 있는 개념이며 우리가 인성교육을 고민할 때 가장 먼저 고려해야 할 사항이기도 하다.

홍익인간 사상철학은 나라가 융성할 때는 예술혼으로, 민족의 수난기受難期에는 호국정신으로, 일제강점기에는 독립운동을, IMF 위기 시에는 금 모으기 운동을 전개하는 등 항시 민족의 구심점으로 피어났다.

이젠 인성회복 운동으로 역량을 집중해야 할 때이다.

그렇다면 홍익인간철학과 인성교육철학은 어떤 관계가 있을까?

인성교육이란 인간다운 인간으로서의 삶과 행복한 삶을 목표로 설정하고 그 목표를 성취하기 위해 살아가는 과정이다. 인성교육이 개인의 사리사욕을 넘어 이타주의와 공동체의 이익을 조망하는 것은 결국 널리 사람을 이롭게 한다는 홍익인간철학과 맞닿아 있다.

널리 인간세계를 이롭게 하는 인성, 즉 홍익인간철학과 인성을 합친 '홍익인간 인성교육'이란 인간과 인류를 위함은 물론 공동체의 발전을 위해 상호 노력하는 것을 의미한다. 이러한 홍익인간철학의 이념을 받아들여 인성교육철학을 어떻게 발전시켜 인성교육에 적용시켜야 할 것을 진지하게 고민해야 한다.

살펴보건대, 홍익인간 인성철학은 우리 민족 역사인성 DNA의 모태라고 할 수 있다. 우리가 홍익인간 인성교육철학을 21세기에 맞게 활용한다면 인성회복으로 밝은 미래를 만드는 데 결정적인 밑거름이 될 것이다.

최근 우리나라에는 다행스럽게도 인문학 바람이 불고 있다. 인문학은 문화·역사·철학의 학문을 아우르는 의미로, 최근에는 예체능까지 포괄하는 광의적 개념으로도 사용하고 있다. 그런데 인문학이란 기본적인 인성과 인성교육으로 직결되는 학문이다.

홍익인성교육철학으로 사람을 이해하고 사람을 위하고 사람의 길을 모색하는 인성문화가 조성된다면, 영혼을 치유하고 고상하게 다듬어 인성교육의 근본적인 토대가 될 것이다.

동양(東洋) 인성교육철학의 이해

동양철학이란 한·중·일과 인도, 중동철학 등 너무나 방대하여 현대
는 중동철학을 제외시키고 있다. 따라서 여기에서는 인성교육과 관련
하여 중국철학을 중심으로 동양철학으로 논하겠다.

동양철학은 주로 자연과 인생이 관련된 여러 가지 지혜를 공부하여
혜안을 얻는 것이라 할 수 있다.

공자는 기원전 5세기 사람이었는데, "아침에 도道를 배우면 저녁에
죽어도 한이 없다."라고 말했다. 동양철학의 초점은 인간다운 생활을
할 수 있는 인생의 도와 인생의 의미를 찾는 것이다.

그렇다면 "도와 인생의 의미란 무엇인가?" 다양한 철학적 관점으로
인생에 대해서 말할 수 있겠지만 인생의 도와 의미란 스스로 찾는 것이
요, 스스로 만들어나가는 것임은 분명하다.

유교에서는 특히 도의 도덕적 면을 강조하여 일종의 생활규범, 인간
의 가치기준 등의 핵심규범으로 이해하였다.

노장老莊사상에서의 도는 종교적 의미를 강하게 띠었다. 우주만유의
본체이면서 형태 지을 수 없는 형이상학적 실재로서 도를 주창하였다.

동양철학의 원초적인 성격에 있어서 인간이 인간답게 살고 인생의
도를 추구한 것으로서 공맹과 유교의 핵심사상, 즉 수신제가 치국평천
하修身齊家 治國平天下를 핵심덕목으로 볼 수 있다.

또한 동양의 인본주의는 인仁, 의義, 예禮, 지智, 신信 등 유교철학을 중
시한다. 이것은 공자부터 시작하여 맹자, 순자의 유가儒家와 도가道家,
현학玄學, 신유학新儒學, 성리학性理學 등으로 다양한 양태로 발전되어왔

다. 동양 인본주의의 원리는 자연과의 조화, 타인과의 조화를 중시했다. 남을 배려하고 돕는 것을 주요 인성으로 삼았고, 남을 돕는 것도 자신의 인성을 수양하는 중요한 방법 중의 하나로 보았다.

인仁은 '논어'의 핵심 메시지이다. 인간의 인간다움은 인仁이다. 즉 사랑하는 마음이며 그 인의 실천방식은 충忠과 서恕이다. 충忠은 사랑하는 대상에 대해 꿋꿋하게 의리를 지키는 것이며, 서는 사랑하는 사람을 그 사람의 입장에서 부드럽게 안아주는 것이다. 그리고 이것을 온몸으로 실천하는 것이 군자의 이타주의 삶이다.

살펴보건대, 동양철학은 역사의 격렬함을 견디고 살아남은 중국이 중심을 이루고 있다. 그 이유는 우리의 환인·환국·단군시대의 홍익인간철학 등 보물 같은 자료가 수많은 국난으로 훼손된 데다가 중국의 의도적인 훼손이 겹쳐, 우리의 철학은 구전으로 축소되어 기록문화가 부실했기 때문이다.

그러나 동양철학의 뿌리는 사실상 한민족이라는 것을 알고 지금부터라도 홍익인간사상 등의 자료를 깊이 연구해서 한민족의 철학사상을 정립해야 한다.

서양(西洋) 인성교육철학의 이해

고대 그리스시대의 스토아학파[3]는 인간이 살아가고자 하는 힘(사슴과 같은 동물을 잡아먹어서 생명을 유지하는 맹수의 '살아가고자 하는 힘'), 즉 본능이 지나치면 사념邪念이 되어 인간을 괴롭게 한다고 했다. 쓸데없는 사념을 배제하고 자연 그대로의 운명을 긍정하며 살아가는 것이 바로 신神과 같은 완벽한 존재, 현자賢者의 이상을 실현하는 길이라고 여겼다.

스토아학파가 주장한 것은 "어떻게 하면 인간의 쓸데없는 욕구를 자제할 수 있을까?" 하는 문제였다. 스토아철학은 에피쿠로스학파와 같은 시대(기원전 3세기 초)에 대두되었다. 그러나 우리 철학사상은 에피쿠로스학파보다 역사가 더 길며, 그 학설도 에피쿠로스학파처럼 고정적인 것이 아니었다.

스토아학파(창시자: 제논)의 주장의 핵심은 금욕禁慾하라는 것이다. 에피쿠로스도 금욕을 주장했다. 그는 욕망이 고통(불안)을 수반하므로 쾌락에 방해된다는 것이 이유였으나, 스토아학파는 덕德을 이루기 위해 금욕하라는 것이었다. 덕을 이루는 것은 자연에 순응하는 것을 뜻하며 욕망이 있으면 자연에 순응할 수가 없다는 것이다.

철학의 나무에서는 다음과 같이 말한다.[4]

서양의 대표적인 철학자들은 특정한 분야의 학문을 연구하다가 철학을 탐구하게 된 경우가 대부분이라고 할 수 있다. 플라톤의 정

---

3 BC 3세기부터 로마제정 말기에 이르는 후기 고대시대의 대표적인 학파로, 이 학파가 주장하는 요지가 금욕주의다.
4 박제윤, 『철학의 나무』, (함께북스 · 2006), pp.15~16 요약

치학과 기하학, 아리스토텔레스의 생물학, 데카르트의 대수학과 기하학, 칸트는 뉴턴 물리학에 관심을 가지고 철학을 탐구했다. 한편, 영국의 로크는 의학과 법률을 공부를 하여 오늘날의 민주주의를 탄생시켰다.

서양 철학자들은 학문을 통한 철학연구로 특별히 관심을 가졌던 것은 두 가지로서 존재론과 인식론이다.

또한 고대 그리스 철학자 소크라테스(기원전 499~399년 추정)는 사람들이 무지無知를 자각해 스스로 진리를 추구하도록 의도한다. 인생에서 가장 소중히 여겨야 할 것은 단지 사는 것이 아니라 훌륭하게 사는 것이라고 말했다. 그러나 그의 제자 플라톤(기원전 427~347년)은 유명한 귀족가문 출신으로 원래 정치활동에 관심이 많았다. 하지만 소크라테스의 재판과정과 죽음을 보고 당시 현실정치에 크게 실망하고 철학공부에 매진한다. 그 결과 『크리톤』, 『파이돈』 등을 저술해 소크라테스의 저술을 발전시키고 『이데아론』을 처음으로 주장했다.

플라톤으로 인해 "서양철학은 플라톤의 주석에 불과하다."라는 말이 있다. 플라톤이 구축한 철학체계가 워낙 넓고 깊어 오늘날까지 서구의 사상을 지배하고 있다.

또한 그의 제자 아리스토텔레스는 '최선의 삶은 무엇인가?', '삶의 최고선은 무엇인가?', '덕은 무엇인가?', '어떻게 우리는 행복을 실현할 수 있는가?' 하는 문제들을 명료하게 의식했다.

그에 따르면, 인생의 목적을 설정하는 데 있어서의 시작은 그것이 개인적 행복에 있다는 것을 솔직히 시인하는 것이다. 우리는 행복 그 자체를 위해 행복을 원하며 그 밖의 것, 상위의 가치를 위하여 추구하는 것이 아니다. 우리가 명예, 쾌락, 지성을 원하는 것조차도 이러한 것들에 의해 행복의 성취가 용이해질 것으로 믿기 때문이다. 이것이 윤리학과 행복의 본성이다.

또한 중세철학의 시작은 데카르트로서 "나는 생각한다, 고로 나는 존재한다Cogito ergo sum."라고 말했다. 즉 무릇 사유된 것은 모두 존재한다는 것으로 데카르트가 발견한 진리의 표준이다. 인간존재의 근거가 더이상 신에게 있지 않고 인간의 생각이라는 주장을 펼쳤다.

칸트(1724~1804)철학은 서양철학의 최고봉 가운데 하나이다. "내 위에 별이 반짝이는 하늘과 내 속의 도덕법칙"이라는 묘비명에 새겨져 있는 말이 나타내듯, 칸트철학은 자연인식에서 실천적 인식에 이르기까지 주체적으로 이론이성과 실천이성의 존재양태를 규명할 것을 지향하고 있다. 또한 인간은 무엇이 도덕법칙에 맞는 행동이고 무엇이 도덕법칙에 어긋난 행동인지 판단할 수 있는 능력을 실천이성實踐理性이라고 불렀다. 한편『순수이성비판』은 그와 같은 칸트철학의 기초를 이루는 총론에 해당되는데, 유한한 인식의 한계 내에서 위대함을 꿈꾸었던 계몽주의적 인간상을 그려낸 위대한 고전이다.

근대철학의 효시는 프랜시스 베이컨으로서 "아는 것이 힘이다."라고 말하여 신의 은총과 상관없이 인간이 자연세계를 얼마나 정확하고 많이 아는가에 따라서 그 인간의 힘이 좌우된다고 주장하였다.

한편, 현대를 열었다고 하는 대표적인 철학자로 마르크스나 프로이트, 니체를 들 수 있다. 들뢰즈는 그의 저작『니체와 철학』에서 "현대철학은 대부분 니체 덕으로 살아왔고, 여전히 니체 덕으로 살아가고 있다."라고 하였다. 니체는 근대이성을 계산적 이성이라고 비판하며, 이성은 정신으로 존재하고 의지는 육체로 존재한다고 주장하였다. 근대가 이성의 시대였다면 현대는 비이성, 즉 육체성의 시대라는 이야기다.

정리하자면, 철학은 그 역사를 통해서 여러 가지 다양한 형태들을 보여주고 있다. 고대 서양철학의 원초적인 성격은 소크라테스로부터 찾을 수 있다. 그는 궁극적 진리를 탐구하는 교육학적 명제를 그리스 사회에 던졌다. 플라톤은 '아카데미아'를 설립하여 스승인 소크라테스의 교육적 이상을 교학상장敎學相長의 정신으로 구현하고자 했다. 플라톤의 교육철학은 국가적 목적에 기여할 수 있는 개인의 육성과 도야陶冶를 추구하는 것이었다. 소크라테스가 밝히고자 했던 것은 도덕이 무엇이며 정의가 무엇이냐는 것이었다. 플라톤에 이어 아리스토텔레스, 임마누엘 칸트도 서양철학사에 큰 획을 그었다.

여기서 동·서양 철학을 종합적으로 살펴보면 21세기 미래에는 세계의 중심이 한·중·일 중심의 동양으로 회귀할 것이다.

일찍이 존 네이스비츠John Naisbitt는[5] "의심할 여지없이 세계의 경제 정치 문화의 중심은 서양에서 동양으로 옮겨가고 있다. 그 변화는 하룻밤 사이에 나타난 것이 아니라, 장기간을 두고 이루어진 변화이다. 즉, 내가 만든 용어를 쓰자면 '메가트렌드Megatrend'이다.'라고 말했다. 다시 말해 미래에는 세계중심이 아시아로 옮겨져 동·서양 정신문화의 통합이 이루어질 것이다. 대한국인大韓國人은 그 통합의 중심이 대한민국이 되도록 민족혼을 살려 정진하자.

----

5 손기원, 『정신혁명』, (경영베스트·2003), p.36

4

새로운 '한국형 인성교육철학'의
모형 구축
– 한국·동서양 철학의 융합

공감하고 감동 주는 이심전심 한국형 인성교육철학

대한민국은 문화강국의 나라다. 그러나 안타깝게도 수많은 국난으로 역사의 기록이 소실된 경우가 허다했다. 역사의 수레바퀴를 5~6천년 전으로 돌려보면 당시 지구상에서 '잘나가던' 문명을 일컬어 세계사에서는 4대 문명권이라고 한다. 이집트, 메소포타미아, 인더스, 황하문명이 그에 해당한다. 역사의 진실에서 보자면, 황하문명보다 더 일찍이 발달된 우리 민족의 고조선문화가 기록문화의 취약과 역사는 승자의 것이라는 패권주의적 논리 때문에, 위대한 홍익인간의 사상과 이념마저 사장되어 세계사에서는 희미한 존재로 전락했다.

그러나 역사는 언제나 재평가·재해석되는 것이다. 대한민국 5천 년 역사는 세계 제1의 동방예의지국의 역사와 전통을 가진 인성대국·문화대국이었다. 우리 조상의 혼이 서린 풍부하고 생생한 홍익철학·인성철학의 교훈을 토대로 대한민국의 미래를 찾아야 한다. 즉 동방예의지국의 인성대국을 회복하여 대한민국의 아름다운 꿈과 희망 그리고 비전을 열어 세계 일류 문화·문명 발전에 선도적先導的인 역할을 해야 한다는 것이다.

그리고 우리가 한국형 인성교육철학을 정립하기 위해서는 홍익인간 철학과 동서양철학의 융합을 통한 창조가 절실하다.

경희대 임마누엘 페스트라이쉬 국제대학원 교수는 "많은 외국인은 한국적인 것 중에서 홍익인간에 가장 강력한 끌림을 느낀다. 홍익인간은 본질적으로 보편적이기 때문에 기업문화에 포함된 홍익인간의 가치는 습관이나 사고방식의 차이를 극복하는 데 도움을 줄 수 있다."라고 말했다. 일찍이 철인 소크라테스는 "사는 것이 중요한 문제가 아니라 바로 사는 것이 중요하다."라고 하였다.

우리는 왜 공부하고 독서하고 사색하고 노력하며, 뉘우치고 고민하고 신음하고 탐구해야 하는가? 바른 인성으로 살기 위해서이다. 저마다 바른 인성으로 살아보려고 몸부림치는 것이다. 바른 인성의 삶을 산다는 것은 인생을 진실하고 아름답게, 충실하게 사는 것을 의미한다.

어떤 옷을 입었느냐가 중요한 문제가 아니라 어떤 인성을 가졌느냐가 중요하며, 무엇을 소유하느냐가 중요한 문제가 아니라 '어떤 인생철학이냐'가 중요한 것이다.

『메두사의 시선』의 지은이 영산대학교 김용석 교수는 "20세기까지의 철학이 '변하지 않는 인간본성'을 찾는 노력이었다면, 21세기 철학은

'변화해가는 인간정체성'을 봐야 한다."라고 강조했다. 요컨대, 인간을 진화의 종점이자 철학의 유일한 대상으로 보던 관점을 폐기하고 새롭게 '인간은 무엇이 되고 있는가?'라는 질문을 던진 것이다.

한국철학이든 동·서양철학이든 하나의 분야에 얽매이는 것이 아니라, 다양한 지적 전통과 비교하고 융합하고 아우르는 관점을 얻는 것이 중요하다. 그래서 필자는 '수신, 학습, 지혜'의 한국형 인성교육철학(5부 10장 참조), 즉 공감과 감동의 이심전심 '삼위일체三位一體 인성교육철학'을 구축하여 '한국형 인성교육학'을 창조하고자 한다.

'삼위일체 인성교육'의 조직모형

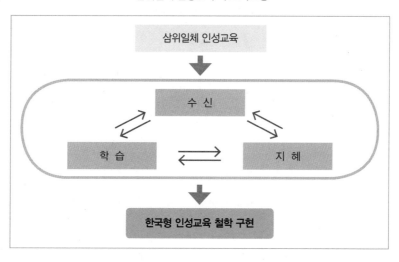

한국형 인성교육철학은 홍익인간 사상과 동서양철학을 우리의 상황과 여건에 맞도록 융합하여 '수신, 학습, 지혜'의 이론과 실제의 해법을 실천토록 하여 공감을 주고 감동을 불러오는 경지의 이심전심 인성교육을 말한다. 즉, 모든 조직 구성원들이 서로 영향력을 주고받으며 선善순환의 시너지 효과로 인성을 함양하고 바른 인성을 생성토록 하는 것이다.

공감(共感)의 의미

인간은 공감을 통해 대인관계를 건전하게 하고 개인과 사회의 공동선을 추구하며 자아실현을 통해 행복을 추구하는 데 목적이 있다.

일찍이 서양의 한 학자는 "공감은 다른 사람의 신발에 발을 넣었다가 다시 발을 빼어 쉽사리 자신의 신발을 되신어 보는 능력이다. 신발이 꼭 끼면 상대방과 더불어 의사소통을 하고, 신은 신발이 편안하게 느껴지면 그 상대방과 더불어 편안함을 즐기는 것이다."라고 말했다.

앞에서 강조한 이심전심의 밑바탕에도 공감과 감동이 자리 잡고 있어야 한다. 이렇듯 중요한 공감과 감동의 진정한 의미는 무엇일까?

독일의 신경생물학자 요아힘 바우어는 "인간을 인간이게 한 원칙"에서 인간은 원래 경쟁보다 협력을 통한 관심과 공감의 동물이라고 하였다.

'공감'Empathy이라는 용어는 비교적 최근에 생겨났지만 그 개념은 이미 19세기 말에 등장하였다. 윈드Wind, 1963에 의하면 1873년 미학 분야에서 미학심리학과 형태지각에 관해 논의를 전개할 때 로베르트 피셔Robert Vischer가 독일어의 'Einfuhlung'이라는 용어를 처음으로 사용하였다고 한다. 'Einfuhlen'은 'ein'(안에)과 'fuhlen'(느낀다)이라는 단어가 결합된 것으로서 '들어가서 느낀다'는 의미를 함축하고 있다.

학자들이 내린 공감의 정의는 다음과 같다.[6]

① 공감은 자신을 다른 사람의 생각, 느낌 및 행동 속에 상상적으로

----

6 박성희, 『공감학』, (학지사·2004), pp.17~29 발췌 인용

전위시키는 것이다. Allport, 1961

② 공감은 당신이 그의 느낌과 느낌에 대한 이유 모두에 대해 이해하고 이를 상대방에게 의사소통하는 능력이다. Aspy, 1975

③ 공감은 다른 사람의 느낌, 의지, 생각 그리고 때로는 유사한 신체적 동작을 수행할 정도로 움직이는 등 다른 사람에게 참여하거나 대리적으로 체험하는 능력이다.

헨리 드시오 '아쇼카 프레임워크 체인지 글로벌' 의장은 공감 능력 계발에 주목했다. 그는 "학생들에게 관찰과 학습으로 새로운 것을 배우는 공감능력을 가르쳐 변화의 주체로 만드는 게 대학의 책무"라고 말했다.

인간관계에서 공감을 줄 수 있도록 역지사지易地思之 입장에서 최선을 다해야 한다. 그러면 상대도 마음의 문을 열고 공감하고 감동할 것이다.

그것은 무엇 때문일까? 답은 아주 간단하다. 인간이란 감정이 있는 문화적 동물이기 때문이다. 감동적인 조직문화에서 생활하게 하면 인성은 이심전심으로 한마음 한뜻이 되어 감동적인 인성 조직체를 만든다.

공감에 대한 의미가 이렇게 많다는 것은 공감을 해석하는 관점이 매우 다양하다는 것을 의미한다. 이심전심으로 이타주의의 공감과 감동을 불러와 인성을 함양하고 인간다운 인간으로서의 삶과 행복을 창조하도록 한다.

감동(感動)의 의미

감동이란 감정·기력氣力 등을 포함한 총괄적인 용어로서 일종의 미적 '혼합감정'이다. 인간의 정신기능을 지知·정情·의意로 나누자면 정에 해당하는 범주에 포함된다.

인성 측면에서 볼 때 감동은 공감 넘치는 인성과 인간의 내면적 통찰과 인간적 가치를 추구하는 인성을 실현할 때 생겨난다. 사람을 감화시키고 정을 움직이며, 시간이 흐를수록 영혼 속에 깊게 아로새겨지는 공감이 더 나아가 한평생 영향을 끼칠 수 있는 감으로 발전해 나가는 이심전심의 과정은 매우 소중한 것이다.

동고동락하는 리더로서 조직구성원의 희로애락喜怒哀樂을 느껴보고 다른 사람의 감정 속으로 들어가 보자. 남을 위해 눈물을 흘리며 기도도 하고, 아파도 해보고, 분노하면서 정의의 주먹도 불끈 쥐어보자. 이런 지도자의 마음은 조직구성원에게 감동과 행복을 느끼게 해준다. 이것이 지도자의 자산이자 행복이라고 생각한다.

이런 공감과 감동의 밑바탕이 되는 이심전심은 사전적 의미로 마음에서 마음으로 전하여 뜻을 같이하면서 공감대를 형성하는 것을 의미한다.

이와 같이 이심전심은 말을 하지 않고도 마음을 통해 마음을 전달하는 것을 말한다. 오늘날 "코드가 맞는다.", "텔레파시가 통한다."와 유사한 의미다. 이심전심은 우리의 마음이 곧 우리의 삶을 만들어 간다는 의미도 내포하고 있다. 어떤 물리적 입자가 생성될 때 그 입자 주변에는 역동적 에너지와 운동력의 장場이 형성되는데, 이 장이 주변에 있는 다른 입자粒子나 장場에 영향을 미친다는 이론이 '장이론Field Theory'이다.

사람의 생각이나 감정을 허상이 아닌 물리적 입자로 생각해보자. 그것은 동양학에서 기氣에 해당되는 것으로 '물질+정신'의 총체와 같다고 할 수 있다. 그렇다면 내가 어떤 생각이나 감정을 가졌을 때 그것은 곧 입자화되는 동시에 주변에는 생각이나 감정이 실린 에너지와 운동력의 장이 형성되어, 내 생각의 에너지 장이 상대의 에너지 장에 파장을 일으키게 되는 것이다.

사람의 심리란 참으로 미묘하다. 같은 말이라도 상대의 심리상태에 따라 받아들여지는 것이 전혀 달라진다. 그래서 상대의 마음을 정확히 읽을 때만이 상대의 감정을 붙잡을 수가 있다.

정리하자면, 상대방의 입장에 서서 공감하고 감동하는 자세를 가져보자. 어떤 실패를 겪은 사람과 마주하게 되면 거의 입을 열지 않거나 다른 화제로 말꼬리를 돌리려는 경우가 있다. 대개 침묵을 지키는 것은 괜히 말 잘못했다가 상대가 자신을 오해할지도 모른다는 불안한 심리가 작용하기 때문이다. 하지만 내가 상대의 실패한 환경과 원인에 놓였더라도 분명 실패했을 것이라는 공감의 자세를 갖고 감동의 말문을 연다면 상대는 어느새 이심전심의 마음으로 인간관계를 맺게 될 것이다. 우리의 인성교육에 도입해야 할 이타주의利他主義의 이심전심以心傳心의 원리가 바로 이것이다.

삼위일체 인성교육철학은 자신에게 영향을 주는 사람들과 상호 이심전심으로 교감하면서 인간관계를 유지하여 인성함양을 극대화하고자 하는 데 있다.

이심전심 '한국형 인성교육학'의 조직모형 구축결과

공감과 감동을 바탕으로 한 이심전심 '한국형 인성교육'에서 사회란 모두가 친구이고 가족 같은 마음으로 뭉쳐진 이심전심 인성문화 조직체組織體이다.

이것이 바로 공감과 감동을 우리 자신의 내부와 사회에 울려 퍼지게끔 하는 이심전심 인성교육이다. 공감은 우리가 관계하는 모든 것의 중심이 된다. 감동은 우리가 서로에게 대하는 가장 친밀한 공동체정신과 열정을 잉태하여, 조직구성원 모두가 한마음 한뜻이 되어 신명나게 교육의 목표를 향해 능동적·자율적으로 일하고 자아를 실현하게 한다.

공감과 감동이 승화되어 절정에 달할 때 공동체 인성교육은 동고동락同苦同樂하면서 교육효과를 증대시킨다. 인성교육의 효과에서 '공감과 감동'이 중요한 이유를 들어보겠다.

첫째, '공감과 감동'의 인성교육은 민주적·자율적·순리적·자연적인 과정이다.

공감과 감동의 인성교육이 이심전심의 인간적인 수확을 거둬들인다. 이것은 다시 피드백Feedback하여 되돌아오는 이중적인 역동성을 갖고 있다. 피드백의 상호호혜 관계는 인성문화의 활력과 모멘텀Momentum을 만들어낸다.

둘째, 21세기 이전의 대부분의 우리 전통 가정에서는 '아버지'라는 존재만으로도 인성교육의 중추적 역할이 가능했다. 이제 우리의 자녀들은 '영향력을 행사'하는 아버지보다도 '공감과 감동'의 인성을 주는 아버지를 존경하고 잘 따름은 물론, 그로부터 자연스럽게 인성교육이 이루어진다. 아래와 같이 이심전심 '한국형 인성교육학'의 조직모형模型 구축 결과를 바탕으로 6부에서는, 삼위일체 '한국형 인성교육학'의 이론과 실제의 해법을 제시하고자 한다.

'한국형 인성교육철학'의 조직모형

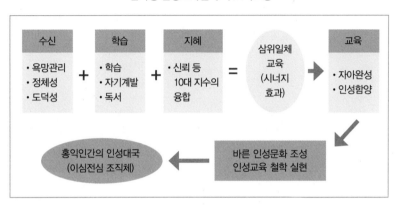

바른 인성의 사람은 타고나는 것이 아니다. '수신+학습+지혜'의 삼위일체 인성교육에 성실하게 임할 때 누구든지 훌륭한 바른 인성의 사람이 될 수 있다. 한국형 '이심전심' 인성교육은 삼위일체 인성교육을 통해 통섭·융합의 시너지 효과로 인성대국 회복에 크게 기여할 것이다.

삼위일체 '한국형 인성교육학'은 자신의 인성철학과 인생지침을 발견하며, 자신을 이해하고 자신의 삶의 의미를 구현하는 데 기여하는 한편, 인생목표 수립·원만한 인간관계·인간다운 인간의 삶과 행복 등 여러 과업을 성취하도록 도움을 줄 것이다.

현대사회는 인식의 대大전환을 요구하고 있다. 인공지능의 시대가 눈앞에 다가왔고, 나노 테크놀로지의 혁명이 광속변화를 추구하고 있으며, 컴퓨터를 통해 안방에서 전 세계를 여행할 수 있는 제4차 산업혁명 시대가 도래하였다.

이러한 과학기계문명의 시대에 인성교육은 어떻게 변화되어야 하는가에 대한 해법으로 이심전심 '한국형 인성교육학' 조직모형 구축의 필요함을 거듭 강조한다.

이심전심 '한국형 인성교육철학'의 배양도 모형

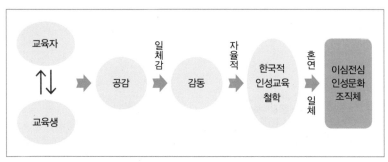

살펴보자면, 최근 인성교육의 획일적인 사고방식을 탈피하여 창조·혁신적인 교육방법이 필요하다. 이를 위해 다양한 인성교육학의 교재를 만들어 활용토록 하면서 줄탁동시와 지성 무식의 인성교육 방법 등을 연구하면 효과가 크리라 판단된다.

필자는 우리나라의 상황과 여건에 알맞은 이심전심을 불러오는 공감과 감동의 삼위일체 '한국형 인성교육학'의 이론과 실제의 해법을 제시하고자 한다.

〈 11 〉 한국 인성교육의 철학적 방향을 생각해보자

모든 사람은 철학자이고, 내 삶의 주인은 나이며, 나의 철학은
나의 삶 속에서 만들어지는 것이다. 특히 인성교육철학은 인성이
좋으냐? 나쁘냐? 훌륭하냐? 그렇지 않느냐? 그 인성이 개인은 물
론 국가사회에 유익하느냐? 인류사회에 유익하느냐? 하는 철학적
문제의식을 가질 수 있다.

따라서 인성교육학 등 학문에서는 창의적 역할이 중요하다. 그
러나 서양에서는 창의·창조적 학문연구가 시대를 주도主導하는
반면, 우리나라에서는 기존의 자료들만을 바탕으로 한 연구가 주
가 되고 있는 실정이다.

『인간이 그리는 무늬』[7]에서 최진석은 다음과 같이 밝혔다.

한국에서 나온 철학 박사학위 논문의 99퍼센트는 먼저 나온 세
계관을 해석하거나 이해하려고 하는 '무엇 무엇'에 관한 연구들이
다. 훈고訓詁의 기운으로만 너무 채워져서 창의創意의 기운이 발휘
되지 못하는 형국이다. 마치 산업현장에서 장르를 개척하지 못하
고 생산만 하는 것과 같은 모습이다. 즉 한국에서는 산업현장에서
와 마찬가지로 철학연구에서조차 장르를 창출하지 못하고, 선진국
에서 만든 장르를 대신 수행하는 '생산자' 역할만을 하고 있는 것이

7 최진석, 『인간이 그리는 무늬』, (소나무·2014), pp.32~33

다. 이것을 소위 학계에서는 '한국의 철학'이 아직 건립되지 못했다고 표현한다. 하지만 우리는 어떠하든지 간에 창의의 기운을 통해서만 질적으로 한 단계 더 상승하고 전진하며 튼튼해질 수 있다.

우리나라의 교육계가 인성교육의 철학적 방향 정립에 소홀할 뿐만 아니라, 종합적인 인성교육학 책(지침서)이 거의 없는 실정으로 안타까운 현실이다.

우리가 우리의 여건과 환경에 맞는 인성교육을 제대로 시키려면, 우리의 역사와 철학 등 우리 고유의 학문을 집중 연구하여 한국형 인성교육 자료가 풍부해져야 한다. 한국적 상황과 여건에 바탕을 둔 경험적 철학을 살려 자아화自我化하고 이를 학문화할 때, 우리의 인성교육학이 비로소 창의·창조되어 효과적인 교육이 될 수 있는 것이다. 단 한 줄이라도 창의·창조하려는 학문적 풍토, 사회적 분위기가 교육철학으로 자리 잡아야 한다.

이와 같은 점을 감안하여 우리의 인성교육철학도 혁신·창조의 한국형 인성교육철학이 필요하다. 즉, 우리 고유의 철학과 동서양 철학을 융합하여 슘페터가 말한 '창조적 파괴Creative Destruction'와 혁신적인 창조가 우리의 인성교육에서 더욱 필요하다. 그래서 6, 7부에서 한국형 인성교육철학과 한국형 인성교육학을 창조하여 감히 제시해본다.

필자의 시도가 첫 출발에 불과하므로 여러 면에서 부족함을 느낀다. 독자 여러분들의 질타와 충고를 겸허히 기다리면서, 추후 지속적으로 수정 보완하는 등 정진할 것을 다짐해본다.

제11장

'한국형
인성교육학'이란
무엇인가

1

'한국형 인성교육학'의 개념과 정의

　'한국형 인성교육학韓國形 人性敎育學'은 타인 및 공동체와 바람직한 관계를 맺기 위한 올바른 인성은 자신의 일을 스스로 하고, 다른 사람에게 이로움益을 주도록 배려하며, 정해진 규칙을 준수하고, 공동체 구성원이 공유하는 행위의 기준과 홍익적 가치를 내면화하는 것이다.

　따라서 홍익인간弘益人間 사상과 철학의 의미를 살펴보면

　· 널리(넓을 弘)

　· 이롭게 하는(더할 益)

　· 인간(인간관계의 人間)이듯이,

　'한국형 인성교육학'은 인간으로서의 인간적인 삶과 행복을 추구하는 인성교육을 구현한다.

　우리의 고유한 홍익인간 사상과 철학이 다른 나라에서 찾아보기 어려운 경제·복지 개념을, 그 당시 담고 있었던 의미를 살려 공동선共同善, 공동체 정신을 강화하는 이타주의의 이심전심 인성교육철학을 실현한다.

바른 인성(좋은 인간관계)이 행복, 건강의 비결임이 '하버드 성인발달연구'에서 밝혀졌듯이 인간성, 인간관계의 중요성을 이해하고 실천實踐할 수 있도록 교육한다.

'하버드 성인발달연구'에 의하면 하버드의대의 연구에서 1938년부터 10대 남성 724명의 인생을 추적한 결과는 다음과 같다.

> 현재 60여 명만 살아 있고 대부분 90대가 되었다. 동 연구팀의 결론은 좋은 인간관계(인성)가 행복과 건강을 지켜준다는 사실이다. 가족, 친구, 지역사회와의 관계가 좋은 사람일수록 행복하고 건강하게 오래 산다. 외로움은 독약이며 불행할 뿐 아니라 건강도 나빠진다는 것이다.

홍익 인성교육철학에서 '인성=사랑'은 넓은 의미로 보면 같은 범주이다. 그래서 바른 인성과 아름다운 사랑은 인간관계를 풍요롭게 만들어주고, 인생을 살아가는 데 에너지원이 되어 행복을 증진시킨다. 지혜로운 인성은 아름다운 사랑처럼 인간관계를 활성화시키기 때문에 '수신, 학습, 지혜'를 통섭·융합한 학습과 실천의 교육개념을 도입한다.

21세기를 맞이한 시점에서, 우리에게는 지난 세기의 문제를 극복하고 보다 나은 인간다운 삶을 영위하기 위하여 정신과 물질세계의 조화가 필요하다. 따라서 현대에 예상되는 폐단을 극복할 수 있는 인간 중심, 가치 중심의 홍익 인성교육을 강화시켜야 한다.

향후 인성교육은 인간적인 정과 배려, 자아실현, 사랑과 봉사 등 가치 중심의 바른 인성이 주요 요소로 부각될 것이다. 따라서 인성교육의 유효성Effectiveness 제고를 위해 공감과 감동을 바탕으로 한 '이심전심 한국형 인성교육학'의 고유한 패러다임이 필요하다.

'이심전심 한국형 인성교육학'은 홍익인간 사상과 철학을 토대로 인간존중과 행복을 최상의 가치로 여기고 개인은 물론 공동체의 뜻과 정신을 존중하도록 가치 중심의 인성교육을 강화한다. 즉, 인간존중의 정신이란, 우리 홍익인간 정신과 이념으로서 어떤 상태로 태어나든 귀천貴賤없는 인간이기 때문에 가장 소중한 존재(인내천 사상: 人乃天 思想)로서 존엄하게 대우받도록 인성교육을 실질적으로 시켜야 한다.

이와 같은 개념을 토대로 '한국형 인성교육학'을 정의하고자 한다.

'삼위일체 한국형 인성교육', '이심전심 한국형 인성교육'이란 '인성교육의 실천적 지도원리와 활동을 홍익인간 사상과 철학을 중심으로 동서양철학을 융합하여 우리나라 실정에 가장 효과적인 인성교육의 이론과 실제를 제시, 교육시킴으로써 인성의 함양효과를 극대화시키는 것'을 말한다.

그러므로 한국형 인성교육학은 종합 과학적 성격을 갖고 있기 때문에 종합학문, 종합예술이라고도 할 수 있다. 왜냐하면 여기에는 인문학, 역사학, 철학, 사회학, 정치학, 법학, 행정학, 심리학, 예술학, 체육학 등 사회과학적 분야와 수학, 물리학, 화학, 생물학, 의학 등의 자연과학 분야가 모두가 포함되어 종합학문이라 할 수 있기 때문이다.

한국형 인성교육학의 개념과 정의를 하다 보면 우리 고유한 철학인 홍익인간 사상이 다른 나라에서는 찾아보기 어려운 공동선과 공동체 의식으로 일찍이 체계화·시행되었고, 더욱이 경제·복지 개념의 철학사상을 담고 있다는 것은 특이한 현상이다. 따라서 우리의 홍익 인성철학을 통해 우리의 정체성을 정립하고 인성교육의 방향으로 삼아야 할 것이다.

김문조 고려대 명예교수가 "한 사회의 발전에는 경제력 자본이나 사회 기본적 시설Infrastructure을 포함한 사회적 자본도 매우 중요하지만 개인적으로 '인성자본人性資本'이 가장 중요한 요소로 생각된다. 이 같은 맥락에서 정부도 보다 섬세하게 우리사회의 갈등심화 양상을 포착하고 해결책을 찾아야 한다.'라고 말했듯이, 한국형 홍익 인성철학에서는 인생의 자본 중에 '인성자본'을 최고의 자본으로 평가하여 그것을 찾고 발전시키는 지혜가 필요하다. 단 한 줄이라도 우리 실정에 맞는 인성교육학을 창조하고 실천하는 것이 매우 소중하기 때문이다.

살펴보자면, 최근 전 세계적으로 한국과 동양의 사상·철학에 관심이 쏠리는 추세에 있고, 실제로 한국과 동양의 사상철학은 21세기 시대의 부작용을 치유할 만한 인성교육의 잠재력이 충분하다고 판단된다. 우리는 자랑스럽게 홍익인성철학을 가지고 있다. 따라서 홍익철학을 시대의 변화에 따라 발전시켜 인성교육철학을 꽃피우도록 적극적·능동적으로 대처해야 한다. 따라서 한국의 인성교육이 나아가야 할 방향은 홍익철학을 토대로 이심전심 '한국형 인성교육학'을 발전시키는 것이다.

2

'한국형 인성교육학'의 본질

'한국형 인성교육학'의 본질은 오늘날 대한민국이 겪고 있는 인성문 제를 해소하도록 우리 실정에 맞는 인성교육의 효과성을 제고시키는 것이다. 따라서 한국형 인성교육학은 대중적對症的 인성교육방법을 지 양하고 홍익인간철학을 기반으로 한 지식, 지성, 인성 기반의 교육모델 을 발굴하여 인성자본을 축적시킴에 있다.

인성자본 축적은 홍익인간 교육철학에서 "먼저 사람이 되어 널리 이 롭게 하는 선善하고 사회적인 인간이 돼라."라는 데 역점을 두어야 한다.

또한, 유불선儒佛仙 사상의 영향을 받은 한국인의 의식구조는 혈연· 지연·학연 등 인간관계를 중요시함에 따라 가정에서는 가화家和, 직장 에서는 인화人和, 국가적 차원에서는 총화總和를 최고의 가치와 덕목으 로 삼고 이를 목표로 실천토록 해야 할 것이다.

그러므로 인성교육도 시대변화에 따라 새로운 여건 및 환경에 적합한 교육적 이론과 실제를 창조하여 근원적인 본질과 문제를 해결할 수 있는 교육을 시켜야 할 것이다.

'이심전심 한국형 인성교육'은 공감과 감동의 이타주의 인성교육 모형을 창조해서 기본으로 해야 한다. 이를 위해 '수신과 성찰, 학습' 등을 통해 현장 체험교육을 다양하게 실시하여 '인성이 운명이다.(ISSUE 생각 넓히기⟨1⟩ 참조)'라는 화두를 인성철학으로 삼아 인성자본을 쌓아가는 '인성교육'이 이루어져야 할 것이다.

이와 같은 교육은 아동기부터 실시하여 평생교육으로 이어지도록 연계성 있는 교육체계가 마련되어 연관 교육이 되어야 할 것이다.

한국형 인성교육과 철학은 "윗물이 맑아야 아랫물도 맑다."라는 우리 속담을 거울삼아 솔선수범의 인성과 섬김의 인성을 언행일치言行一致로 생활화하도록 교육해야 한다. 이를 위해 정체성 정립은 물론 도덕적 책무를 인성교육의 본질로 중시하여야 할 것이다.

결론적으로, 인성교육의 핵심은 인간성과 인간관계이므로 우리 모두는 이심전심의 이타주의 홍익철학으로 인간관계를 해야 한다. 누구나 인간관계를 하다 보면 불가피하게 상대방과 의견이 충돌되고 다투는 경우가 있을 수 있는데, 이런 경우 책임을 전가하기보다는 "제 탓입니다. 저의 잘못입니다. 죄송합니다."의 섬김 인성을 실천해야 한다. 다시 말해 '내 탓이오 정신'의 이타주의와 대승적 인성으로 승화시켜야 한다. 누구나 인간다운 삶과 행복을 누릴 수 있도록 바른 인성을 교육하는 것이 한국형 인성교육학의 본질이다.

3

'한국형 인성교육학'의 실천방법

홍익인간 사상철학은 물론, 석가모니·예수·공자·소크라테스 등 4
대 성현들은 한결같이 정의와 이타주의의 공동선 가치를 중요시한다.
따라서 '한국형 인성교육학'의 실천방법도 정의와 이타주의의 공동선은
물론, 공감을 주고 감동을 받는 한국형 이심전심 인성교육을 적극 실천
토록 인성의 본질과 가치를 먼저 알게 교육해야 할 것이다. 이를 토대로
수신과 성찰, 학습(공부·배움), 지혜 등 삼위일체 인성교육 방법을 도입하
여 학문의 통섭·융합 효과를 제고시킬 수 있다.

"강남종귤강북위지江南種橘江北爲枳"라는 말이 있다. 즉, "강남에 심은
귤을 강북으로 옮겨 심으면 탱자가 된다."라는 뜻으로, 인성교육도 환경
에 따라서 달라질 수 있기 때문에 '한국형 인성교육'에서는 우리나라의
상황여건에 가장 알맞고 한국 인성철학에 알맞은 '한국형 인성교육학'
의 이론과 실제를 창조하여 교육하여야 할 것이다.

'한국형 인성교육학'의 이론과 실제를 창조한 것을 토대로 이론과 실제를 학문화 및 체험화하여 인성자본이 스펀지에 물이 스며드는 것처럼 체득화 및 심화시키는 교육을 시켜야 하겠다.

인간은 누구나 바른 인성과 나쁜 인성의 선택에서 개인의 행·불행은 물론, 정의사회·정치정의·경제정의·사회정의의 실천적 삶의 여부가 결정된다. 바른 인성의 도덕적 교육을 강화하여 정의는 물론 공동체의 구성원에게 신선한 공감과 감동을 주는 요소로 작용하도록 함으로써 이심전심의 공감대를 형성하고 인성을 함양토록 하여야 할 것이다. 이를 통해 누구나 도덕적 주체가 되고 빛과 소금의 역할을 하는 인간이 되도록 교육해야 한다.

인성교육의 이론과 실제를 함의含意와 실증을 통한 교육으로 승화시켜 인간다운 인간의 삶과 행복을 창출할 수 있도록 교육하여야 한다.

예컨대 물질과 출세주의에 사로잡혀 이른바 인기학과로 몰리는 한국의 학생들에게 정말 필요한 공부는 인성철학 정립이다. 인성철학으로 쌓인 내공과 인성문화로 조성된 분위기가 행복한 가정, 성숙한 사회, 튼튼한 나라로 가는 길일 것이다.

살펴보건대, 인성은 개인은 물론 모든 조직과 국가, 더 나아가서는 인류의 흥망성쇠興亡盛衰를 좌우한다는 사실을 인식하도록 하여, 우리의 인성위기를 인성회복의 기회로 만들 수 있도록 자기 주도적 학습을 강화시켜야 할 것이다.

동방예의지국의 인성대국으로 거듭날 수 있도록 인성교육을 강화하여 '국가인성 바로세우기 운동', '국민인성 바로세우기 운동'을 전개하여 범국민적·범국가적 운동으로 확산되도록 해야 한다.

삼위일체 '

6부

삼위일체
'한국형 인성교육학'
창조

– 이론과 실제의 해법

제12장

'삼위일체 인성교육'이란 무엇인가

삼위일체의 의미

삼위일체 인성교육학은 종합학문과 예술로서

① 인간의 끊임없는 수신과 성찰

② 학습과 실천의 장 마련

③ 지혜로운 인성 연마 등의 삼위일체三位一體 교육방법을 새로이 도입하여 효과를 극대화시키고자 하는 데 있다.

삼위일체 '한국형 인성교육학'은 "① 수신과 성찰의 인성기반 조성: 도덕적 인성역량 ② 학습을 통한 지성기반 구축: 지적 인성역량 ③ 지혜의 인성역량 구비: 기지적 인성역량" 등 3가지를 조합·결합·융합시켜 이론과 실제 효과를 제고시킨다.

예컨대 수학을 잘하려면 기본공식과 해법 등 종합적 이론과 실제를 이해한 후 실전 문제를 공부해야 하듯이, 인성교육도 제대로 하려면 학문적 이론과 실제를 알고 현장학습 및 체험, 각종 인성프로그램, 수련회 등을 활성화시켜야 한다.

삼위일체 '한국형 인성교육학'이란 부모자식의 관계가 삼위일체이듯이 '수신, 학습, 지혜'도 삼위일체의 관계로서 융·복합과 통섭의 관계를 통해 시너지 효과를 극대화할 수 있는 이심전심, 한국형 인성교육방법을 도입하는 것이다.

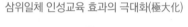

삼위일체 인성교육 효과의 극대화(極大化)

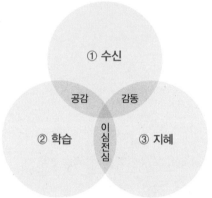

※ ① 수신: 도덕적 인성 ② 학습: 지적 인성 ③ 지혜: 기지적 인성
※ 인성교육의 시너지 효과 = 수신 × 학습 × 지혜

특정한 여건과 상황마다 이론과 원칙을 실제에 어떻게 적용하고 응용해야 할지 늘 고민이 되는 현실을 감안, 삼위일체 '한국형 인성교육학'의 이론과 실제를 토대로 시너지 효과와 함수관계를 살펴보고자 한다.

삼위일체 '한국형 인성교육학'을 통해 공감과 감동의 조직체를 만들기 위해서는 뼈를 깎는 노력이 뒷받침되어야 한다. 마치 식물이 혹독한 겨울을 나기 위해 여러 가지 준비로 매서운 추위까지도 이겨내고 비로소 봄에 꽃을 피우듯이, 인성대국 회복을 위해 정혼精魂을 다하는 교육철학을 가져야 한다는 의미이다.

즉, 삼위일체 '한국형 인성교육학'은 각 개인이 진정한 인성회복을 위-

해 구도자의 역할까지 감내하면서 스스로 뼈를 깎는 수신과 성찰을 하는 것을 기본으로 하여, 궁극적으로는 이심전심의 공감과 감동의 인성 문화 및 조직체를 만들어내는 데 있다.

삼위일체 '한국형 인성교육학'의 효과 확산모형

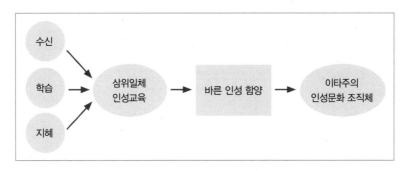

모든 인문적 소양과 이를 거름주기 위한 학문적 탐구는 가장 효과적인 인성교육 실현을 위한 토대이다. 바람직한 인성을 실현하여 문화와 문명을 일구어내는 힘의 원천은 인간의 정신에 있다. 인간의 정신은 부단히 인간 스스로를 형성시켜 나가는 힘의 원천이요, 동시에 그 과정을 통해 성숙해지는 성과의 대상이기도 하다. 수신제가修身齊家의 자기형성 도정은 완결됨 없이 언제나 진행형으로서 이 과정이 곧 인간의 역사이다.

인성교육에는 '완료'라는 것이 없다. 지속적인 창조와 혁신으로 변화하고 창조하지 않으면 제 역할을 할 수 없는 특징을 가진 것이 인성교육이다. 그러므로 이심전심의 삼위일체 '한국형 인성교육학'은 새로운 시대의 상황과 여건에 적합한 이론과 실제의 인성교육론을 지속적으로 보완·발전시켜야 한다.

2

삼위일체 인성교육 시 고려사항

인성 형성(결정) 요인 – 선천적 및 유전적 요인

인성의 결정 요인은 여러 요인이 있으나 주 요인은 다음과 같다.

종 류	내 용
생물학적 요인	개인이 선천적으로 가지고 태어난 체질적이며 정신적 능력을 의미. 신장, 체중, 용모는 물론 유전인자 등이 크게 좌우함
자연환경	각자의 인간이 살고 있는 지역의 자연환경, 적응해야 하는 기후의 특징 등이 인성 구성에 영향을 미침
개인고유경험	태생적 각자 고유의 생활에 속해 있는, 사회문화와 신분상의 차이 역시 인성 형성에 역할을 함
문화적 요인	각자 일상생활 속에서 접하고 있는 문화에 의하여 각 개인의 인성이 형성됨. 예) 경제, 사회, 교육, 권력 등

다음에서 선천적 요인, 유전적 요인에 대해 살펴보기로 하자.

(1) 선천적(先天的) 요인

사람마다 태어날 때의 조건과 환경이 다 다르다. 빈부의 차이, 두뇌와 체력의 차이 등 많은 차이를 극복하고 더불어 잘사는 행복한 세상을 만들기 위해서는 홍익인간의 인성으로 나눔과 배려의 교훈을 깨닫고 실천해야 한다. 홍익인간 인성으로 공존공영共存共榮의 행복한 세상을 만들어가야 하는 것이 홍익인간 이념의 근본이다.

가정이나 학교, 사회에서 양심·정직·충성·효도·성실·정의·윤리도덕의 실천 등등 훌륭한 인격을 갖도록 교육해도 그것이 마음대로 잘되지 않는 것이 사실이다. 훌륭한 인격인성, 훌륭한 정신인격인성을 갖기 위하여 그 인성형성의 선천적 요인을 살펴보자.

첫째, 아버지 어머니의 관계(임신) 이전의 마음가짐[1]

임신을 하기 전에 갖는 어머니의 마음가짐은 미래에 임신하여 태어날 아기의 유전인자DNA에 영향을 미칠 수 있는 것으로 알려져 있다. 훌륭한 아기가 태어나게 해달라는 마음가짐을 갖고 임신하여 태어난 아이와 반대로 향락을 위한 관계 속에 임신하여 태어난 아이를 비교해보면, 전자에서 훌륭한 아이가 태어날 확률이 많다는 것이다. 그래서 훌륭한 인물들 뒤에는 훌륭한 부모가 많은 것이다.

둘째, 태아기의 태교 및 분만

뇌신경세포의 형성과정에서 인성에 막대한 영향력을 주는 태아기의 태아환경은 태아의 인성에 매우 중요하다. 특히 임신 중에 흡연이나 극소량의 알코올이 태아의 건강, 수학능력에도 치명적인 해를 끼칠 수 있

---

1 이홍범, 『홍익의 세계화(인성편)』, 2015.9.16, 인성교육콘서트 자료, 국회헌정회관

다는 연구결과도 나왔다. 미국 소아과학회와 텍사스대학 공동연구팀은 2015년 10월 19일 미국 소아과학회지를 통해 임신 중 알코올 섭취가 인지능력 저하, 주의력결핍과잉행동장애ADHD 등을 초래할 수 있다고 경고했다.

　그러므로 태아기 때 임신부의 정신건강·신체건강은 인성 형성에 대단히 중요하다. 임신부의 긍정적이며 창조적인 생각, 착한 행동, 좋은 마음 등은 왕성한 세포분열 활동 중에 있는 태아에게 무의식적으로 입력, 각인되기 때문에 태교가 미래에 태어날 아기에게 중요한 영향을 미칠 수 있다는 것이다. 어머니의 자궁 속에서 태아는 어머니의 생각과 언행, 먹는 음식이나 흡연·음주 등에 영향을 받고 아버지 행태가 그대로 반영되어 자녀의 DNA로 유전되는 것이 과학적인 연구를 통해 알려졌다.

　살펴보건대, 자녀들의 인성은 임신 이전의 원만한 부부관계부터 성인이 될 때까지 지속적으로 이루어진다. 다시 말해 인성교육은 평생, 생의 전 과정으로서 임신 전 부부관계의 시작부터 중요하다는 것을 간과해서는 안 된다. 그 이유는 부모의 삶과 인성에 따라 자녀의 인성이 형성되기 때문이다.

(2) 유전적(遺傳的) 요인

몇 년 전에 영국의 한 대학교수가 "주인과 애완동물은 서로 닮아간다."라는 연구결과를 발표한 적이 있다. 오랜 시간을 같이할수록 행복감, 독립심, 흥미 등 다양한 특징을 공유한다는 것이다. 사람 중에서도 가족, 가족 중에서도 부모가 아이의 인격 형성에 미치는 유전자 영향은 절대적이다.

유전 인자는 눈 색깔이나 귀에서부터 특정 물질의 맛을 느끼고, 감지하는 능력, 지능, 성격, 기호, 소질, 손재주 등 다양하고 광범위한 인간 특성이나 특징의 변이에 영향을 준다. 또 어떤 특성들은 단일 유전자에 의해 통제되기도 하지만 인간에게 키, 몸무게, 혈액형, 피부색, 지능과 같은 것은 몇 개 유전자의 결합된 활동에 의하여 통제되기도 한다. 유전 인자에 따라 부적응 인성, 개인의 적응능력, 범죄성에 어느 정도 영향을 받는다. 또한 좋은 유전자를 받더라도 계속 유지, 발전시켜 나가고 후손들에게도 좋은 유전자를 그대로 답습시켜 전달할 수 있도록 노력해야 할 것이다.[2]

유전이란 부모로부터의 유전자에 의하여 자녀에게 전달되는 체형, 성질, 능력, 유전질환, 기타 기호전달 등을 말한다. 유전인자의 신체적 요인은 개인이 선천적으로 가지고 태어난 체질적인 신체형태로 신장, 체중, 신체적 외모 등은 인성에 큰 영향을 준다.

최근 세계적인 두 학자의 주장을 살펴보자.

----

2 김현오, 『현대인의 인성』, (홍익제·1990), p. 226

유전자, 당신이 결정한다[3]	유전자는 네가 한 일을 알고 있다[4]
· 후성 유전학(Epigenetics)	· 좌동
· DNA뿐만 아니라 먹고, 마시고, 경험한 모든 일에 따라 특정 DNA의 스위치가 켜지거나 꺼진 채로 자식에게 전달	· 좌동
· DNA는 판박이를 찍어내는 주형(鑄型)이 아니라 연극의 대본 같은 것	· 좌동
· 아버지의 영양 섭취가 유전자 발현에 부정적 영향	· 우리가 일상에서 하는 선택이 다음 세대 그리고 그다음의 자손에게까지 영향
· 정신적 충격, 트라우마는 유전자를 변환	· 당신이 어떻게 살아가느냐, 어디에 사느냐, 어떤 스트레스에 맞닥뜨리느냐, 무엇을 먹느냐에 따라 DNA를 바꿀 수 있다

　　사람의 인성형성에 유전자가 미치는 영향은, 절대적으로 이런 유전자는 의식주의 기본생활은 물론 정신자세, 취미생활, 성향 등 모든 것이 후성 유전학으로 영향을 미친다는 사실이다. 특히 술, 담배, 마약 등은 임신과 태아 성장에서 치명적으로 악영향을 미치고 나쁜 DNA를 형성시킨다. 유전자는 유전요소遺傳要素를 전달할 뿐만 아니라 인성 형성에 영향을 미치는 체내의 화학 작용에도 관여하므로 유전 인자를 위해 자기 관리를 철저히 해야 한다.

3　샤론 모알렘, 『유전자, 당신이 결정한다』, 정경 옮김, (김영사·2015), 발췌 요약
4　네사 캐리, 『유전자는 네가 한 일을 알고 있다』, 이충호 역, (해나무·2015), 발췌 요약

인성 형성은 전 생애적인 과정을 통해 이루어진다[5]

인성교육은 인간이 도달해야 하는 인간다운 모습을 갖추도록 지속적으로 가르치고 지도하는 행위를 의미한다. 이런 의미에서 공자는 "교육은 오로지 사람됨의 교육이며, 이는 평생이 소요되는 생애적 과정"이라고 하였고, 아리스토텔레스는 "한 마리의 제비가 날아왔다고 봄이 오는 것은 아니다."라는 말을 통해 덕德을 기르는 데에는 오랜 시간과 노력이 필요하다는 점을 강조하였던 것이다.

한편 발달심리학적 관점에서 볼 때 유아, 아동, 청소년기가 인성발달을 위해 특히 중요한 시기이기는 하지만, 인성발달 과정은 전全 생애를 통해 지속된다는 점이 최근 연구결과를 통해 강조되고 있다. 지금까지 인성변화는 성인기成人期보다는 성인기 이전에 훨씬 유동적으로 변화된다는 점이 강조되어 왔다. (Roberts, Robins, Caspi, & Trzesniewski, 2003) 최근 연구에서는 인성발달이 성인기 내내 이루어진다는 점을 강조하고 있다. (Roberts & Wood, 2006)

성인기는 결혼, 일, 가족 등 새롭고 변화하는 역할과 헌신으로 도덕적 발전을 위한 로드맵을 제공하게 된다.

비록 유아, 아동, 청소년기가 인성발달을 위해 중대한 시기이고 한번 형성된 인성이 쉽게 변하지 않는다고 하더라도, 성인기에는 인성발달이 전혀 혹은 거의 일어나지 않는다는 주장이 설득력 없음은 뇌 과학적 근거에 의해서도 뒷받침된다. 또한 정신적인 습관 혹은 마음의 습관을 지

---

5 서울대학교 윤리교육과 교수 정창우, 『위즈덤교육포럼 2015 학술세미나』, p.40

속적으로 형성해 나간다(Chade-Meng Tan, 2012).

최근에 강조되고 있는 뇌 과학용어를 활용하자면, 뇌 가소성Neuro-Plasticity의 원리에 따라 인간의 뇌腦와 인성은 서서히 변화될 수 있는 것이다.

인성함양은 유아, 아동, 청소년기의 발달과업일 뿐만 아니라, 이 시기를 거친 성인들도 '지속적으로 인성을 형성하고 실현할 책임을 지닌 미완성未完成의 존재'로서 간주되어야 한다.

선천적 요인과 유전적 요인을 종합해 보면 다음과 같다.

첫째, 체질 심리학적인 관점에서 사람의 체질과 심리와 성격 등의 에너지는 임신 시에 1차로 세팅이 되고, 10달 동안 배 속에서는 진공상태 하에서 어머니의 생각, 시대적 환경, 먹고 마시는 것 등에 의해 영향을 받으며 성장하다가 출산 시에 2차로 세팅이 된다고 한다.

둘째, 기본적인 체질과 심리, 성장하면서 양육자와의 관계, 식습관과 운동습관 그리고 시대마다 변화되고 흐르는 에너지의 영향을 받게 된다. 부모로부터 물려받은 유전인자의 에너지는 배 속에 있을 때 어느 정도 긍정적인 영향을 줄 수 있으며, 후천적으로도 성장하면서 부모로부터 받은 영향을 얼마든지 긍정적으로 바꾸어갈 수 있다.

따라서 부모가 자녀들에게 무엇을 가르치고 물려주어야 할 것인지 자문자답 해봐야 할 것이다. 부모의 모든 행태가 자녀 인성에 크게 영향을 미치는 사실을 잊지 말고 바르게 살아가야 한다.

가정교육의 중요성 - 가화만사성(家和萬事成)

우리의 선조들은 "벼는 농부의 발자국 소리를 듣고 크며, 자녀의 인성은 부모의 등을 보고 자란다."라고 말했다. 인성교육에서 가정교육의 중요성을 강조하는 의미이다.

오늘날 한국사회에서는 가정의 소중함에 대한 의미가 퇴색되고 있다. 특히 IT문명이 발전함에 따라 가족 간의 접촉보다는 기계와의 접촉이 더 편하고 가까운 소통의 현상이 되었다. 가족 간 대화가 단절되다 보니 애착과 집착만이 남게 되어 참된 신뢰와 사랑의 덕목들이 점점 퇴색되어 가고 있다.

우리의 가정은 생활의 중심이고 역사의 교훈이며 삶의 성패를 좌우하는 결승점이다. 가정은 우리의 전全 인격이 자라야 할 터전이다. 위대한 인물을 기르는 온상이 되기도 하지만 악인을 기르는 온상이 되기도 한다. 그래서 가정은 성선善의 근본이요, 때로는 성악惡의 근원이 되는 것이다. 인생에 있어서 가정만큼 중요한 곳이 없다. 가정의 역할은 학교에서도 사회에서도 어디에서도 대신할 수 없는 고유의 교육도장이다.

학교에서의 인성교육은 가정의 교육력 회복을 그 해결의 원천으로 볼 때 성공할 수 있고, 그 방법은 바로 학부모 교육이다. 즉 부모가 취해야 할 자녀 인성교육의 원리와 의사소통 기능을 습득하고, 부모들도 참된 교양인으로 성장하여 가정에서 스스로 훌륭한 인격자가 됨으로써 자녀들에게 인격적 모델이 되도록 하는 것이다.

필자는 시골에서 자라면서 친구들과 연날리기, 구슬치기 등 각종 놀이를 하다 보면 해지는 줄도 몰랐다. 그때 어머니가 부르는 목소리는 필자에겐 사랑의 메아리로 울려온다. 어머니의 사랑이 현재 필자의 인성을 만들었다고 해도 과언이 아니다. 어머니에 대한 그리움과 사랑 그리고 효도 등 인성의 덕목은 인성교육의 기반을 이룬다. 필자는 지금도 30여 년 전에 돌아가신 어머니를 생각만 해도, 불러만 봐도 가슴이 따뜻해진다. "어머니, 사랑해요!"를 다시 외쳐본다.

마치 어머니가 자신이 품고 있는 아기에게 느끼는 그 마음으로 가정교육을 강화하자. 우리 사회가 어머니의 자궁과 같이 외롭고 고독하고 슬프게 살아가는 이들을 보듬어 주고 품어줄 수 있는 자비로운 사회가 된다면 인성교육의 최고의 장場이 될 것이다.

Ryan&Bohlin(1999)은 현대사회에서 운전면허나 낚시면허 등 수많은 자격제도가 도입되고 있으나 이 세상에서 가장 중요하고도 위험한 활동인 자녀양육에 대한 자격제도는 없다. 자녀를 임신하기 전에 '부모교육'은 유행하고 있으나 자녀를 낳고 난 후 양육에 대한 부모교육이 거의 없는 것은 아이러니한 일이며, 부모도 자녀교육 면허를 가져야 한다고 주장할 정도로 부모교육의 중요성을 주장한다.

가정은 가족구성원의 필요를 채우는 공간 이상의 의미가 있다. 가정은 신의 손에 의해 빚어진 신성한 공동체이다. 가정은 적어도 사람냄새가 나는 공동체, 이해관계를 넘어 혈육으로 맺어진 관계이며, 삶의 기본기를 익히는 곳이다.

한상규 동부산 폴리텍대학의 학장은 다음과 같이 말한다.

요즘 아이들은 선생님 말씀이라면 무조건 순종하던 옛날의 아이가 아니다. 오늘의 부모 역시 남의 집 아이를 울리고 돌아온 자기 자식에게 매를 대던 그 옛날의 부모와 다르다. 미국·일본·한국 3개국 학부모를 대상으로 실시한 한 설문조사 결과를 보면, 자녀가 어리면 어릴수록 자유롭게 키워야 한다는 응답자가 미국 8%, 일본 38%인데 비해 한국은 81%나 됐다. 학교에서도 기본적인 예의범절을 가르쳐야 한다는 응답자가 미국 14%, 일본 10%이지만 한국은 40%로 높게 나타났다.

미국·일본의 학부모들은 어린 자식의 엄격하고 기본적인 생활습관 지도를 가정에서 해야 할 일로 생각하는데, 한국 학부모는 그렇지 못하다. '오냐오냐'하면서 버릇없이 키워 학교에 보내놓고 선생님들에게 생활지도까지 부탁하고 있는 형편이다.

초기 로마인들의 교육은 가정이 중심 역할을 했다. 특히 아동교육은 어머니에게 전권이 주어졌다. '어머니 품 안의 교육'이라는 정신 속에 진정한 로마 가정의 긍지가 담겨 있다.

'맹모삼천孟母三遷'이란 맹자가 집이 묘지 가까운 곳에 있자 장례식 흉내를 내고, 시장이 가까이 있자 장사꾼의 흉내를 내기 때문에, 맹자의 어머니가 서당 옆으로 이사를 해서 맹자를 학문의 길로 인도했다는 이야기이다.

모든 자녀들은 부모의 손에 의해 길들여지고 다듬어지며 부모의 말과 행동을 그대로 본받으며 성장한다. 자녀는 부모의 분신과 동시에 인성교육의 롤모델이다. 현대 인성교육의 핵심의 장은 가정임을 명심하고 가정교육에 만전을 기해야 할 것이다.

〈 12 〉 아동학대와 가정폭력과의 상관관계 - 사악한 인성

인성교육을 위해서도 가정은 바로 서야 한다. 가정을 복원하는 일은 잠시도 미룰 수 없는 일이 되었다. 가정에서 따뜻함을 경험한 가족은 사회를 따뜻하게 바라보고 국가사회를 건설하는 데 기여하기 마련이다.

아동학대와 가정폭력, 성폭력, 소년범죄, 이혼 등의 문제는 먹이사슬처럼 연결되어 있다. 가정폭력이 있는 가정은 아동학대가 발생하거나 이혼으로 가정이 깨지는 경우가 많다.

어떠한 사람도 수단이나 목적이 될 수 없다. 바로 거기에 인간적 존엄성이 존재한다는 칸트의 말을 빌리지 않더라도 우리 사회의 근간根幹이 되는 아동학대와 가정폭력은 반드시 근절시켜야한다.

훈육은 부모가 바른 방법과 사랑으로 가르쳐야 효과가 있다. 부모의 감정이 투사되어 아이를 때리거나 아이에게 화를 내는 것은 아동학대이다.

보건복지부 집계에 따르면 2014년 한 해 아동학대로 인정된 피해사례는 1만 5,025건에 이른다. 이 중 14명이 목숨을 잃었으며 아동학대의 81.5%가 가정에서 일어나는 것으로 나타났다.

중앙아동보호전문기관의 2015년 아동학대 사례는 전년보다 16.8% 증가한 1만 1,709건으로 가해자 중 75.5%가 친부모인데 반해 계부모는 4.0%에 불과했다.

범죄 심리학자들의 분석에 따르면 아동학대 범죄를 저지른 사람들은 '붕괴한 가족의 피해자'인 경우가 태반이다.

그중에서 학교폭력과 가정폭력은 자라나는 청소년에게 심각한 영향을 미친다. 스웨덴의 심리학자 올베우스 교수의 연구결과 학교폭력 가해학생 69%가 성인이 되어 범죄를 저지르는 것으로 나타났고, 치안정책연구소의 조사에서도 교도소 수형자 중 청소년기 가정폭력을 경험했다고 응답한 비율이 51.2%로 절반 이상을 차지했다.

중앙아동보호전문기관에서 발표한 2014년 자료가 하나의 시사점을 던져준다. 아동학대의 동기는 개인특성(30.7%), 양육태도 및 훈육문제(28.6%)가 주요인이며 경제적 문제(16.8%)는 비중이 가장 낮다. 결국 인성문제가 아동학대와 직결됨을 알 수 있다.

최근에는 이런 가정교육의 중요성에 대해 간과하고 놓치는 부분이 많다. 최근 아이들을 스마트폰, TV 등 각종 영상매체의 가정폭력, 불화, 음주, 흡연 장면 등에 노출시키는 경우가 허다하여 아동폭력, 학교폭력, 가정폭력, 성폭력 등 4대 폭력에 오염汚染 또는 악영향을 주고 있다.

특히 성폭력은 최근 급증하고 있는데 가해자, 피해자 모두 인성이 파괴되는 극단의 행위이다. 더욱이 피해자는 인성의 싹은 물론 평생을 불행하게 만드는 잔인한 범죄행위이다.

페늘롱은 "우리의 정욕은 가장 잔학한 폭군이다. 한 번 정욕에 사로잡히면 우리는 숨을 쉴 기력조차 상실하고, 끊임없이 투쟁에만 전념

한다. 이러한 자아애야말로 우리 영혼의 뇌옥이다. 참된 자유는 이런 자아애에서 해방될 때에만 비로소 얻을 수 있다.'라고 말한다. 다시 말해 정욕을 잔혹한 폭군이라는 뜻은 그로 인해 저지르는 무분별한 투쟁에 있다. 이러한 현상을 통칭 자아애自我愛라 하고 있다.

최근 영상매체를 자주 접하는 아이들이 주도적인 놀이를 하지 못하고 잘못된 인성의 길로 빠져드는 사례가 급증하고 있다. 주도적인 학습과 놀이를 통해 인내, 창조, 문제해결 등의 능력들을 배워야 하는데, 영상매체는 일방향적 사고를 키우게 만들어 인성 함양과 학습능력을 방해한다.

영국은 정신적 학대도 처벌한다는 신데렐라법을 예고한 상태이며, 일본도 학대의심 아동까지 신고하도록 조치를 강화하고 있다.

일찍이 우리나라는 '어린이가 곧 하늘'童乃天이라는 사상을 방정환 선생이 주창하였다.

1923년 어린이 권리를 선언(1924년 아동권리에 관한 제네바 선언)하였다. 우리나라가 세계 최초 어린이 운동 발상지라는 사실을 살려 아동학대와 가정폭력을 예방하자. 검찰과 경찰 등 관계기관과의 협조는 물론 정부와 지역사회, 학교가 더욱 촘촘히 연계한 사회안전망의 매뉴얼을 만들어 철저하게 예측·예방 정책으로 근절시켜야 한다.

더불어 인성교육이 제대로 이루어지도록 가정, 학교, 관계당국이 삼위일체가 되어 활동해야 한다.

제13장

삼위일체 이심전심
'한국형 인성교육학' 창조
− 3가지 실천방안

1

수신과 성찰하기
- 삼위일체 인성교육 실천방안 ①

인간의 욕망 – 수신과 성찰로 관리하는 존재

현대인들은 바쁘다는 이유로 수신과 성찰의 생활을 제대로 하지 못하고 있다. 맹자는 "천시불여지리 지리불여인화天時不如地利 地利不如人和(천시는 지세地勢의 유리함만 못 하고, 지리는 사람들의 화합만 못하느니라.)"라고 했다. 무엇보다 중요한 것이 사람이고, 그 사람들이 곧 나 자신을 반추하는 거울이다. 즉 인간관계에서 수신과 성찰의 중요함을 깨닫게 하는 말이다.

인디언들은 말을 타고 달리다가도 문득 말을 세운 채 한동안 자기가 달려온 쪽을 바라본다고 한다. 그리고 이 행동을 반복한다고 한다. 그 이유는 자기가 너무 서두른 나머지 자기의 영혼이 미처 뒤쫓아 오지 못할까 봐 자기의 영혼이 쫓아올 때를 기다리는 일종의 의식행위란다. 이와 같은 행위는 우리에게 더 나은 삶을 위해 극한 속에서도 영혼을 가다

듣고 수신과 성찰하라는 교훈을 주는 것 같다.

　중국 고대 은나라를 창건했다고 전해지는 탕왕은 인자한 마음으로 선정善政했다. 탕왕이 매일 쓴 반기盤器(세면기 같은 것)에 "일일신우일신日日新又日新"이라는 글이 새겨져 있었다. 즉 날마다 잘못을 고치고 덕을 닦아 '날마다 새롭게 한다'는 뜻이다.

　한국고전번역원이 2016년 한자로 '성'省(살필 성) 자를 선정했다고 한다. 성은 성찰, 반성, 자성 등의 예에서 보듯이 '자세하게 살펴본다'는 뜻이다. 아울러 모든 국민이 더 나은 사회를 위해 스스로 수신하고 성찰해야 할 일이 무엇인지를 찾아서 지난 잘못을 되풀이하지 않고 더욱 바른 사람이 되자는 의미도 담고 있다.

　인간의 본능적 욕망을 크게 분류하면 '삼욕'三慾(식욕·성욕·물욕)으로 정리할 수 있다.[6] 이 중 물욕은 다시 재물욕, 권력욕, 명예욕, 지식욕, 향락욕, 창조욕 등 6가지로 분류된다. 그래서 인간의 욕망을 흔히 '8가지 욕망'이라고 말하며, 모두가 생명욕生命慾으로 귀결된다. 8가지 욕망은 살고자 하는 의지, 다시 말해 생명의 의지 안에 포함되는 것이라고 할 수 있다. 인간은 이와 같이 여러 가지 욕망의 덩어리인 것이다.

　그러나 뒤집어 말하면 인간의 욕망은 발전과 향상 그리고 진보의 원동력이 되기도 한다. 욕망이 없으면 발전도 없고, 향상도 없으며, 진보도 없다. 욕망의 불길이 꺼질 때 인간의 발전과 향상과 진보도 정지하게 된다.

　따라서 욕망의 관리Desire Management처럼 중요한 것도 없다. 욕망을 올

----

6 안병욱, 『인생론』, (철학과 현실사·1993), pp.174~178 발췌

바르게 관리한다면 발전하고 향상되며 진보할 수 있다. 그러나 그렇지 못했을 때에는 파멸의 길을 걷게 된다.

욕망을 관리하는 데 필요한 것이 있다. 마땅히 추구해야 할 욕망인지, 추구하지 말아야 할 욕망인지, 욕망을 추구한다면 그 방법은 무엇인지를 올바르게 판단하는 지혜와 슬기이다. 잘못된 욕망을 통제하거나 절제하려면 강인한 의지력이 필요하다.

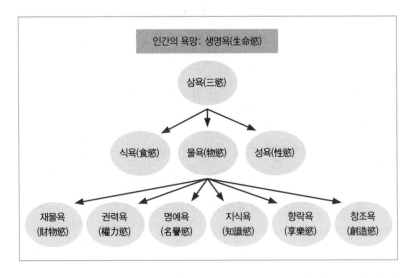

인간의 본능은 야욕이 아니라 야망으로 발전되도록 해야 하며 야망은 아름다운 인간발전의 원동력이다.

이렇듯 야망은 야욕과 달리 인류발전의 역동적力動的인 개념이다. 인류의 역사에서 그리고 인생에서, 욕망의 관리는 가장 어려운 문제이면서도 가장 중요한 사안으로 끊임없이 진화하기 때문에 이 시대에 맞는 수신과 성찰의 방법을 제시하고자 한다.

첫째, 중국 원元나라 때 장양호는 절제로 자신을 지켰다.

장양호는 학식과 인격을 몽골족 고관에게 인정받아 한족으로는 드물게 비교적 높은 지위까지 오를 수 있었다. 그렇다고 그는 몽골인에게 아부하거나 지위를 이용하여 어떠한 이익도 얻으려고 하지 않았으며, 한족의 자부심을 잃지 않고 끝까지 절의를 지켰다.

"재산이 많고 지위가 높다고 해서 함부로 행동하면 안 되며, 가난하고 천하다고 위축되거나 비굴하게 굴면 안 된다. 위협과 무력에도 굴하지 말아야 한다. 오로지 정도를 지키며 살아야 한다. 그리고 절의를 지키는 능력이 있기 때문에 값진 인생을 살 수 있다."라고 말했다.[7]

둘째, 양심의 소리를 들으며 '자기쇄신' 하라.

자기쇄신自己刷新은 끊임없는 자기발전과 나선형의 성장을 추진할 수 있는 힘을 부여하나 지름길은 없다. 자기쇄신을 위하여 고려해야 할 것은 바로 인간만이 가진 천부적인 능력인 '양심'이다. 따라서 자기쇄신은 양심의 인성을 토대로 나선형의 성장을 이루도록 학습하고, 결심하고, 실천하는 과정을 반복하면서 자아실현을 이루어야 한다.

스티븐 코빈은 자기쇄신에 대해서 다음과 같이 말한다.[8]

자기쇄신 과정은 네 가지 측면, 즉 신체적, 영적, 정신적, 사회적, 감정적 차원 모두가 반드시 균형적으로 쇄신되고 재충전되어야 한다.

각 차원의 쇄신이 개별적으로도 중요하지만 우리가 네 가지 차원 모두를 현명하고 또 균형된 방법으로 다루어야 비로소 가장 적합하고 효과적으로 될 수 있다. 따라서 우리가 어느 한 분야라도 무시한다면 이것은 나머지 분야에도 부정적인 영향을 미치게 된다.

---

7 모리야 히로시, 박화 역, 『중국 3천 년의 인간력』, (청년정신·2004), pp.65~87 발췌
8 스티븐 코비, 김경섭, 김원석 역, 『성공하는 사람들의 7가지 습관』, (김영사·1996), p.424

이와 같이 나선형의 자기쇄신은 개인뿐만 아니라 조직 내에서도 적용하도록 학습하고, 결심하고, 실천하는 과정을 자기 주도적으로 적극 추진하면 성과를 이루게 된다.

셋째, 금욕과 고독의 생활로 청렴을 잉태하라. 청렴의 근본이 바르게 서 있다면 어떠한 헛된 욕망이나 유혹에도 쉽사리 흔들리지 않는다. 뿌리 깊은 나무가 바람에 흔들리지 않는 것과 같은 이치다.

청렴을 잉태하기 위해서는 예로부터 신독愼獨의 생활을 귀감으로 여겼다. 즉 군자는 남에게 보이고 싶은 것을 홀로 있을 때에도 그대로 실천하는 사람을 일컫는다. 남이 보고 있지 않고 홀로 있을 때도 선하게 되려는 자세 이것이 바로 신독이고, 바로 이러한 신독이 곧 성의이다.[9]

일고일고一孤一高의 생활을 통해 고독과 외로움을 승화시켜 건강한 인간관계를 맺고 역량을 갖춰야 한다. 인간은 태어날 때도 혼자 태어나고 죽을 때도 혼자 가는 것이 숙명이다. 고독과 외로움을 수신과 성찰로 길들이면 혼자 있는 시간이 단단해져 신독이 되고, 신독은 인생의 선물이 되어 삶은 풍요로워지고 깊어진다.

살펴보자면, 인생을 살아가면서 수시로 몸과 마음에 낀 때를 씻어내고 끊임없이 정진하는 정신과 자세는 참으로 진솔眞率한 삶의 모습이다. 결국 인생은 스스로 운명의 수레바퀴를 열심히 돌리고, 갈고닦아서 가장 사람답게 행복하게 사는 삶이다. 수신과 성찰은 인간답고 행복하게 살도록 일일신우일신의 인생의 길과 방향을 제시하는 것이다.

---

9 주희, 『대학』 (해제), 박성규, 2004, 서울대학교 철학사상연구소

인간의 말, 말, 말 – 수신과 성찰의 통로다

인간의 말과 언어는 사회적·관계적 약속이다. 수신과 성찰을 통해 말과 언어로 인격을 평가하고 인간관계에 크게 영향을 미친다. 말과 언어에 있어 품위를 잃거나 예의와 경우에 어긋나면 인간관계에서 손해를 볼 뿐만 아니라 봉변을 당하거나 어려움을 겪는다. 더욱이 막말은 사회에 물의를 일으키고 국민인성에 악영향을 끼치고 있다. 공감과 감동을 주는 '말'은 인성교육을 효과적으로 만들지만, 상처를 주는 '말'은 인성교육에 악영향을 준다.

노벨생리의학상(1962년)을 받은 제임스 왓슨은 생활고에 시달리다 못해 2014년 노벨상 메달을 크리시티 경매에 내놓았다. 그 이유는 그가 2007년 영국 선데이타임스 인터뷰에서 "흑인의 지능은 백인보다 낮다."라는 인종차별적人種差別的 말을 했던 것이다. 그는 미국과 유럽사회에서 완전히 매장됐다.

우리는 살아가면서 늘 누군가를 만나고 살아가면서 삶이 원동력이 되는 말을 주고받을 때 행복감을 느낀다. 인간관계론의 대화법을 사용하면 더욱더 삶의 원동력을 주게 된다. 다시 말해 사람마다 눈과 귀는 각각 둘씩인데 오직 입은 하나이다. 이것은 많이 보고 많이 듣고 하되 말은 조금만 하라는 신의 섭리일 것이다. 그래서 남과 말을 할 때는 자신의 말은 1분 이내로 하고 상대방의 말은 2분 이상 들어주면서 3번 이상 맞장구를 쳐주라는 것이다. 올바른 언어생활은 대인관계를 성공적으로 이끌어 줄 수 있으므로 말의 중요성은 아무리 강조해도 지나치지 않다.

부주의한 말 한 마디가 평생 마음에 지울 수 없는 상처를 남기기 때문에 혀를 다스릴 줄 아는 사람이야말로 진정 지혜로운 사람이라고 할 수 있다.

논어에서는 "사불급설駟不及舌"이라고 했다. 네 마리 말馬이 끄는 마차도 혀의 빠른 속도에 미치지 못한다는 것이다. 게다가 말言이란 거둬들일 방도조차 없는 것이니, 조심하고 또 조심해야 한다. 불쑥 내뱉은 실언은 아무 데나 난사된 총알과 다를 것이 없다.

말의 힘에 관한 이야기가 담겨 있는 한 책에서 발췌한 내용을 보자.[10]

'말은 곧 운명'이라는 사실입니다. 우리가 아무렇지도 않게 내뱉은 말이 운명이 될 수 있습니다. 여러분이 늘 스스로에게 "나는 재수가 없어.", "나는 뭘 해도 안 돼."라고 하면 정말 그렇게 되고, "나는 반드시 잘될 거야.", "나는 성공할 수 있어."라고 하면 또 말처럼 그렇게 될 것입니다. 이것이 바로 말이 가진 무섭고 신비한 힘입니다.

지도자에게는 과묵과 경청의 미덕이 더욱더 절실하다. 사실 폭언이나 욕설의 일차적 피해자는 그러한 말을 함으로써 인성을 잃게 되는 발화자發話者 자신이다. 그러니 스스로를 위해서도 하지 말아야 한다. 폭언이나 욕설은 나의 심신뿐만 아니라 상대방의 마음에 상처를 주고, 유대감을 깨뜨려 조직의 단결과 사기 또한 해친다.

자신의 견해를 강력하게 피력하고자 할 때에도 크게 다를 것은 없다. 상대를 코너로 몰아가 백기를 들게 만드는 것보다는, 자신의 견해를 상대가 받아들이도록 배려하고 설득하는 훈련을 통해 체득화하여야

----

10 이원설 외 1인, 『아들아, 머뭇거리기에는 인생이 너무 짧다』, (한언·2003), p.73

한다.

세계의 위대한 인성의 지도자들은 아름다운 말, 겸손한 말을 많이 사용하는데 "미안해요.", "괜찮아요.", "좋아요.", "잘했어요.", "훌륭해요.", "고마워요.", "사랑해요."와 같은 7가지 말을 가장 많이 쓴다고 한다. 이 말들에는 분명 상대에 대한 배려와 존중의 인성이 그득하다.

세종대왕은 "눈높이를 맞춰야 잘 들린다.", 잭 웰치는 "쉽게 보여주고 솔직하게 대면하라.", 오프라 윈프리는 "마음으로 대화하라.", 마거릿 대처는 "공감능력이 사람을 부른다.", 칭기즈칸은 "내 귀가 나를 가르쳤다."라며 마음을 얻는 공감의 말을 강조한 바 있다.

살펴보자면, "지성이면 감천感天"이라 하지 않던가. 진실한 마음은 통하게 되어 있다. 모든 대화나 말에서 가장 중요한 것은 공감과 감동을 줄 수 있는 마음이다. 반면, 언어폭력은 인간관계 악화와 더불어 불안·우울증, 외상 후 스트레스장애 등 부작용을 가져와 인성을 악화시킨다. 최근의 각종 사건·사고 중 대부분은 언어폭력이 주요 원인으로 꼽히고 있다. 수신과 성찰에서의 진실한 말의 힘은 모든 사람들을 늘 한결같이 진심으로 대하는 것이고, 인간관계에서 매우 중요하다.

정체성을 찾아라 - 수신과 성찰의 속살

필자는 등산을 좋아하고 생활화하려고 노력한다. 등산은 흔히들 인생과 같다고 이야기한다. 등산로를 모르고 오르면 등산의 즐거움보다는 불안하고 고통이 심해 잘못하다간 길을 잃고 죽을 수도 있다. 인생도 자아정체성自我正體性을 모르고 살면 불안한 등산로가 되어 조난의 불행을 겪을 수 있는 데 반해, 자아정체성을 알게 되면 안전한 등산로가 되어 즐거운 등산으로 행복하다.

박범신 소설가의 등산에 관한 글을 자아정체성과 연관시켜 풀어보자.

산악인들이 고산에 오르는 방법은 자신의 정체성에 따른 취향에 따라 두 가지다. 첫 번째는 등정주의 등반으로 히말라야 같은 큰 산을 등반하기 위해 본거지를 설치하고 차례로 캠프를 세우면서 정상에 도달하는 방법으로, 가치의 중심은 등반 과정에 있는 것이 아니라 최종 목표의 높이 서열에 있다. 두 번째 방법은 등로주의 등반으로 가치의 중심은 최종 높이가 아니라 등반 과정에 있는 것이다.

등정주의 이데올로기로 무장하고 수단과 방법을 가릴 것 없이 오직 최고의 높이에 오르는 것만을 겨냥할 것인가, 아니면 내가 원하는 '봉우리'를 찾을 것인가의 선택은 자아정체성에 따라 좌우된다.

정체성은 그 다양성으로 인해 진정한 의미를 규정하기가 쉽지 않다. 정체성이라는 용어 앞에 성, 가족, 지역, 정당, 국가 등과 같이 접두어로 무엇을 쓰느냐에 따라 다양한 정체성이 만들어진다. 어떤 대상에 대한 인식, 문화적 특성에 대한 의미의 구성과정, 자아이해, 의미의 집합, 다른 개인·집단과 구별되는 방식 등으로 연구대상에 따라 다양한 시각으로 정의되고 있는 것이 정체성이다.[11]

정체성이란 개인이 사회관계 속에서 갖게 되는 대상에 대한 의미·의식의 집합集合이라고 할 수 있다. 한 개인이나 집단은 사회적 인간관계 속에서 여러 개의 정체성을 가질 수 있다.

또한 21세기는 한국인으로 당당하게 살면서도 세계인으로 자리 잡을 수 있는, 두 개의 정체성을 자연스럽게 보여줄 수 있는 복합Complexity세대를 만들어야 한다.

우리는 어떤 식으로든 수많은 집단에 속해 있다. 우리가 속한 특정집단이 우리에게 중요한지의 여부를 결정해야 할 수도 있다. 여기에는 서로 연관되어 있으면서도 상이한 두 가지 활동이 있다.

① 우리의 적절한 정체성이 무엇인지 결정하기와

② 서로 다른 정체성 가운데 어느 것이 더 중요한지 평가하기다.

이 두 가지에는 이성적 추론과 선택이 필요하다.[12]

정체성은 모든 사람의 인성발휘에 큰 영향을 주고 있기 때문에 자아정체성Ego Identity과 국가정체성National Identity의 확립은 매우 중요하다.

---

11 안성호 외 12인, 『지역사회 정체성과 사회자본』, (다운샘·2004), p.339
12 아마르티아 센, 『정체성과 폭력』, 이상환 외 1인 역, (바이북스·2009), p.65

(1) 자아정체성

한 개인의 자아정체성에는 자신의 삶의 이상과 목적, 즉 잘사는 삶과 가치 있는 삶에 대한 자신의 철학과 지향성이 들어 있다. 우리는 자신의 행동을 끊임없이 검토하고 또한 현재 자신이 어떤 사람인가 그리고 어떤 사람이 되고자 하는가에 관한 성찰을 통해 이러한 진정한 자기이해를 얻을 수 있다.

어릴 때부터 자신이 '어떻게 쓰일 사람인가?' 하는 궁금증은 바로 '나는 누구인가?'를 생각하는 자아정체성이라 할 수 있다. 따라서 자아정체성이란 자신에 대해서 통합된 관념을 가지고 있느냐에 대한 개념이다. 자아정체감이 형성되었다는 것은 자기의 성격, 취향, 가치관, 능력, 관심, 인간관, 세계관, 미래관 등에 대해 명료한 이해를 하고 있으며 그런 이해가 지속성과 통합성을 가지고 있는 상태를 말한다.

따라서 자아정체성의 명료한 이해는 자신만의 천성天性을 계발할 수 있게 해주며, 직업·대학·학과 등의 올바른 선택을 할 수 있는 인생의 방향을 제시해준다. 그러므로 하늘이 내린 정체성을 일찍이 찾아 최선을 다하는 사람은 이 세상에 꼭 필요한 사람이 될 수 있다. '천생아재天生我才(하늘이 나를 낳았으니) 의하여意何如(그 뜻은 무엇일까)'의 의미도 자아정체성에 대한 표현이라 볼 수 있다.

자아는 '나 자신'이며 '나의 의식'이다. 철학자 칸트는 경험적 자아 외에 도덕적으로 살려는 '본래적인 자기'가 있다고 했다. 이 '자기'가 중심을 잃고 흔들리는 것이 문제다. 현 시대의 핵심문제는 자아정체감(자신을 아는 것-인성)을 확립하는 일이다.

자아정체성의 결여는 역할의 혼란을 초래한다. 이 위기를 극복하지 못하면 준비되지 않은 상태에서 성인의 역할을 수행해야만 하는 불행을 겪게 되며, 인간으로서의 기본자질이 결여된 채 사회에 남겨지게 된다.

청소년들은 정체성에 대해 고민하면서 어른이 될 준비를 하는데 연구에 따르면 자아정체성기 큰 영향을 주는 전두엽 활성도가 13세 때 제일 강하다고 한다. 정체성에 제대로 확립되지 않으면 '나'를 바로 보거나 '나'를 깨닫는 것이 어렵다. 자신이 무엇을 좋아하고, 무엇을 하고 싶어 하는지, 또 무엇을 잘하는지를 자각한다는 것이 매우 중요하면서도 까다로운 문제이기 때문이다. 자신의 재능·적성을 모른 채 대학을 가고, 직업을 갖는다는 것은 자신을 미지未知의 세계로 버려지게 하는 형국이 아닌가.

자아정체성 확립이 중요한 이유는 일단 자기가 무엇을 좋아하고Like, 무엇을 하고 싶어 하는지Want, 또 무엇을 잘하는지Well를 안다는 것이 매우 중요한 문제이기 때문이다.

자신이 누구인지 아는 일이 자기계발의 기초이며, 이는 곧 행복을 잉태하게 한다. 정체성이 명확하게 서 있지 않은 사람은 바로 이때 힘겨워한다.

'내가 무엇을 위해 살아가는가?'라는 물음에 대해서 자신 나름대로의 답을 가지고 있는 사람은 가치관과 인생관, 나아가 정체성이 확립되어 있는 것이다.

인생에서 무엇보다도 중요한 것은 자신만의 장점, 강점, 전문성, 끼 등 천성을 뽑아낼 수 있는 자아정체성을 찾아 자신만이 가진 고유한 정체성을 브랜드화하는 것이며, 이것이 바로 인간다운 인간이 되어 바른 인성의 삶을 사는 길이라고 말할 수 있다.

(2) 국가정체성

국민 개개인이 갖는 자아정체성을 토대로 국가 또한 정체성을 정립하게 된다. 시인 바이런의 "국가를 세우는 데는 천 년의 세월도 부족하다. 그러나 그것을 허무는 것은 한순간이다."라는 시구詩句가 새삼스럽지 않게 느껴지는 부분이다.

국가정체성은 한 나라의 역사와 정치, 문화와 경제 등 지배적인 사회제도에 대하여 국민이 갖는 일체감—體感이다. 국가정체성은 국민적 합의에 의해 지속적인 합리화 과정을 거친다는 점에서 국민화합은 참으로 중요하다. 진정한 국가정체성을 확립하여 건강한 나라를 만드는 일에 온 국민이 나서야 한다.

국가가 추진하는 외교, 안보, 통일, 경제, 사회, 문화, 복지의 정책들은 장기적으로는 하나의 중심축을 기반으로 움직여야 힘을 발휘할 수 있으며 예측이 가능하다.

모든 조직체는 정체성의 문제에 직면하는데 국가도 예외는 아니다. 특히 정권에 있어 국가정체성 문제는 대통령, 바로 통치 문제로 직결된다. 국가정체성의 정점에는 최후의 책임자인 대통령이 존재하기 때문이다.

국가정체성의 의미를 규명하면 다음과 같다.

첫째, 국가정체성은 역사와 정치, 문화와 경제 등 한 나라의 지배적인 사회제도에 대해 국민이 갖는 일체감과 국가라는 집단에 속해 있다는 소속감을 말한다. 이는 국민적인 합의에 의해 지속적인 합리화 과정을 거친다.

둘째, 국가정체성은 일순간에 형성되는 것이 아니다. 아동기부터 국가의 상징이나 대표적 대상과의 동일시 과정을 통해 자아정체성을 키우는 과정, 즉 평생 동안 형성된다. 그렇기 때문에 아동기와 청소년기의 역사의식을 올바르게 형성할 수 있는 역사교육이 그 무엇보다 중요하다는 것이다.

셋째, 국가정체성은 애국심, 충성심, 내셔널리즘과 병용倂用되기도 하는데 국가정체성이 강한 사람은 개인보다 국가를 우선시하며 국가를 위해 개인적 희생을 감수하기 때문에 그러하다고 할 수 있다. 우리 역사 속 수많은 애국지사와 무명용사들처럼 말이다.

넷째, 국가안보가 무너지면 국가도 국민도 없어진다. 대한민국 국민이 식민사관을 갖거나 북한체제를 찬양하는 개인 또는 세력이 있다면 사악한 인성임은 물론, 이적행위의 인성이라 하겠다. 우리 국민은 대한민국 수호자로서, 자유민주주의 체제를 부정하는 어떤 세력도 용납하지 않겠다는 확고한 정신적 태세가 올바른 역사사랑, 나라사랑의 인성이라 하겠다.

결론적으로, 국가정체성은 개인뿐만 아니라 국가나 단체, 조직을 결속시키므로 국가성장의 기반이 될 수 있고, 국가안보와 역사보존에도 큰 영향을 끼친다. 올바른 역사의식과 국가정체성은 애국심으로 승화되어 국민인성의 요체가 된다는 것을 기억해야 한다. 애국은 조상들이 피와 땀과 눈물로 남겨주신 이 강산을 지키는 것이며 자기가 속해 있는 공동체를 지키려는 공동선의 마음가짐이다.

도덕성을 회복하라

(1) 수신과 성찰의 핵심요소

동서고금을 초월하여 도덕성에 대해 많은 관심을 기울이는 이유는 도덕성은 행동의 준칙으로 인간이 사회생활을 해나가는 데 공동체의 질서를 유지하고 개인과 조직은 물론 국가의 흥망성쇠興亡盛衰를 좌우하는 중요한 요소이기 때문이다. 가난해서 나라가 망하는 경우는 찾기 힘들어도 사회지도층의 부도덕성이 나라를 망하게 하는 경우는 허다하다. 따라서 공직자 등 사회지도층의 도덕성은 사회인성의 기반이 되는 최고의 덕목이라고 할 수 있다.

'도덕'이라는 용어는 항상 많이 사용되고 있지만, 진정한 도덕성이 무엇인가에 대하여 명확하게 말하기보다는 단지 추상적으로 도덕성을 강조하는 경향이 많다. 도덕적인 사람은 스스로 도덕적 원칙을 지키며 살아가고 다른 사람들로부터 도덕적이라는 평을 듣는 사람이다. 반면에 도덕주의적인 사람은 자신은 도덕적 원칙을 소홀히 하고 남에게 도덕을 강요하는 사람이다.[13]

역사적으로 인성의 교훈을 되짚어 보면, 대부분의 갈등과 혼란, 위기의 문제는 도덕성의 결여에서 야기되었다. 한국사회 전반에 산적한 문제들을 해결하려면 무엇보다도 먼저 지도자들의 도덕성 세우기가 선행되어야 한다.

----

13 로이 J. 레위키 외, 『최고의 협상』, 김성형 역, (스마트 비즈니스·2005), p.412

도道는 우리가 가야 할 옳은 길이요 덕德은 우리가 지켜야 할 올바른 행동원리로서, 도덕은 인생의 근본이요 국가사회를 이루는 근간이며 역사의 원동력이다.

믿음과 예의와 본분으로 통하는 길이 상식의 원천이며 도덕의 시발점인 것이다. 세상에는 운이 트여 탄탄대로를 걷는 행운도 있지만 가던 길을 잃고 미로를 걷는 불운도 많다. 잘나가던 길도 도리에 어긋나면 운명이 바뀐다. 도덕을 잃어버리면 '부도덕'이 되고 염치가 없으면 '몰염치'다. 인간사의 마지막 보루가 도덕이다.

병든 사회는 '도덕불감증道德不感症'에 시달린다. 고금을 통해 도가 무너진 국가치고 온전한 나라가 없었다. 도道가 떨어지면 멸망滅亡이 찾아온다. 가야 할 길이 막히면 방황과 탄식의 수렁에 빠진다. 도의가 통하지 않고 도덕이 실종된 풍토는 희망이 없다. 스승이 안 보이고 어른도 없다.

한국 전통윤리와 서구 합리주의의 조화를 통한 도덕성 실천

인간은 사회를 단위로 한 공동체의 존립근거가 되는 윤리를 지킴으로써 도덕성의 회복과 함께 그에 대한 실천을 이룰 수 있다. 그렇기 때문에 우리는 한국, 동양의 전통윤리와 더불어 서구의 합리주의를 조화롭게 실천하여 진정한 도덕성을 발현해야 하겠다. 지금 우리의 지도층에게 반드시 필요한 것도 이런 인성이다.

(2) 진정한 지도자의 인성과 도덕성

우리는 홍익인간 정신, 선비정신, 두레정신 등 한국 고유의 정신들과 준법정신, 정직성, 책임의식, 공정성 등 서구 합리주의의 정신들을 조화시켜 우리만의 도덕적 인성을 만들어내야 한다. 지도자가 도덕성을 몸소 실천하는 모습을 보인다면 구성원들은 이를 무의식적으로 체득하게 되며, 이는 곧 구성원들이 스스로 도덕성을 함양하게 되는 동기가 된다.

뿐만 아니라 리더의 청렴결백한 모습은 신뢰감을 갖게 한다. 도덕성을 실천하는 지도자의 모습은 국민들에게 일종의 행동표본이 되어 사회와 국가로 도덕성을 전파하는 시너지 효과를 낼 것이다.

도덕적으로 깨끗하고 투명한 지도자만이 강건한 조직을 이끌 수 있으며, 진정한 지도자의 자격을 가졌다고 말할 수 있다. 지도자는 청렴성을 통해 사회에 빛과 소금의 역할을 실천해야 한다. 지도자의 청렴성은 요즘처럼 어려운 세상에서 빛나는 자질이 아닐 수 없다.

많은 사람이 윤리나 도덕이 사람을 구속하는 것으로 잘못 알고 있다. 그리고 도덕적일수록 사회적으로 손해 보고 무기력한 존재가 된다고 잘못 믿고 있다. 이는 도덕성의 상실에서 오는 일종의 후유증이다.

사회규범으로서의 윤리와 도덕은 자나 저울과 같아서 행위의 준거가 된다. 만일 시장의 상인이 저울을 제멋대로 만들어 사용한다면 사고파는 사람 사이의 질서나 신뢰는 하루아침에 무너지고 말 것이다.

또한 윤리와 도덕은 교통법규와 같아서 그것을 무시無視하고 마구 건너고 달리다가는 자신은 물론 남도 불행하게 만들 것이다. 도덕이야말로 인간을 해방시키고 떳떳하게 만들 뿐만 아니라 가장 협동적인 일원으로 활동하게 한다.

애덤 스미스Adam Smith는 국부의 논리를 펴기 전에 경제학은 분명히 도덕철학의 일부라는 점에서 도덕성의 중요성을 강조했다. 그는 핵심사상을 다룬 책이 무엇이냐고 묻는 제자에게 『국부론』보다는 『도덕감정론』에서 보다 근본적인 문제를 다루었다고 말했다. 그는 "자유에 따르는 가장 큰 위험은 도덕적 의미를 망각하는 것으로 너무 늦기 전에 지금 이 시대를 사는 사람들을 일깨워야 한다."라고 강조했다. 도덕적 기반과 동떨어진 부富의 개념을 질타하고 부의 무절제한 추구는 반드시 부패로 연결되게 마련이며, 더 나아가 도덕적 양심까지 앗아간다고 강조했다. 핵심요소란 이타적利他的인 참된 감정에 기초한 도덕적 양심을 말한다. 그가 남긴 "최고의 머리에서 최고의 가슴으로The best head to the best heart"라는 금언이 함축하듯이, 그는 가치를 기반으로 한 비즈니스 모델의 출현을 예견했다.[14]

노자의 『도덕경』 10계경十戒經 제18장 「아몰장我沒章」에 "대도폐유大道廢宥"라는 말이 있다. 이는 크게 득도得道하게 되면, 이 세상에 있었던 모든 사악한 생각과 물질은 물론 번뇌와 고통마저도 모두 크게 폐하고 떨어져 나감을 의미한다.

도덕성이란 단순히 지켜야 할 규범 정도로 그치는 것이 아니라 옳고 잘못된 것에 대한 개인의 인간적 믿음체계를 말한다. 한 사람의 가치체계와 사상을 완전히 뒤바꿀 수 있는 것이 되어야 한다. 단순히 '착하게 사는 것'의 도덕적인 삶보다는, 도덕적 가치관이 사고체계 속에 뿌리 깊

---

14 조나단 B. 와이트 지음, 『애덤 스미스 구하기』, 안진환 역, ((주)생각의 나무·2003), pp.9~10, p.52, p.56에서 발췌

게 박혀 있어야만 그 사람의 진정한 삶이 드러날 수 있는 것이다.

지금 우리가 살고 있는 삶의 터전이 몹시 불안정하고 불안하다고 느끼는 것은 우리 스스로 도덕적으로 타락했기 때문이다. 인간이란 자신은 현명하기 때문에 올바른 길을 가고 있다고 생각하기 마련이다. 하지만 반성과 성찰을 통해 보면 평가는 다를 수 있다. 지도자는 자신을 겸허히 받아들이고 일일삼성—日三省하는 자세를 생활화하여 도덕적 리더십을 발휘할 수 있도록 수신해야 한다. 미국 독립선언서를 공동 작성한 건국의 아버지Foundering Father 벤저민 프랭클린은 "뭉치면 살고 흩어지면 죽는다."는 명언을 남겼다. 그는 도덕적으로 완전한 인격을 갖추기 위해 매일매일 수신과 성찰의 생활을 위해 최선을 다했다.

그의 자서전에 의하면 인생목표를 수립하여 정진하고 13가지 덕목(절제, 침묵, 질서, 결단, 절약, 근면, 진실, 정의, 중용, 청결, 평정, 순결, 겸손)을 실천키 위해 매일 점검, 확인하는 등 '도덕성의 완성'을 위해 정진했다.

살펴보건대, 도덕성은 단기간에 생기는 것이 아니므로 체계적인 인성교육을 통해 지속적으로 완성해나가야 한다. 지도자가 신화를 창조하고 성공하는 방식은 다양하지만, 실패하는 방식은 유사하다. 실패한 지도자들은 외부적인 요인보다는 내면적 결함, 다시 말해 도덕적 해이나 윤리적 실수 등 내적 요인으로 스스로의 권위를 상실하는 경우가 많다. 국가가 망하는 이유도 외부의 침입보다는 내부의 도덕성 붕괴가 기본적인 요인이다. 도덕성은 신뢰의 기초이며, 신뢰 없이는 어떤 상황에서도 지도력을 발휘할 수 없다.

일기를 쓰자 – 수신과 성찰의 일일결산

자신을 돌아보고 수신, 성찰하는 데 일기만큼 좋은 것이 없다. 생각
으로만 성찰하는 것엔 한계가 있지만 일상을 글로 쓰고 다시 곱씹어 보
며 성찰을 반복한다면 인성회복에 도움이 될 것이다.

일기를 쓰면서 반성과 성찰을 통해 자신에게 밀려오는 모든 일들을
차분히 바라보는 자세가 필요하다. 자신의 고정관념固定觀念을 허물고
반성과 성찰을 통하여 삶을 직시하는 자세야말로 진정한 인성함양의
길이다.

일기는 항상 마음을 또렷이 깨어 있게 하여 산만하지 않게 한다. 따
라서 몸과 마음을 다스리는 데 가장 엄숙하고 효용적인 방법이다. 일기
는 마음을 가지런히 하여 단 하나의 잡념도 허용치 않는 특성을 가지고
있다. 일기는 수신과 성찰 가운데 가장 핵심적이라 할 수 있는 수련방법
이다. 일기는 마음을 수렴하는 거경居敬[15] 공부 그리고 독서를 바탕으로
만물이 지닌 이치를 추구하고 창조하는 공부를 자연스레 유도한다.

누구나 하루의 일기를 진지하게 작성하면 자신도 모르게 수신과 성
찰을 하게 되어 인성이 바르게 자란다.

현대 사회인들은 인성회복을 위한 일기 쓰는 방법을 잘 모르고 있다.
어릴 때부터 경험한 일을 객관적으로 쓴 후 느낀 점을 쓰는 것이 일기라
배워왔고, 그 누구 하나 인성회복을 위한 일기 쓰는 방법을 알려주지 않
았기 때문이다. 물론 객관적인 경험과 느낀 점을 쓰면서 수신할 수 있겠

---

15 주자에 의하면 경(敬)이란 "단지 몸과 마음을 수렴하고 가지런히 하고 한결같이 하여
　방종하지 않는 것이다." 즉, 삼가고 조심하는 태도를 가짐.

오전	
2~4시	기상(여름), 공부
4~6시	기상(겨울철), 새벽 문안, 공부
6~8시	자제에게 글을 가르침, 독서와 사색
8~10시	마음을 가다듬고 고요히 살핌
10~12시	손님접대, 독서
오후	
12~2시	일꾼들을 살핌, 친지에게 편지, 경전과 역사의 독서
2~4시	독서나 사색, 여가를 즐기거나 실용기술을 익힘
4~6시	식사, 여유 있는 독서, 묵상
밤	
6~8시	가족과 일꾼의 일을 점검함, 자제교육
8~10시	일기 · 장부 정리, 자제 교육, 묵상
10시	수면

지만 더 효과적으로 일기를 쓰는 방법이란 일일결산—日決算하는 마음으로 쓰는 것이라 할 수 있다.

오늘 자신이 성공하거나 완수했던 일뿐만 아니라 다른 이를 칭찬했던 일, 실패한 일을 쓰며 그로 인해 나를 다시금 되돌아보는 것이다. 만약 다른 이에게 화를 냈다면 상대방의 기분이 어땠을까 고민해보고, 다음에는 다른 방법으로 의사전달을 해야겠다고 생각정리를 하는 것이다. 또 누군가에게 꾸중을 들었다면 다음에는 다른 방법을 이용해 행동함으로써 꾸중을 피할 수 있는 것이다. 이렇게 일기를 씀으로써 나와 주변을 정리하고 보다 성숙한 인성을 만들어 갈 수 있다.

『일용지결日用指訣』은 성인聖人을 지향하는 선비가 따라야 할 일상의 지침을 제시한 일종의 '생활계획표'다. 필사본으로 전해오는 이 책은 19

세기 후반 윤최식尹最植이란 퇴계학파의 학자가 당대 선비들의 생활습관을 정리한 것이다.[16]

『일용지결』을 보면 음풍농월의 여유는 선비들의 일면일 뿐이었다. 그들은 집 안팎의 번다한 일들과 씨름하는 한편 부모봉양과 자녀교육 및 가정의 재정 등을 돌보아야 하는 생활인이었다.

우리 현대 사회인들보다도 더 바쁘게 살았던 사람이 바로 우리의 선조, 조선의 선비들이었다. 약 4시간의 수면을 청하고 새벽 2시경 하루를 시작한다. 하지만 이렇게 바쁜 와중에도 일기를 쓰고 자제子弟교육을 행하였다. 자제들에게 옳고 그름에 대해 알려주기 위해선 자신의 행동을 먼저 돌아보고 성찰함이 필요했다. 그래서 일기를 쓰고 묵상을 행하며 사색思索하는 시간들이 존재했던 것이다.

부모가 솔선수범하여 일기를 쓰고, 우리의 아이들을 일기 쓰는 삶으로 이끌 필요가 있다. 일기에 들어가야 할 요소들을 정확히 알려주고 성공사례는 물론 실패사례도 포함시켜 거울로 삼는 일기를 쓰도록 이끌어보자. 실패에서 배운 점들 위주로 일기를 쓰도록 한다면 아이는 어릴 때부터 수신과 성찰을 생활화할 수 있는 것이다.

또한 어른들이 먼저 나서서 일기를 쓰는 모습을 보여준다면 아이들도 자연스럽게 따라올 것이다. 가정의 구성원 각자는 일기를 쓰고, 가훈을 거실에 걸어놓으면 자연스러운 인성교육이 된다. 이것이 가정문화이고, 가풍家風으로 가문의 역사가 된다.

---

16 https://search.naver.com

현장체험과 기부·봉사의 중요성

현장체험 및 봉사활동을 체득화하여 바른 인성을 가꾸는 일은 등은 고결한 사랑이 인간의 내면에 뿌리내릴 때 생겨나는 숭고한 이타주의利他主義 인성이다.

고행을 즐기는 보보[17]들은 상당한 정도의 고통과 고행을 수반하는 휴가를 간다. 이를테면 꼼짝없이 빙벽을 등반해야 하거나, 알렉산더 대왕의 군인들도 목숨의 위협을 받으면서 지나간 그런 길을 따라 메마른 사막을 횡단하는 그런 휴가이다. 혹은 어딘가 벌레가 우글대는 열대 우림에 들어앉아 환경을 생각해볼 수도 있다.

이전의 세대들에게 '자연주의Naturalism'는 야망과 사회적 승진의 포기를 의미했다. 하지만 보보들은 자연주의를 야망과 결합시킨다.[18]

현장체험이라는 것은 내 마음의 등불을 켜는 노력이다. "백문불여일견百聞不如一見"이란 말이 있듯이 그만큼 체험은 귀중하고 살아 있는 학습이 되는 한편 솔선수범의 의미도 포함된다.

양로원을 찾아가 노인들을 목욕 시켜드리거나 공중화장실 청소와 같은 것도 좋은 체험이 될 것이다.

만약 현장체험에 부담을 느낀다면 굳이 멀리 갈 필요 없이 내 집 또

----

17 한쪽 발은 창의성의 보헤미안 세상에 있고 다른 쪽 발은 야망과 세속적 성공의 부르주아 영토에 있다. 이들 새로운 정보시대의 엘리트 계급은 '부르주아 보헤미안'이다. 혹은 양쪽 단어의 첫 두 글자를 따서 말하자면 그들은 보보(Bobo)들이다.
18 데이비드 브룩스 지음, 『보보스』, 형선호 역, (동방미디어·2001), pp. 230~232에서 발췌.

는 자기 회사 화장실 청소부터 시작해보자. 진정한 이타적 인성을 체험하려면 삶의 제일 밑바닥부터 돌아보아야 한다. 농촌 봉사활동, 배낭여행, 등산, 마라톤 등도 극기와 인내심을 키워준다. 그래야 자신의 경험이 타인과 공감대를 이루고 조직원의 마음에 와 닿아 이심전심 조직체가 될 수 있다.

카네기[19]는 "부유한 채 베풂 없이 죽는 것은 치욕이다.", "돈은 잘 버는 것도 중요하지만 잘 쓰는 것이 더욱 중요하다.", "진정으로 성공한 부자는 자신의 부를 기꺼이 사회를 위해 옳게 쓰는 사람"이라고 하며 진정한 나눔이 무엇인가를 몸소 실천하였으며 유대인들도 나눔(수입의 10%)을 의무인 동시에 정의로 생각하고 실천한다.

아시아 최고 부자인 리자청 홍콩 창장그룹 회장은 "진정한 부귀는 자기가 벌어들인 금전을 사회를 위해 사용하려는 참된 '속마음'에 있다."라고 말하며 기부를 강조했다.

이와 같은 이타주의의 나눔의 철학을 우리는 배워야 한다. 우리나라에서 소득 상위 1%가 전체소득에서 차지하는 비율은 16.6%이며, 이는 OECD(경제협력개발기구) 주요 19개국 평균인 9.7%보다 훨씬 높다. 우리나라도 기부문화를 획기적으로 발전시켜 정착시켜야 한다.

기부가 활성화되어야 하는 이유는 인간은 혼자 살아갈 수 없고, 우리가 누리는 모든 것 중 오롯이 자신의 힘으로만 이룬 것은 거의 없고 더불어 상생하며 살았기 때문이다. 국민들의 복지욕구를 충족토록 기부문화 활성화에 우리 모두가 앞장서야 할 때이다.

----

19 카네기 지음, 『성공한 CEO에서 위대한 인간으로』, 박상은 역, (경영서적·2005), p.115

〈 13 〉 미얀마에서 배우는 기부문화 - 세계 제1위 나눔국가

우리의 기부, 봉사, 나눔으로 밝혀지는 따뜻한 불빛은 추위와 어려움으로 힘들어하는 이들에게는 큰 희망이 될 것이다. "십반일시환성일반+飯一匙還成一飯"이라는 중국의 고사성어가 있다. 즉 열 그릇의 밥에서 한 숟가락씩만 덜면 한 그릇의 밥이 된다는 뜻이다.

우리나라는 경제규모가 세계 11위인데도 불구하고, 한국의 기업과 개인의 기부는 경제적 약소국에 비하여도 소극적이다.

영국의 '채리티 에이드 파운데이션Charity Aide Foundation'은 2010년부터 세계 145개국의 기부형태를 비교해 발표한바 한국은 2011년 57위, 2012년 45위, 2014년 60위, 올해는 64위이다.

우리나라보다 상위에 있는 국가를 보면 1위 미얀마, 2위 미국, 3위 뉴질랜드, 8위 스리랑카, 38위 이라크, 54위 시에라리온 등이다.

기부 1위 국가 미얀마(최근 5년간 1위)의 기부문화는 나눔이라는 소중한 활동을 통해 효율적이고 감동적으로 다가온다.

우리가 저개발국가로 취급하는 나라가 우리보다 서로에 대한 배려가 더 높은 것이다. 국민 1인당 GDP가 우리나라의 20분의 1도 채 안 되는 미얀마가 1등 나눔국가가 된 데 반해 한국은 64위를 차지했다.

최근 우리나라도 기부문화가 점차 활성화되어 가고 있어 다행이다. 정부는 헌법과 사회복지공동모금회법 등을 통해 기부문화를 법적으로 만들어나가는 중이며, 기부에 참여한 사람은 '소득세

법', '법인세법' 등에 따라 세금을 적게 내는 혜택을 주기도 한다.

"모든 국민은 인간다운 생활을 할 권리를 가진다."라는 헌법 내용처럼 이웃에 대한 관심과 배려로 나눔을 추구追求하는 행복한 대한민국을 만들어나갈 필요가 있다.

또한 페이스북 창업자 마크 저커버그 부부가 총 52조 원을 기부한다고 했고, 마이크로소프트의 빌 게이츠는 20년간 약 350억 달러를 기부하여 그 규모에 세계인들이 놀랐다.

제2차 세계대전을 승리로 이끈 영국 전 총리 윈스턴 처칠은 "우리는 일함으로 생계를 유지하지만 나눔으로 인생을 만들어 간다."라는 명언을 남겼다. 즉, 모든 것이 사라지지만 타인들에게 주는 나눔과 기부야말로 인간이 유일하게 남기고 갈 수 있는 아름다운 인성의 흔적인 것이다.

기부는 정서적 안정감, 즉 행복감과 즐거움에 긍정적인 영향을 미친다. 기부를 함으로써 우리의 뇌는 기분이 좋아지게 된다. 남을 도와주는 올바른 행동을 했다는 생각 덕분에 자신이 괜찮은 사람이라는 긍정적인 느낌을 갖기 때문에 도덕적인 만족감은 물론 자존감도 높아지게 된다. 이와 같은 현상을 '마더 테레사 성녀 효과'로 부른다.

이렇게 기부란 남을 위한 것만이 아니라 나를 위한 것이기도 하다. 기부한 돈 이상의 무한한 가치가 있는 것이다. 그러니 돈 많은 사람들이나 기부하는 거라고 생각해서는 안 된다. 각자에게 맞는 안분에 따라 나누며 베풀고 헌신하는 최고의 인간적인 보람을 느껴보자.

2

학습(배움·공부)하기
- 삼위일체 인성교육 실천방안 ②

제대로 공부하라 – 자기주도의 공부와 실천

(1) 학습(공부·배움)의 의미

공부는 '배움'과 '익힘'을 모두 아우르는 개념이다. 자신의 경험과 '앎'을 위한 진정한 성찰의 과정을 통해 비로소 '익힘'이 완성되고, 실천으로 이어질 때 제대로 된 공부가 된다. 제대로 된 공부란 자신의 인성에 따라 선택하여 좋아하고, 즐기는 분야에서 새로운 가치를 익히고, 창조인성의 능력을 키우는 것이다. 이 세상에 빛과 소금의 역할을 할 수 있는 이타주의 철학과 무아경지無我境地에 몰입할 수 있는 열정과 흥으로 자기주도로 공부하고 실천할 때 진정 행복하고 삶의 가치를 느끼는 것이다.

'학습=공부=배움'은 같은 의미로 사용한다. 이 책에서는 이해하기 쉽도록 3가지 용어를 모두 사용한다.

첫째, 배움이란 용어는 순수한 우리말로서 사전적 의미는 배워서 아는 지식이나 교양을 말한다.

둘째, 공부工夫의 어원을 보면,

고대의 기술자가 필요로 하던 공工이라는 도구의 상형에서 파생되었는데, 이는 즉 '장인, 솜씨, 기능, 일, 만들다'라는 의미이다. 지아비 부夫는 사람 머리에 비녀를 꽂은 상형인데, 성인이 되었으니 짝을 구하여 사람구실을 하라는 말이다. 그렇다면 공부는 사람구실을 하기 위한 준비를 말한다. 결국 공부란 세상에서 스스로 자신답게 존재할 수 있는 궁리이며 수행이며 실천이다.

셋째, 학습學習의 어원을 살펴보면,[20]

동양에서 배울 '학學' 자는 배우는 것을 의미하는데, 이 문자는 문턱에 선 아이를 표시하는 상징 위에 지식을 쌓는 것을 의미하는 상징이 결합된 것이다. 익힐 '습習' 자는 '계속 연습하고 있는' 모습을 나타내기 위해 둥지를 떠나기 위해 날갯짓하는 어린 새를 그리고 있다. 즉, 학습은 지속적으로 '배우고' 계속 '익히다'라는 의미가 합쳐져 '자기완성에 통달'하는 것을 뜻한다.

학습의 어원에서 보듯이 사람, 동물 등 이 세상에 살아 있는 만물은 살기 위해서 학습을 한다. 인간이 살아가는 자체가 학습의 연속적인 익힘과 실천의 과정이기 때문에 학습이 삶 자체이다. 그래서 선진국에서는 노후까지 평생학습을 통해 행복한 인생을 살아간다.

----

20 피터 센게 외 66명, 『학습조직의 5가지 수련』, 박광량 외 1인 역, (21세기북스·1996), p.5

(2) 학습(공부·배움)의 중요성

공부는 평생 깨닫고 진리를 얻음으로써 이루어지는 삶의 과정이다. 그러나 우리나라 대부분의 사람들은 유독 학교를 다니면서 공부하는 것에 하도 데어서 공부라는 말만 나오면 공연히 심기가 불편해진다. 그래서 자의 반 타의 반 공부하다가 학교를 졸업하게 되면 비로소 '그놈의 공부로부터 해방되는 것'이라고 잘못 생각한다. 그러면서 책으로부터 멀어지고 인성은 점점 훼손되어 간다.

다시 말해, 대부분의 학생들은 자기주도 학습이 아니라 타인주도의 양성교육으로 인해 공부(학습)에 대한 거부반응, 피해의식 등 부작용이 발생해 이내 공부를 재미없는 것으로 인식한다. 더 나아가 공부는 힘든 것, 괴로운 것, 하기 싫은 것, 안 해도 되는 것 등 온갖 부정적인 인식이 뿌리 깊게 내려버려서, 평생학습을 외면하게 되어 개인은 물론 국가경쟁력도 저하되고 선진국으로 가는 가장 큰 걸림돌이 되고 있다.

공부는 개인이 자존감을 잃어갈 때 결정적으로 나를 지켜주는 것이다. 또한, 국가사회적으로는 나라를 살찌우고 국가발전을 도모하는 것이다. 더 나아가서는 공부는 인류 보편의 테마이자 인류 문명의 발전을 가능하게 한 근원이다.

『명심보감明心寶鑑』「근학」편[21]에서도 아래와 같이 학습의 중요성이 강조된다.

집이 가난해도 가난 때문에 배움을 포기해선 안 된다. 家若貧 不可因 貧而廢學

----

21 이기석 편저, 『명심보감』, (홍신문화사·1986), p.123

집이 부유해도 부유함을 믿고 배움을 게을리해선 안 된다. 家若富 不可恃富而怠學

가난한 사람이 부지런히 공부하면 입신할 수 있을 것이다. 貧若勤學 可以立身

부유한 사람이 부지런히 공부하면 이름이 더욱 빛날 것이다. 富若勤學 名乃光榮

배우는 사람이 입신출세하는 건 보았지만 惟見學者顯達

배우는 사람 치고 성취하지 못하는 건 보지 못했다. 不見學者無成

배움은 몸의 보배이고 배운 사람은 세상의 보배이다. 學者 乃身之寶 學者 乃世之珍

그러므로 배우는 사람은 군자가 되고 是故 學則乃爲君子

배우지 않는 사람은 소인이 된다. 不學則爲小人

뒷날 배우는 사람들이여, 모름지기 배움에 힘쓸 일이다. 後之學者 宜各勉之

명심보감에서 학습이란 공짜가 없음을 깨달아 부지런히 복덕과 지혜를 닦고 실천하는 것이라고 강조한다. 최근 공부를 많이 하여 과열현상을 보이는 사회인데도 불구하고 대부분 행복을 느끼지 못하고 있다. 이러한 현상은 공부방법에 문제가 있다는 것이 자명한 현상이다. 공부란 단순히 지식을 쌓는 앎이 아니라, 인간다운 인간으로서 인성을 발달시켜 삶과 행복을 실천하고 영위하는 데 그 목적이 있는 것이다.

그러나 안타깝게도 공부의 목적이 자신의 출세지향과 권력지향주의 물질의 풍요를 얻기 위한 도구로 전락한 실정이다. 진실로 학문을 익히고 체득하여 먼저 사람이 되는 인성교육은 뒷전으로 하고, 입시 위주 암

기식 교육의 타성에 젖다 보니 참된 의미의 공부와 인성교육은 실종된
지 이미 오래다. 그로 인하여 정규교육은 등한시하고 누가 어디서 얼마
의 돈을 지불하고 과외공부를 했느냐가 잣대가 되고 있다. 참으로 슬픈
이 나라 교육의 자화상自畵像이라 할 수 있다.

　내가 하는 공부가 재미없는 경우라면 자아정체성과 내가 원하는 목표
가 무엇인지 반드시 찾아보기 바란다. 자아정체성을 찾고 목표를 설정하
는 과정에서 공부의 필요성을 깨닫게 된다. 예일대학교 학생들도 인생목
표와 계획(7부 14장 참조)을 세워 공부하고 실천한다.

　학습은 스스로 하는 것이 당연한 것인데 요즘처럼 '자기주도 학습'의
중요성을 강조하던 때가 있었을까? 자기 힘으로 학습하지 못하고 학원
선생이나 부모가 떠먹이듯 가르쳐준 지식으로는 진학도 쉽지 않을 뿐
만 아니라 대학교를 졸업해도 진로가 어렵다. 학습이란 지적 호기심을
스스로 채워나가는 것으로 학습자로 하여금 스스로 호기심을 채우고
행복한 학교생활을 할 수 있도록 도와주는 것이 제일 중요하다.

　'정여울'은 『공부할 권리』에서 다음과 같이 말한다.[22]

　　"공부는 학생들이 누릴 수 있는 권리인데, 취업과 학점 때문에 의
　　무로만 인식되는 것 같다. 대학 시절에만 누릴 수 있는 시간적 여유
　　나 특권이 갈수록 사라지는 것 같아서 안타깝기도 하다. '다들 토익
　　공부를 하는데 나만 인문학 책을 보는 건 아닐까' 하는 불안감과 소
　　외감이 분명 클 것이다. 하지만 감성을 키울 수 있는 건 청춘 시절뿐

----

22 정여울, 『공부할 권리』, (민음사·2016), p.251

이며 그 시기는 되돌아오지 않는다. 독서는 감상을 키울 수 있는, 가장 손쉬운 방법이기에 권하는 것이다."

요컨대, 인간이 인간일 수 있는 것은 생각하고 고뇌하면서 끊임없이 발전된 공부를 한다는 점과 더 나아가 기록문화를 가졌다는 것이다. 이 말은 곧 공부를 통해 끊임없이 발전해 나간다는 것이다. 말하자면 사람의 유일하게 체계적으로 공부하여 다음 세대에 전달할 줄 아는 사람의 공부능력 때문이라고 하겠다.

공부를 열심히 하면 뇌에 대한 정신적 자극으로 학습능력이 높아지고 더불어 기억력 감퇴·치매 등을 예방한다는 연구결과가 나왔다.

미국 캘리포니아 주립대학교 룰루 첸·크리스틴 골 연구팀은 미 국립과학원 회보 최근호에 발표한 논문에서 "매일 이뤄지는 공부에 의해 신경수용체의 활동이 더 활발해진다."라는 연구결과를 발표했다. 이 신경수용체들은 뇌 기능을 최적의 수준에서 유지하도록 돕는다.

정리하자면, 학습(공부·배움)은 기본적인 삶의 과정이며 더 나아가서는 인간다운 인간이 되는 행복한 삶의 과정이다. 자아정체성을 살려 그 길을 따라 학습하면 Like, Want, Well, Enjoy, Love 등의 자기주도 학습과 실천으로 행복한 인생이 보장되는 것이다. 형식적인 학습과 학벌은 필요가 없다. 주도적인 인성으로 삶을 살아가는 것이 중요하듯이, 공부도 반드시 주도적인 학습으로 스스로 배우고 실천해야 한다.

(3) 공부(학습·배움)는 인성발달의 기반이다.

현대는 말 그대로 지식정보사회다. 필요한 지식의 유효성이 짧아진다고 하는 것은 끊임없이 다시 배울 필요가 있다는 것을 의미한다. 고 피터 드러커 박사의 키워드 중 하나인 '재학습Re-Learn'과 낡은 지식을 버린다는 의미의 '탈학습Un-Learn'이 더욱 중요한 의미를 갖는다.

학습에 있어서도 이미 쓸모없게 된 것은 과감하게 버리고 새롭고 좋은 것을 배워야 경쟁력이 생긴다. 이를 뒷받침하듯이 시진핑 국가주석 등 중국 최고지도자들이 스터디 그룹을 만들어 치국공부治國工夫에 몰두하며 지도자 역량을 강화하고 있다.

괴테는 "유능한 사람은 언제나 배우는 사람이다."라고 말했다. 괴테 같은 천재도 선천적으로 태어나지 않는다. 그가 "천재는 노력이다."라고 말했듯이 부단히 공부하는 사람이 유능한 사람이라는 것이다.

가정에서 평소 음주가무·오락 등을 자제하고 학습·독서 분위기를 조성하면 공부 분위기가 자연적으로 생겨, 자녀로 하여금 인성교육이 자연스럽게 이루어진다. 이에 따라 부모를 존경하는 등 좋은 이미지의 가풍 형성으로서의 인성교육이 효과적으로 시행된다.

인성교육은 스스로 주도하여 깨우치고 스스로 실천하지 않는 한 목표에 도달할 수가 없다. 인성교육 역시 나날이 새로워져야 하고, 나날이 새로워지기 위해서는 스스로 계획하고 수행하는 실천의 힘이 필요하다.

국어 인성교육에서는 다음과 같이 배움과 인성의 의미를 이야기한다.[23]

---

23 정기철, 『국어와 인성교육』, (역락·2001), p.46

배움과 심성心性을 동일한 뜻의 단어로 사용하고 있다. 즉 공부한다는 것은 인성을 발달시키고 그것을 생활 속에 적용하고 향상시키는 데 있다는 것을 의미한다.

따라서 배움의 원리와 심성을 발달시키는 원리는 같을 수밖에 없다. 인성의 발달 역시 자득自得의 원리를 바탕으로 한다. 배움과 배움을 통해 얻는 인성발달은 다른 사람에 의한 것이 아니라 스스로 깨닫고 진리를 얻음으로써 이루어질 수 있다.

인성교육에 맞추어 자신만의 고유한 길을 가는 공부를 하면 공부로 인한 문제요인은 사실상 없다. 그러나 부모의 과욕으로 무조건 판사, 교수, 의사, 공무원이 되는 학습을 강요하기도 하고, 또한 본인의 잘못으로 인해 자아정체성에 맞는 학습을 하지 않기 때문에 공부 소리만 들어도 싫은 것이 사실상 교육의 심각한 문제이다.

공자는 논어의 「학문」편에서 "삼인행 필유아사언三人行 必有我師焉, 택기선자이종지擇其善者而從之하고 기불선자이개지其不善者而改之."라고 말했다. 세 사람이 함께 길을 가면 그 가운데 반드시 나의 스승이 있게 마련이니 좋은 점은 골라서 이를 따르고, 좋지 못한 점은 찾아 스스로 고쳐야 한다는 의미이다.

공부를 통해서 '인간을 바꾼다'는 것은 학습 그 자체가 인성을 발달시키는 것이 아니면 안 된다는 것을 의미한다. 인성을 발달시킨다는 것은 인간다운 인간을 육성한다는 것을 말한다.

인간은 기본적으로 배움의 본능을 갖고 있지만 학습을 하지 않으면 인간이 아니라 짐승 같은 인간이 될 수밖에 없다.

발명왕 토마스 에디슨은 자신의 성공에 대해 "천재란 1%의 영감과 99%의 노력으로 이루어진다."라고 말하며 후천적인 노력을 강조하고 있다.

자기가 가지고 있는 재능만을 확신한 나머지 낮잠을 자는 교만한 행동을 한 토끼가, 천부적인 자질은 뒤떨어지지만 꾸준한 노력으로 경주한 거북이에게 결국은 보기 좋게 지고 만 이야기를 생각해볼 때, 재능은 타고나는 것이라기보다는 오히려 꾸준한 노력에 의해서 형성되고 배양된다는 사실을 알 수 있다.

인간이 무엇인가를 공부한다는 것은 여러 가지 의미를 가지고 있다. 지속적 공부를 통해 자기 내면의 품성, 인성을 새로운 모습으로 끊임없이 변화시키는 노력의 연속이다.

공자는 『논어』 제2편인 「학문」편 제1번 첫머리에서[24]

- 배우고 때때로 익히니(실천하다: 서구에서는 실천으로 번역) 또한 기쁘지 아니한가.

  (學而時習之 不亦說乎: 학이시습지 불역열호)

- 오랜 벗이 먼 곳으로부터 나를 찾아오니 또한 즐겁지 아니한가.

  (有朋自遠方來 不亦樂乎: 유붕자원방래 불역락호)

- 사람들이 나를 알아주지 않는다 해도 성내지 않는다면 또한 군자가 아니겠는가.

  (人不知而不慍 不亦君子乎: 인부지이불온 불역군자호)

----

24 전영식 외 3인 역, 『논어』, (홍신문화사·1974), p.19

라고 하면서 '학습'과 '인성'의 중요성을 강조했다.

이 세 구절은 『논어』 전편의 사상이 함축되어 있어 매우 의미 깊고 중요한 내용이다.

공자의 철학이 빛을 낼 수 있는 이유는 그것이 머릿속에서 만들어진 것이 아니라, 책과 삶을 무수히 오가며 체득한 삶과 학습의 실천에서 비롯되었기 때문이다.

한편 순자는 악한 본성을 방치하면 사회질서가 혼란해지므로 학습을 통해 악한 본성을 교화시켜야 한다고 주장했다. "누구나 악한 본성을 올바른 길로 교화시키는 능력을 갖고 있으며 노력만 하면 훌륭한 인간이 될 수 있다. 그러기 위해서는 학습이 필요하다. 비록 본성이 악하더라도 노력만 기울이면 훌륭한 인간이 될 수 있다."라며, 공부를 통한 교화를 중시했다.

살펴보건대, 인성교육은 실천의 학문이라는 점에서 학습의 중요성이 강조된다. 그러므로 학습을 통한 인성기반 조성을 바탕으로 한 인성교육의 실천은 진정한 인성발휘의 기반이라고 할 수 있다.

『근사록近思錄』[25]에 "배우지 않으면 빨리 늙고 쇠약해진다."라는 말이 있다. 우리 주변을 둘러보면 정년퇴직이나 다른 이유로 일을 그만둔 뒤 급격하게 늙는 사람이 있다. 올바른 인성을 유지하고 더불어 늙고 쇠약해지지 않기 위해서도 '인생은 죽을 때까지 배워야 한다'는 의미를 잘 새겨야 한다.

----

25 주자(송나라 시대의 사상가)가 친구 여조겸의 도움을 받아 주자학의 기초를 다진 학문 지침서로 주자학 최고입문서이다.

21세기는 평생교육의 시대

(1) 자기계발이란 무엇인가?

1969년판 웹스터사전을 보면 'Self-Development'를 '자기의 능력 또는 가능성의 계발'이라고 정의하고 있다. 우리나라 영한사전에서는 자아계발로 풀이하고 있다.

다른 사람에 비해 자기의 능력이 뒤떨어진다는 열등감을 가지고 있는 사람이 적지 않다. 그리고 그들 대부분이 그 부족한 능력을 타고난 천성으로 돌리려 하며 직무에 대해서도 의욕을 상실한 채 노력조차 하지 않으려 한다. 그러나 타고난 재능이 있느냐, 없느냐 하는 것은 능력의 결정적인 조건은 아니다.

우리는 자기능력 향상을 위해 꾸준히 노력해야 한다. 솔선수범의 정신으로 목표를 설정하고 그것을 달성하기 위해 진지하게 노력하는 한편, 남들의 성공과 실패의 경험을 교훈으로 삼는 슬기를 가지고 자기계발自己啓發에 정진해야 한다.

첫째, 자기계발이란 자기의 능력 또는 가능성을 계발하는 일이라는 점이다. 막연히 자기를 계발한다고 하면 자기의 무엇을 계발하는 것인지가 불분명하지만, 앞서 말한 것과 같이 자기계발을 정의해두면 한결 그 뜻이 명료해진다. 이런 의미에서 자기계발은 '자기능력계발'이라고 고쳐 쓸 수 있다. 여기서 능력이란 지적인 능력은 물론 모든 인간적 능력을 포함한다.

둘째, 자기계발에서의 계발의 주체는 타인이 아니라 '자기'라는 점이다. 이때 자기계발은 자기를 주어로 하여 자기가 계발한다는 의미로 해석될 수 있다. 여기서 자기가 계발한다고 하는 것은 스스로 계발의 목표를 설정하고 계발의 방법을 생각하며, 스스로 계발하고 계발의 성과를 검토한다는 것을 의미한다.

셋째, 왜 '개발'이라는 말 대신에 '계발'을 쓰느냐 하는 점에 문제가 있다. 영어로는 개발이나 계발 모두 'Development'이다. 그런데 우리말에서 개발이라고 할 경우 그것은 계발의 뜻까지 포함하여 물질적·정신적인 발전의 의미로 널리 사용되나, 계발은 정신적·추상적인 의미로만 쓰인다. 즉, 경제개발이라고 하지 경제계발이라고는 하지 않는다. 그리고 정신적인 의미가 포함된 것이라도 그것이 구체적인 대상을 목표로 할 경우는 대체로 계발 대신 개발이라는 말을 쓰는 듯하다. 예를 들어 인력개발, 능력개발, 창조력개발 등이 그것이다.

자기계발을 잘못 이해할 경우 오리를 동물의 왕으로 보는 식의 오류를 부를 수 있다. 즉, 땅에서의 달리기를 비롯하여 비행 그리고 수영까지 모두 섭렵涉獵해야 명실상부한 동물의 왕이 된다는 기준을 적용할 경우 '호랑이, 사자, 독수리' 등이 아닌 '오리'를 동물의 왕으로 추대하는 오류를 저지를 수 있는 것이다.

이런 식의 '동물의 왕'을 정하는 것이 의미가 없듯이 동일한 방식의 자기계발은 분명 잘못된 것이다. 자기계발은 새로운 발상으로 T자형(일반지식은 넓게, 전문지식은 깊게) 혹은 H자형(T자형에 경영, 법학 도입)인재로서의 기술과 지식을 창조하고 활용하여 자기분야에서 혁신적인 방법으로 최고의 전문인이 되는 것이다. 자신만의 노하우를 개발하여 새로운 가치를 창출할 수 있는 것이다.

(2) 평생교육의 중요성

인생은 학교에 비유된다. 산다는 것은 배우는 것이다. 즉, 우리는 죽는 날까지 평생 배워야 한다. 산다는 것은 스스로 인성에 적응하는 것이며, 인성에 적응하면 인간답게 살 수 있을 것이고, 적응하지 못하면 불행해질 것이다. 이것은 평생학습의 기본법칙이다.

동물은 본능의 지혜로 살아간다. 인도네시아의 쓰나미 재해 때 인간은 막대한 피해를 입었지만, 그 지역 코끼리는 사전에 감을 잡고 산 위로 대피하여 피해가 없었다고 한다.

그러나 인간은 그렇지 않다. 인간은 그러한 본능을 기초로 하는 능력만을 본다면 만물 중에서 가장 무력한 존재다. 철학자 칸트의 말과 같이 "인간은 교육을 필요로 하는 유일한 피조물被造物"이며 동시에 "인간은 교육의 산물"이라고 할 수 있다.

현대의 대부분 학자들은 앞으로의 교육은 '평생교육시대'라며, "수명연장 등으로 지금 10대 이하 아이들은 평생 20개 이상의 직업을 갖게 될 것이며, 아이들이 공부는 재미있고 당연히 해야 하는 것으로 여기게 해야 '평생학습시대'에 살아남는 사람으로 키울 수 있다. 지금처럼 초등학교를 졸업하기도 전에 공부에 질리게 하는 교육은 멈춰야 한다."라고 충고한다.

데이브R. Dave는 평생교육이 "개인과 사회의 삶의 질을 향상시키기 위해 각 개인의 전 생애에 걸쳐 개인적·사회적·직업적 발달을 이루게 하는 과정"이라고 하였다.

우리는 평생학습의 자세로 부지런히 배우고 훈련하여 선진국의 수준까지 높이 끌어올려야 할 것이다. 개인이나 조직은 평생학습을 통해 주어진 문제상황이나 미래의 기회를 포착해 사전에 대응논리를 강구해 나가야 한다. 아울러 지식의 생명주기가 짧아지고 신지식이나 기술이

폭증하고 있기 때문에 과거의 고정관념이나 경험·관행 등을 버릴 줄 아는 지혜가 중요해지고 있다. 현대는 지식기반을 토대로 한 창조·혁신의 시대로서 매일 새로운 정보가 쏟아지는 정보폭발의 시대이며, 그만큼 평생학습이 절대적으로 필요한 시대이다.

그러나 우리나라는 학교교육 중심 사회에 머물고 있다. 세계화 흐름과 시대 흐름에 따라 평생교육을 국가 주관으로 강화해야 한다. 정부는 평생학습제를 중장기적으로 치밀하게 계획해야 한다.

랑그랑은 "평생교육이란 인간의 통합적 성장에 중점을 두고 각 단계에서 훈련과 학습을 통하여 융화시키고 잘 조화되게 하여 인간의 갈등 해소를 도와주는 노력이며, 삶의 모든 상황에서의 필요와 학습이 계속 연계되는 교육조건을 제공하여 개인의 자기완성을 이루도록 하는 것"이라고 정의하였다.[26]

국민의 평생학습 참여율과 1인당 소득은 상당한 상관관계가 있다. 국민의 학습량이 많을수록 소득은 늘어나는 것이다. 최근의 한 연구에 의하면 평생학습 참가율이 1% 높아지면 1인당 국민소득이 332달러 증가하는 것으로 밝혀졌다. 노르웨이, 덴마크, 핀란드, 스웨덴 등의 평생학습 참여율은 50%를 상회하며, 이러한 학습이 국민 개개인의 혁신역량을 지속적으로 강화해 기업과 국가의 경쟁력 강화를 가능하게 한 것이다.

결론적으로, 평생학습의 충실화를 통해 국민 개개인의 고용의 질과 삶의 질을 향상시키고 국가 전체의 혁신역량과 성장 동력을 강화시켜 국민행복을 증진해야 한다.

----

26 김종서 외, 『교육학 개론』, (교육과학사·2009), p.58.

독서하라 – 인성교육의 마중물

(1) 독서의 중요성 – '책 안 읽는 나라, 미래가 없다.'

우리나라는 전통적으로 독서의 중요성을 강조하였는바, 고려시대 『명심보감』「훈자」편 제4장에서 "지락至樂은 막여독서莫如讀書요, 지요至要는 막여교자莫如敎子니라." 즉, 지극한 즐거움은 책을 읽는 것만 같음이 없고, 지극히 필요한 것은 자식을 가르치는 것만 같음이 없다 하여 독서삼매讀書三昧와 독서락讀書樂 등 독서를 신성시하였다.[27]

역사적으로 유명한 리더들은 왕성한 독서가이다. 위대한 업적을 쌓은 인물들은 모두 책을 가까이하여 '박람강기博覽强記' 즉, 책을 많이 보고 잘 기억함을 공통적으로 공유하고 있다. 이는 흔히 독서를 많이 하여 아는 것이 많음을 이야기하는 것으로 '박학다식'의 말과 상통한다.

"사람은 책을 만들고, 책은 사람을 만든다."라는 말이 있다. 책과 인간의 관계를 잘 표현한 명언이다. 토머스 바트린은 "책이 없다면 신도 침묵을 지키고, 정의는 잠자며, 자연과학은 정지되고, 철학도 문학도 말이 없을 것이다."라고 말했다.

독서란 결국 남이 어렵게 획득한 지식이나 정보를 빌려다 내 인생을 살찌게 하는 행위라 할 수 있다. 평생을 연구하여 한 권의 책을 남긴 사람이 있다고 하자. 우리는 그 사람이 평생 걸려 연구한 지식을 단 며칠 만에 내 것으로 만들 수 있다. 그것이 바로 독서의 힘이다.

아르헨티나 소설가 호르헤 보르헤스는 "천국天國이 있다면 그곳이 도

---

27 이기석 편저, 『명심보감』, (홍신문화사·1986), p.130

서관"이라고 했다. 리더는 곧 다독함으로써 탄생한다. 세상을 읽고 시시각각으로 변화하는 세상에 대처하며, 지속적으로 창조 및 혁신을 해야 한다. 훌륭한 리더가 되는 길은 동서고금을 막론하고 독서에 있으며 현대에는 더욱 그렇다. 책을 읽으며 공부하는 습관은 하루아침에 붙는 것이 아니므로 어릴 때부터 책 읽는 습관을 들여야 하는 것이다.

"책은 사물이 아니라 실재적 존재이며, 서재는 엄마의 자궁과 같은 곳"이라고 시인 고은은 갈파했다. 시대가 바뀌어도 변하지 않는 '본질'이 바로 독서문화이다.

주희는 독서삼도讀書三到의 중요성을 강조했다.

① 입으로는 다른 것을 말하지 말고(구도口到)

② 눈으로는 다른 것을 보지 말고(안도眼到)

③ 마음을 오직 독서에만 집중(심도心到)하면 책의 내용을 완전히 파악하게 된다는 것을 뜻하는 것으로 그중 심도가 가장 중요하다.

우리는 참스승을 찾아 새롭게 길을 떠나야 하는 시점에 서 있다. 새로운 스승을 옛 선인들의 음성 속에서 발견해야 한다. 그들은 우리의 미래이고 성찰해야 할 거울이기 때문이다. 훌륭한 옛 사람에게 다가가는 길은 오직 그들이 남긴 글과 책을 접하는 수밖에 없다.

스승과 같은 책의 기능과 그 중요성은 현대에 들어 배가되고 있다. 책을 읽는다는 것은 비단 책 속의 정보만을 획득하는 과정이 아니라 자신과 대면하는 행위이기도 하다. 그것은 영상이나 음악 감상과는 달리 수용의 또 다른 층위가 있음을 말해준다. 책을 읽는다는 것은 내용을 받아들이는 것일 뿐 아니라 책 속에 철학이 있고, 이상이 있고, 가치가 있고, 정신세계가 펼쳐져 있다. 더욱이 독서는 관조와 명상이 더 중요하다고 할 것이다. 독서를 통해 과거를 성찰하고 미래를 대비하고 더 나아가 상상의 나래를 펴 꿈을 이룬다. 시공간적 경험은 오늘의 삶이 이순간에 머무르는 것이 아니고 과거, 현재, 미래의 아름다운 꿈과 희망으로 이어지게 해준다.

"을야지람乙夜之覽"이란 말은 '제왕의 독서'란 뜻이다. 밤 9시부터 11시까지를 뜻하며 이 시간이 되어서야 제왕은 독서할 시간을 낼 수 있다는 뜻에서 나온 말이다. 세종, 성종, 정조가 독서광이었던 것은 잘 알려져 있다. 성공한 국왕은 모두 지식기반 경영과 독서를 통한 경영을 했다.

특히 세종대왕은 "내가 지금도 독서를 그만두지 않는 것은, 다만 글을 보는 사이에 생각이 떠올라서 정사政事에 시행하게 되는 것이 많기 때문이다."라고 말했다. "세종은 집현전 학사를 대상으로 하여 재능이 있는 선비를 뽑아 휴가를 주고 입산독서를 하게 하되, 그 비용은 관에서 매우 융숭히 공급했으며 경사, 백자, 천문, 지리, 의약, 복서 등을 연구하게 하였다."[28]

책은 오늘날 바로 이 자리에서 우리들에게 가장 나은 길을 제시하는 훌륭한 스승의 역할을 할 수 있는 것이다. 독서란 그야말로 지속적인 학습을 통한 인성기반 구축의 핵심이기 때문이다.

좋은 책은 세상을 보는 안목을 넓혀준다. 삶의 지혜를 얻고 사고의 깊이를 더하는 데 독서만 한 것은 없다. 성인 10명 중 3~4명이 1년에 책 한 권 제대로 읽지 않는 독서 빈국貧國 대한민국은 읽기혁명Reading Power이 절실히 필요한 시대이다.

----

28 이한우, 『세종, 그가 바로 조선이다』, (동방미디어·2003), p.180

(2) 독서는 자아발견의 거울

독서는 도덕성, 가치관, 정서, 봉사정신 등을 증진하므로 인성교육의 필수적인 요소다.

좋은 책이란 '우리에게 위대한 물음을 던지는 책'이라 할 것이다. 커다란 감명을 주고, 큰 놀라움을 주며, 견딜 수 없는 분노를 일으키게 하는 그런 책이다. 수천, 수백 년 검증된 고전이 대표적으로 좋은 책이다.

현대사회에서의 독서의 필요성을 『독서교육론·독서지도방법론』에서 알아보자.[29]

① 독서는 즐거움을 주고 교양을 쌓게 한다.
② 독서는 지식이나 정보를 얻는 데 가장 보편적이고 유용한 행위이다.
③ 독서는 두뇌를 계발시키고 언어발달을 촉진시킨다.
④ 독서는 사고력을 향상시킨다.
⑤ 독서는 다른 세상을 이해하는 힘을 기르게 한다.
⑥ 독서는 세계를 변화시킨다.

칼 폰 클라우제비츠[30]는 불후의 명저 『전쟁론』에서 "전쟁은 순전히 지성의 지대한 힘이 필요한 것"이라고 결론지었다. 이는 결국 전승全勝

---

29 한우리독서문화운동본부 교재집필연구회, 『독서교육론 독서지도방법론』, (위즈덤북·2010), pp.19~21
30 독일 중부 부르크 출생, 프로이센(독일의 옛 국가명)의 군인, 사후에 간행된 『전쟁론(Vom Kriege)』은 19세기의 전쟁경험에 기초를 둔 고전적인 전쟁철학으로 불후(不朽)의 가치를 지니고 있다.

의 비결이 책 속에 있다는 의미이다.

실천적 독서교육에 평생을 바친 교육연구가 버니스 E. 컬리넌은 독서교육의 효과에 대하여 "좋은 책과의 만남은 스승이나 친구의 만남 이상으로 중요하다. 왜냐하면 우리는 한 권의 책이 개인을 바꾸고, 사회를 바꾸고, 나라를 바꾼 사례를 역사 속에서 숱하게 보아왔기 때문이다."라고 강조했다.

마이크로소프트의 창업자인 빌 게이츠는 "오늘의 나를 만들어준 것은 조국도, 어머니도, 하버드대학도 아닌 동네 도서관이었다."라고 했다. 그는 지금도 1년에 책 50권가량을 읽고 있다. 빌 게이츠가 다녔던 집 근처 도서관처럼 영혼을 살찌울 수 있는 도서관이 우리 주변엔 의외로 많다. 도서관은 동네 사랑방이자 세대를 아우르는 문화센터, 평생교육의 장 역할도 하고 있다.

지난 시절 우리의 스승이 했던 말을 오늘은 책이 한다. 정조, 다산 정약용, 퇴계 이황, 박제가, 박지원, 이덕무, 김득신, 괴테, 나폴레옹, 링컨 등 위대한 사람들은 모두 책 속에서 말한다. "책 속에서 길을 구하라."라는 말은 한낱 죽은 수사가 아니라 오늘날에도 펄펄 살아 움직이는 전설이다.

특히 고전은 수많은 사람의 다양한 경험이 오랫동안 쌓이고 쌓여 이룬 결과물로서 '온고이지신 가이위사의'溫故而知新, 可以爲師矣(옛 것을 배우고 익혀서 새 것을 알면 다른 사람의 스승이 될 만하다)라고 할 수 있다.

안중근 의사의 "하루라도 글을 읽지 않으면 입 안에 가시가 돋는다─日不讀書 口中生荊棘."라는 유명한 말은 학습을 게을리해서는 안 된다는 뜻의 경구라 할 수 있다.

우리는 책을 읽고 많은 지식의 자료를 얻는다. 그리고 그 자료를 소화하려면 사색思索의 힘이 필요하다. 사색이 없는 독서는 소화하지 못하는 식사와도 같다고 할 것이다. 세상에는 생각하지 않고 그냥 읽기만 하는 사람이 많다. 그것은 정신에 공연한 부담만 줄 뿐이다. 사색이 없는 독서와 독서가 없는 사색은 둘 다 불완전하다.

우리의 경제는 선진국 수준임에도 불구하고, 부끄럽게도 우리의 독서 수준은 하위권에 머물러 있다. 우리나라 국민 10명 중 3.5명이 1년에 한 권의 책도 읽지 않는다. 요즈음 한류열풍이 아무리 드세다고 해도 문화배경이 받쳐주지 않는다면 결코 오래가지 못할 것이라는 현실에 대한 인식이 중요하다.

독서는 지식의 소통과 자유로운 여론형성을 도와 인성함양은 물론 민주사회 발전에 기여한다.

살펴보건대, 책을 외면하는 국가는 미래가 어둡고 책을 외면하는 지도자는 진정한 능력발휘가 어렵다. 국가지도자들은 독서에 솔선수범하고, 세종연구소를 세종시대의 집현전처럼 개편하는 등 나라 분위기를 독서 지식문화로 바꾸어야 한다. 우리도 이스라엘의 독서 국가정책을 거울삼아 독서하는 사회와 국가 분위기를 만들어야겠다.

독서는 가장 빠른 시간 내에 가장 경제적으로 지식을 습득하는 방법이고 인간과 사회에 대한 지혜를 얻는 원천이기도 하다. 책을 읽지 않는 국민과 학생들에게서 미래를 열어가는 창조력과 인성은 기대할 수 없다.

독서인구가 곧 국력임을 명심해야 한다. 책을 외면하는 사회는 미래가 어둡고 책을 외면하는 지도자는 진정한 지도자가 되기 어렵다.

〈 14 〉책도 안 읽으면서 노벨문학상을 원하는 국민

예로부터 우리 선조는 문무文武 겸비를 전통으로 삼으면서도 문
文에 바탕을 둔 문무 조화를 중시했다. 그래서 지식·지성 기반의
동방예의지국으로 나라 전체가 책 읽는 지식문화를 조성하여 세
종, 영·정조 시대에는 찬란한 르네상스를 이루었다.

그러나 산업화, 민주화를 거치면서 IT문화는 확산되는 데 반해
독서문화가 점점 사라져가고 있다. 우리의 영혼은 고갈되고 인성
은 빈곤해져 간다.

우리나라는 반세기 가까이 계속된 독서교육 부재로 국민들 대
부분이 책을 읽지 않는 습관이 보편화되었고, 그 결과 현재 초·
중·고등학교 자녀를 둔 20~40대들의 대부분이 폭넓은 독서경험
을 갖지 못한 '독서 불모세대'라는 불명예를 떠안게 되었다.

문화체육관광부가 발표한 '2015 국민독서 실태 조사'에 따르면,
교과서·잡지·만화를 제외하고 1년 동안 책을 한 권 이상 읽은 성
인이 전체의 65.3%이다. 통계청이 2014년 발표한 자료에 의하면
우리 국민이 하루 평균 책 읽는 시간은 6분이다. 독서율은 OECD
국가 중 최하위最下位이며(1위 스웨덴), UN회원국 191개국 가운데
161등이다.

최근 노벨상을 많이 받는 유대인들의 독서습관이 화제가 되고
있다. 이스라엘 학생은 유치원부터 초·중·고까지 13년간 1만여
권의 책을 읽는다고 한다. 그들은 오전 8시부터 12시까지만 수업

하고 오후에는 독서시간이다. 등교하면서 빌린 책 3권을 읽고 독후감을 써냄으로써 일과를 마친다. 독서가 습관화되어 어느 마을을 가더라도 책을 지니고 토론하는 분위기를 볼 수 있다.

책을 안 읽으면서도 위대한 지적知的 업적을 바라는 한국인은 외국인의 눈엔 모순이다. 지난 1월 미국의 주간지《뉴요커》에는 "한국인들이 책은 많이 안 읽으면서 노벨문학상은 여전히 바라고 있다는 건 유감스러운 일, 많은 한국 학생이 책 읽기는 시간낭비이고 그 시간에 수학문제 하나 더, 모의고사 문제지 한 장 더 풀어야 된다고 생각한다." 라는 기사가 실렸다.

독서는 인성을 바르게 배양하고 지식과 지성을 업그레이드시켜 주는 보고로서 독서가 곧 국력임을 명심할 일이다. 진정한 독서는 소설책 읽듯 한 차례 읽고 치우는 행위가 아니다. 새기고 따지고 가려서 꼭꼭 씹어 자기화自己化하는 과정이 필요하다.

우리의 독서 공동화空洞化 현상을 극복하기 위해 이스라엘식의 읽기혁명을 도입해야 한다.
독서를 통해 지식의 나라, 지성의 나라, 인성의 나라로 인성대국을 회복하도록 독서국가 정책을 적극 추진하여야겠다.

3

지혜의 10대 인성지수 융합하기
- 삼위일체 인성교육 실천방안 ③

10대 인성지수(人性指數) 융합하기

21세기는 바야흐로 융합과 통섭의 제4차 산업혁명 시대를 맞이하고 있다. 융합이란 이제 선택사항이 아니라 새로운 문명의 원동력 그 자체인 것이다. 표준국어대사전에는 '융합'을 '다른 종류의 것이 녹아서 서로의 구별이 없게 하나로 합하여지는 것'이라고 정의하고 있다. 이제 융합은 지식분야뿐만 아니라 통신과 방송, 예술과 과학, 학문과 학제 간, 나아가 정치 분야에 이르기까지 사회 전반에 걸쳐 하나의 거대한 아이콘으로 자리 잡았다.

인성교육 또한 예외는 아니다. 필자는 인성지식 → 인성지성 → 인성문화의 융성을 이루기 위해 지혜의 10대 인성지수(이하 10대 지수로 사용)를 제시하고, 지수들 간의 융합의 수레바퀴 모델을 응용함으로써 지혜

창출의 시너지효과를 극대화하여 인성교육 활성화에 기여하고자 한다.

'지혜知慧'와 '지식知識'의 사전적 의미를 살펴보면 지혜는 '정확하게 식별하고 판단하는 능력 또는 적절 여부를 구분할 수 있는 능력', 지식은 '어떤 사물에 대해 알고 있다는 것 또는 사물에 대한 확고한 의식'이다.

실제로 지식을 굉장히 많이 가진 이가 실망스러운 행동을 하는 경우를 주변에서 적잖이 보게 되는데, 이러한 사례들을 통해 우리는 지식을 아무리 많이 가졌을지언정 지혜를 갖추지 못하면 바른 인성의 사람이 되지 못함을 확인할 수 있다.

스티븐 코비는 지혜에 대해 "정보와 지식이 가치 있는 목적과 원칙에 결합할 때 지혜가 나온다."라고 말한 바 있다. 이때의 '결합'이란 우리가 위에서 이야기한 융합과 동일한 의미를 지니는 것이다. 지혜롭지 못한 인성을 소유한 자에게 지식은 한낱 무용지물에 불과하다.

지혜로운 인성의 생성은 단편적인 지식보다는 다양한 지식이 융합, 조합, 결합할 때 상승작용을 일으켜 다양한 지식 및 지성창조는 물론 높은 경지의 혜안 등 인성 자본을 축적하게 한다.

정지훈(경희사이버대 IT·디자인융합학부) 교수는 다음과 같이 말했다.

"세계는 이제 지식사회를 지나 하이 콘셉트High Concept·하이 터치 High Touch로 나가고 있다. 하이 콘셉트는 서로 다른 아이디어를 조합해 새로운 개념을 창조하는 것을 말하며, 하이 터치는 다른 사람과 공감하는 능력을 바탕으로 여러 사람에게 즐거움을 주는 창의적 능력을 말한다."

이와 같이 하이 콘셉트·하이 터치 개념은 인성영역에서도 적극 활용되어 지혜의 창출을 극대화할 것이다.

교육선진국인 핀란드는 시대의 변화에 발맞추기 위해 2020년부터 기존 과목을 커뮤니케이션Communication(소통), 크리에이티비티Creativity(창의력), 크리티컬 싱킹Critical Thinking(사고력), 컬래버레이션Collaboration(협업) 등 '4C'로 대체하여 창조혁신 시대에 대비하고 있다. 우리의 인성교육도 창조 인성교육으로 나아가도록 해야 할 것이며, 10대 지수의 상호작용은 아래 수레바퀴 원리처럼 작용하여 상승작용을 일으켜 지혜로운 인성을 창조케 할 것이다.

인성교육을 제대로 실시하기 위해서는 변화하는 상황에 따라 신속하고 정확하게 발휘하는 지혜와 실천의지를 갖추도록 10가지 지수를 부단히 연마할 필요가 있다. 그래서 우리의 지혜로운 선조들은 '절차탁마 切磋琢磨(뼈를 깎듯 노력한다.)'를 생활신조로 삼지 않았던가?

'인성 10대 지수'를 상황에 맞게 조합, 결합, 융합한다면 생각지도 못했던 지혜로운 인성의 시너지 효과를 낼 수 있게 된다.

10대 지수는 역사지수歷史指數를 비롯하여 신뢰지수, 소통지수, 공존지수, 열정지수, 비전지수, 지조지수, 지능지수, 감성지수, 지기지수이다. 이 10대 지수는 '공감과 감동'을 바탕으로 한 이심전심의 한국형 인성교육 구현에 있어서 큰 효과를 기대할 수 있다. 이를 구체적으로 설명하기 위해 그림을 그려 보면 다음과 같다.

10대 인성지수의 융합효과 - 상승작용

지수의 상호작용: 인성의 수레바퀴 모델

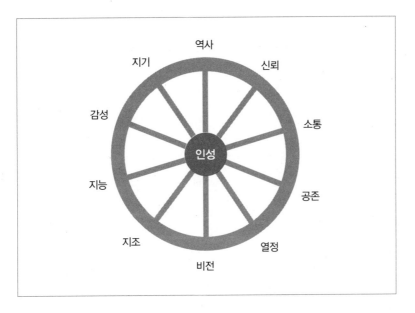

지수의 상호작용: 인성의 수레바퀴 모델

위 그림을 보면, 10개의 수레바퀴 살을 상징하는 의미는 생존과 직결된 살(＊)을 표현하는 겹십자 인印(바퀴의 살: ＊)과 바퀴를 상징하는 원圓(O)은 불가분의 관계라고 할 수 있다. 원(O)과 떨어질 수 없는 겹십자 인(＊)은 수레바퀴를 이루어 부동의 중심 그리고 변화와 움직임으로서의 의미를 동시에 가지고 있는 한편, 상호작용相互作用의 상징으로 모든 존재의 순환과 변화를 함축한다. 또한, 겹십자 인(＊)은 원(O)과 결합, 융합하여 중심과 확산, 근원과 작용을 함과 동시에 상대적 세계를 하나로 묶는 전체성을 상징한다.

수레바퀴 원리를 '10대 지수'와 연결하여 지수 사이의 결합, 조합, 융합 등의 상호작용을 설명하면 다음과 같다.

· 수레바퀴 중앙의 둥근 통에 해당되는 10대 지수가 반드시 결합(작용)되어야만 수레바퀴가 제 역할과 기능을 다하게 되면서 지혜의 인성이 생성된다.

· 수레바퀴가 견실하면 견실할수록 어떤 상황과 여건에서도 원과 둥근 통을 튼튼하게 보존하고 작동시킴으로써 지혜로운 인성이 더욱 발휘된다.

10가지 지수의 연결고리를 각각 풀어보면 다음과 같다.

첫째, 10대 지수는 이성적인 판단과 감성적 마인드로 융합되어 문제를 정확하게 파악하고 이심전심의 이타주의 정신으로 공감하고 감동받도록 한다.

둘째, '역사지수'는 근원적 사고로 문제를 해결할 수 있도록 지원하고 동시에 인성을 생성시키는 기본적 역할과 결합, 조합, 융합 등의 모든 작용의 중심이다.

셋째, '공존지수'와 '감성지수'는 그동안 쌓아놓은 데이터베이스이자 문제해결에 필요한 자원을 조합시켜 다른 지수에서 활용하도록 한다.

넷째, '열정지수'는 감성의 조절작용의 효과성 및 능력을 더욱 극대화시켜 준다.

다섯째, '비전지수'는 다른 지수 대부분이 작용할 때 공통의 비전이 되어 실천할 수 있게 한다.

여섯째, '지조지수'는 감성, 열정, 공존 등에 영향을 주면서 전체지수에 작용한다.

일곱째, '지기知己지수'는 자신을 아는 것으로 나부터 섬김 인성과 솔선수범 인성을 갖추도록 하는 것이다. 인성지수를 제대로 갖추려면 우선 자신을 제대로 아는 것부터 시작하여 극기할 수 있어야 한다.

인간의 모든 활동과 자연이 상호작용에 의해 서로에게 도움을 주고 시너지효과를 내듯, 인성도 다양한 지수들과 서로 결합, 융합하는 상호작용으로 시너지효과를 내어 '인성이 자본이다'라는 화두가 생성된다.

이 10가지 지수를 원활하게 상호작용 시켜야만 인성교육을 효과적으로 창출할 수 있고, 그것이 바로 이심전심 '한국형 인성교육'의 이론과 실제를 구현하는 길이다.

(1) 역사지수

역사의 수레바퀴에서 교훈을 찾고 또다시 닥칠지도 모를 위기와 비극에 대처하는 것이 중요하다.

국립생태원장인 이화여대 최재천 석좌교수는 HQ Historical Quotient(역사지수)의 중요성을 강조한다.

"역사를 망각한 민족에게 미래는 없다."라는 말처럼 역사란 진정 중요하며 우리가 인성을 갈고 다듬고 공부하는 진정한 의미는, 바로 근본을 알고 진실과 정의의 잣대로 뿌리를 찾아 한민족의 근원을 바탕으로 오늘을 바로잡고 내일을 설계해야 하는 것이다.

에드워드 카 E. H. Carr는 『역사란 무엇인가』에서 "역사란 현재와 과거의 끊임없는 대화"라고 정의함으로써 역사에서의 주관과 객관의 문제를 해결하고자 했다. 이러한 정의에는 다양한 해석이 존재하는데, 이때의 '현재'란 역사가歷史家 자신, 조금 더 정확하게는 과거 사실에 대한 그의 해석(주관)이고 '과거'란 역사적 사실 자체(객관)를 의미한다는 주장도 타당하다고 할 수 있다. 이러한 관점에서 볼 때, 우리가 역사를 알고 배우고 통찰해야 하는 것은 그것이 나 자신의 삶의 흔적에 어떤 형태로든 관여하게 마련인 까닭이다.

지나온 역사가 명확하게 정립되지 못하고 왜곡되거나 편향되게 전해진다면, 이는 곧 그 나라 전체의 정도正道가 무너지고 사회기강은 혼란으로 치닫게 되며, 바른 인성의 정립과 교육은 난관에 봉착할 수밖에 없게 된다.

(2) 신뢰지수

인간은 다른 사람과 더불어 공동생활을 해야만 하며, 이때 무엇보다도 중요한 것은 서로 간의 신뢰다. 신뢰가 없으면 평화로운 공동생활은 물론이요, 발전을 위한 문화의 창조 그리고 정의의 실현 모두가 불가능할 뿐만 아니라 행복해질 수도 없다.

선진사회 혹은 선진국은 물질의 풍요를 넘어 사회적 신뢰를 기반으로 건전한 도덕성과 법이 지배할 때 획득될 수 있는 국가적 상태를 말한다. 최근 우리 사회는 갈수록 깊어지는 불평등으로 인해, 학력·계층·직업의 대代물림, 세습현상이 증가되어 사회문제화가 되고 있다. 청소년 중 80%가 "우리 사회는 불평등하다."라고 말한다. 더욱이 신뢰도에 대해서는 10점 만점에 평균 4.1점이다.

선진국인 영국의 사례를 들어보자. 타이타닉호의 선장 에드워드 스미스는 그 긴박한 재난의 상황에서 "영국인답게 행동하라!"라고 외쳤다 한다. 지금은 이 한마디가 그의 묘비명으로 남아 있다. 이 한마디가 창출한 질서로 인해 재난상황에서 여성(74%), 어린이(51%), 남성(20%)의 생존율을 만든 것이며, 이러한 신뢰의 인성이 현재까지 영국혼의 상징으로서 그 명맥을 이어오고 있는 것이다.

공자는 "사람이 신뢰의 바탕을 잃으면 바로 서지 못한다.(무신불립: 無信不立)"라고 했다. 그렇다. 인간의 사회적 생에 있어 가장 중요한 것이 신뢰이다. 대인관계에서 '신뢰할 수 없는 사람'으로 간주될 경우 인간관계를 발전시켜 나갈 수 없음은 자명하다. 상대를 신뢰하기 위해서는 말과 인격과 양심과 행동에 한 가닥의 구김도 없어야 하는 것이다.

(3) 소통(疏通)지수

마음과 마음 간에 소통이 없다면 단지 겉에서만 이루어지는 소통일 뿐 진정한 교류는 이루어지지 않게 된다. 진정한 소통을 하려면 먼저 내 속의 나와 대화를 할 수 있어야 한다. 폭넓은 소통이 어렵다면 지금 곁에 있는 사람의 마음부터 열 수 있도록 노력하여야 할 것이다. 그리고 모든 마음을 열 수 있도록 나부터 문을 활짝 열어두어야 할 것이다.

소통Communication의 시작은 관심으로, 관심이 단절되는 순간 조직은 힘을 잃는다. 관심이 실천으로 이어지고, 실천이 성과로 이어지고, 성과가 나눔으로 이어져야 한다.

마음과 마음이 통하는 이심전심의 소통은 인성의 중요한 기능 중 하나이다. 이심전심의 소통이 이루어지지 않고서는 설득력 있는 인성을 발휘하는 것은 불가능하다. 리더는 효과적인 소통을 통해 조직구성원들에게 의미 있는 지시를 하며, 조직의 전체목표를 향해 구성원들을 이끌고 한데 뭉칠 수 있게 한다. 소통의 궁극적 목표는 공유와 상생에 있고, 모든 유기체의 삶은 상호작용 속에서 상대방의 신호에 대한 적절한 반응의 연속으로 이뤄진다.

소통이 잘 안되는 원인을 남에게서 찾지 말고 자신에게서 찾아야 한다. 그리고 소통을 잘하려면 올바른 인성이 바탕이 되어야 한다. 상대를 이해하고 배려하며 사랑하고 희생할 수 있는 인성이 바탕이 될 때 소통이 되고 신뢰를 낳아 행복해진다는 것을 깨달아야 할 것이다.

(4) 공존지수

21세기 메가트렌드 중의 하나는 '네트워크 강화'다. 인터넷의 등장으로 인간관계의 '폭'은 넓어졌고 더욱 넓어질 것이다.

우리는 나의 인적 네트워크가 충분하고 단단한가를 철저히 관리해야 하는 시대에 살고 있는 만큼 네트워크의 중요성은 점점 커질 것이다. 성공의 85%를 인간관계가 좌우한다고 하지 않는가. "인생에서 최대의 재산은 사람"이라는 말처럼 현대는 휴먼 네트워크의 시대인 것이다. 이러한 휴먼 네트워크 세상의 새로운 생존방정식은 공동체정신의 상생相生이다. 지금 이 세상의 가치는 그 어느 때보다 사람 사이의 연결에서 나오고 있다.

공존共存이란 말은 참으로 아름답다. 서로가 서로에게 약간의 손해가 있더라도 이해하고 사랑을 베풀며 더불어 살아가는 것이다. 인간이 자연과 공존하려고 할 때 자연은 인간을 도와주지만, 자연과 공존하려 하지 않고 자연을 파괴할 때 자연은 인간에게 더 큰 재앙을 가져다주고 있지 않은가.

공존할 것인가? 공멸할 것인가? 선택은 인간이 한다. 우리는 어떤 선택을 해야 되는가?

오늘날 사회질서가 무너지고 처처에서 파열음이 나고 있는 것은, 사람이 공존하려 하지 않고 나만 생존하려 하기 때문이다. 바로 인성의 문제인 것이다. 올바른 인성의 기초가 튼튼할 때 공존이라는 건물이 세워질 것이다. 우리가 공생공존하려면 먼저 올바른 인성함양을 위한 투자를 아끼지 말아야 한다. 사회지도계층과 공직자부터 솔선하는 모습을 보여야 한다.

(5) 열정지수

열정이란 어떤 일에 자기를 잊게 할 정도의 강렬한 열중이나 흥분을 뜻하는 사전적 의미보다는, 마치 용광로에서 분출하는 열기와 같은 '불타오르는 내면적인 감성'이라는 표현이 더 적절할 것이다. 열정은 내면에 잠재된 감성을 자극해 조직력을 끌어올려 최상의 성과를 가져오게 할 수 있는 에너지이다. 내부에 있는 모든 자원의 근원에서 오는 열정을 갖게 되는 것이다.

『미쳐야 미친다』에서 정민은 이렇게 말한다.[31]

"미치면, 미치고, 안 미치면, 못 미친다." 열정만이 개인의 운명을 바꾸고 역사의 물줄기를 바꾼다. 불광불급不狂不及이라 했다. 미치지 않으면 미치지 못한다는 말이다. 미치지 못할 경지에 도달하려면 미치지 않고는 안 된다.

세상에 미치지 않고 이룰 수 있는 큰일이란 없다. 학문도 예술도 사랑도 나를 온전히 잊는 몰두 속에서만 빛나는 성취를 이룰 수 있다.

"무엇에 대해서 아는 것이 그것을 좋아하는 것보다 못하다. 또 좋아하는 것은 즐기는 것보다 못하다. 즐기는 것 또한 미친 것보다 못하

---

31 정민, 『미쳐야 미친다』, (푸른 역사 출판사·2004), p.13

다." 잘 아는 것보다 좋아하는 것이 더 강력한 힘이 된다. 무엇인가를 좋아한다는 것은 그것을 대상으로. 바라보는 관계이다.[32]

무엇인가에 미쳤다(빠졌다)는 것은 그 대상과 하나가 되는 경지, 즉 몰입과 무아의 열정의 경지에 이르렀다는 것이다.

(6) 비전지수

비전은 운명을 바꾸는 힘을 갖고 있다. 스스로 슈퍼 리더가 되기 위해서는 운명을 바꾸는 힘이 있는 비전지수가 높아야 한다.

비전의 사전적 의미는 '보는 행위 또는 능력, 보는 감각, 꿰뚫어보는 힘'이다. 상상력, 선견先見, 통찰력 등으로 번역되기도 한다. 좀 더 광범위한 해석으로는 혜안慧眼이나 날카로운 통찰력을 통해 실제로는 보이지 않는 어떤 것을 감지하는 능력과 그렇게 감지된 영상을 뜻하기도 한다.

비전이라는 것은 신념, 행동, 생각, 느낌, 등을 지배하는 힘을 가지고 있다. 이러한 비전의 힘은 인성을 바꾸는 것은 물론 인간관계를 더욱 풍부하게 한다. 궁극적으로 비전은 인성을 함양하고 삶을 의미 있게 만드는 것이다.

비전을 연구하는 학자들은 오래 전부터 외적인 동기부여와 내적인 동기부여를 말했다. 비전이란 우리들의 삶의 전체 영역에 영향을 주고 있으며, 때에 따라 궤도 수정을 단행한다면 어떻게 변경해야 하는지 알려주는 피드백Feed-Back 작용을 효과적으로 하고 있다. 모든 지도자는 구성원들을 새로운 세계로 인도할 수 있는 비전의 능력을 갖고 있어야 한

---

32 존 템플턴, 『열정』, 남문희 역, (거름출판사·2002), pp.23~24

다. 무엇보다 계획이 중요하지만 그 계획을 이룰 액션플랜의 비전이 더 중요한 것이 사실이다.

한국형 인성교육학의 한 줄 한 줄의 의미가 아름다운 꿈과 비전을 심어주어 국민들의 기상이 뻗어나기를 기원해본다. 우리는 인성이라는 보이지 않는 꿈을 가지고 보이는 인성 대한민국을 만들어서 우리의 후손들에게 자랑스러운 홍익세상의 비전을 물려주어야 할 것이다.

(7) 지조지수

지조는 한국인이 가장 소중하게 생각해온 삶의 덕목 중 하나이다. 우리가 지조 있게 산 사람들을 각별히 존경하는 것은 우리의 역사가 그만큼 지조를 지키며 살기 어려웠던 여건이었음을 역설적으로 말해주는 것이다. 지조인志操人은 스스로와 역사 앞에 떳떳하고 싶은 모든 인간에게 인간다운 삶의 모형일 것이다.

우리는 흔히 "지조를 지킨다."라고 말한다. '지킨다'는 것은 본래의 상태를 고수함을 의미한다. 그렇다 하여 학문이든 관습이든 제도든 간에 무조건 옛것을 지키는 것만을 지조로 오해해서는 안 된다. 『논어』에서 공자는 "군자는 잘못이 있으면 고치기를 서슴지 말아야 한다."라고 했다. 변화해야 할 때 변화하는 것 자체는 변절이 아니며, 비난받을 일도 아니다. 또한 공자는 "뜻 있는 선비와 어진 사람은 삶에 연연하여 인仁을 손상시키지 않으며, 제 몸을 희생해서라도 인을 이룬다."라고 말한다.

21세기 현대적 지조는 정의사회, 정치, 경제, 사회정의의 구현을 목표로 해야 한다. 지조는 모든 조직구성원에게 신선한 공감과 감동을 주는 요소로 작용하여 이심전심의 공감대를 형성하고 인성을 강화시켜 정직하고 진실한 인성의 기둥이 될 것이다.

우리는 지조 있는 민족임에 틀림없다. 수많은 외침과 환란 속에서도 꿋꿋하게 애국애족의 지조를 지켜왔다. 그러나 언제부터인가 그 지조의 뿌리가 흔들리고 있다. 이런 것 모두가 인성이 무너진 결과라고 누가 부인할 수 있겠는가.

우리 민족의 뿌리 깊은 지조성性을 회복해야 한다. 인성이 바로 서면 지조 대한민국을 회복할 뿐 아니라 지조선진국, 인성선진국을 만들 수 있을 것이라 확신한다.

(8) 지능지수

인간의 두뇌는 마치 컴퓨터와 같아서 프로그램을 잘 짜기만 하면 아주 어마어마한 일들도 해낼 수 있다고 한다. 사람은 누구나 무한한 능력의 뇌를 가지고 있지만 제대로 사용하는 방법을 아직 찾아내지 못하고 있는 것뿐이다. 두뇌는 쓰면 쓸수록 발달하고 그럴수록 인성도 함양시킬 수 있어 더욱 값진 인생을 살 수 있게 된다.

뇌는 3층 구조로 돼 있다. 아래에서부터 위로 향하면서 나타나는 뇌줄기-변연계-신피질이 그것이다.

① 가장 아래 뇌줄기에는 호흡중추, 심장중추 같은 기본적인 생명활동이 존재한다.

② 가운데 변연계는 가장자리 뇌라고 하는데, 뇌줄기와 신피질 경계에 있다는 뜻이다.

③ 맨 위 신피질은 합리적인 생각과 판단을 하는 뇌다. 즉 몸에서 올라오는 식욕, 성욕 등의 내부욕구와 각종 외부자극에 대한 욕구를 조절할 뿐만 아니라 자아실현을 이룬다.

지능수준은 성장하면서 변동한다. 지능은 태어날 때 유전적으로 타고나는 소질이 있고, 환경적 요인의 영향을 받아 증가하는 유동성 지능이 있다. 어릴 때는 유전적 요인만 작용하지만 성장하면서 환경적 요인이 반영되기 때문에 지능수준이 변하는 것이다. 지능도 지혜와 마찬가지로 특히 뛰어난 분야의 지능이 있고, 부족한 분야의 지능도 있다. 계산능력이 뛰어난 사람은 계산을 돕는 분야의 지능이 높고, 이해력이 떨어지는 것은 이해를 돕는 지능이 부분적으로 부족하다는 것이다.

우리는 흔히 어려운 문제에 부딪힐 때마다 "머리가 아프다. 골치 아프다."라는 말을 자주 하곤 한다. 그러나 이렇게 평생을 살아도 두뇌의 10%도 쓰지 못한다고 한다. 지능知能은 '도전적인 새로운 과제를 성취하기 위해 사전지식과 경험을 적용할 수 있는 능력'이라고 한다. 그렇게 보면 골치가 아프다는 것은 심리적으로 압박감을 느낀다는 뜻이지 우리의 두뇌에는 전혀 이상이 없다는 얘기가 될 수도 있다.

(9) 감성지수

감성은 자신의 감정을 조절하고, 나아가 조직구성원의 감정을 이해하며 조절할 수 있는 능력으로 정의할 수 있기 때문에 상대의 마음을 움직이려면 상대방의 심리가 어떤 상태에 있는지 알아야 한다. 마치 의사가 환자를 치료하기 위해서는 환자의 심리상태와 아픈 부위를 정확히 알아야 치료하는 것과 같은 이치이다.

감성으로 맺은 정서적 유대감은 제아무리 급격한 변화를 수반한 불확실한 상황 속에서도 중심을 잃지 않게 만들어준다.

또한 감성의 특성과 감성이 사람에게 끼치는 영향 등을 자세히 알고 그것을 인성교육에 적용할 때, 이를 더욱 효과적으로 발휘할 수 있다. 감성을 개발하기 위해서는 자기 자신을 통제하고 다스리는 능력이 중요하다. 자신을 조절한다는 것이 쉬운 일은 아니지만 끊임없이 감성을 개발하고 극대화시키려는 노력을 하면 자신을 조절할 수 있게 될 것이다.

다니엘 골먼의 '감성조직 만들기'에 의하면, 감성을 인간 대 인간이라는 그리고 이심전심이라는 맥락에서 다시 규정하고 있다. 감성지능을 갖춘 사람들은 언제 누구와 같이 협력해야 할지, 언제 귀를 기울이고 언제 결정을 내려야 할지를 잘 알고 있다. 중요한 사안에 귀를 기울일 줄도 알고 자신이 이끌고 있는 사람들이 갖고 있는 가치관에 부응할 줄도 알아야 한다. 이러한 여건과 환경은 조직의 효율적인 업무수행에 없어서는 안 될 인간중심이라는 새로운 인성의 가치를 만들어낸다.

상대를 정확하게 이해하는 것도 결국은 좋은 인성을 갖추는 데 있다. 자신 속에 있는 이성과 감성지수를 높여서, 나와 상대의 다름을 인정하고 배려하고 공감하는 노력을 할 때 상대와의 소통이 잘될 것이며, 가정이 화목하고, 사회가 화합하여, 인성 대한민국이 되리라 확신한다.

(10) 지기(知己)지수

지기지수는 자신을 얼마나 알고 있느냐 하는 것이다. 앞에서 설명한 다른 9가지 인성지수를 갖추기 위해서는 우선 자신을 제대로 아는 것부터 시작되어야 한다. 자신을 안다는 것은 인성이라는 건물을 짓기 위해 기초공사인 토목공사에 비유할 수 있다. 토목공사가 잘 마무리가 되어야 기초를 세울 수 있고, 튼튼한 기초 위에 아름다운 건물을 지을 수 있다.

"너 자신을 알라." 소크라테스가 남긴 말이다(소크라테스가 아니라 그리스 현인 탈레스가 신전 기둥에 쓴 것이라고도 하고, 스파르타의 킬론이 한 말이라고도 한다).

소크라테스는 "인간의 지혜가 신에 비하면 하찮은 것에 불과하다는 입장에서, 무엇보다 먼저 자기의 무지無知를 아는 엄격한 반성이 중요하다."라고 하여 이 격언을 자신의 활동의 출발점에 두었다.

사람에게 어려운 일이 무엇이냐는 질문을 받고 탈레스는 "자기 자신을 아는 것이 어려운 일이며, 쉬운 일이라면 남을 충고하는 일이다."라고 대답하였다 한다. 이와는 반대로 희극작가 메난드로스는 오히려 "남을 알라고 하는 쪽이 더 유익하다."라고 비판하였다. 키케로는 소크라테스와 마찬가지로 "외적인 신체가 아닌 자기의 마음을 아는 것"이라고 해석하였다.

손자병법에 "나를 알고 상대를 알면 백 번 싸워도 위태롭지 않다."(지피지기 백전불태知彼知己 百戰不殆)라는 말이 있다. 이는 전쟁에서뿐만 아니라 인간사 모든 일에 그대로 적용된다고 볼 수 있다.

이와 같이 지기란 자신의 성격, 재능, 적성과 더 나아가 자아정체성, 목표, 분수 등을 인식하는 것이다. 이것은 자신의 몸에 맞는 옷을 입는 것과 마찬가지이고, 발에 맞는 신을 신는 것처럼 꼭 필요한 것이다.

이심전심 '

7부

이심전심
'한국형 인성교육학'의
함의와 실증
含意

제14장

인성의
인생그래프와
인생목표

인성의 인생그래프

인성의 인생그래프란 무엇인가

인간은 주체성 있는 삶의 주인이 되어야 한다. 인생은 자작자연自作自
演의 엄숙한 연극이므로 내가 각본을 쓰고, 내가 연출을 하고, 내가 주인
공이 되어 선택하고 결단하고 행동한다. 그리고 모든 선택의 결과에 대
해서 나 자신이 책임을 져야 한다. 내 운명이라는 것은 나의 인성과 나
의 힘으로 결정되는 것이다.

인성의 인생그래프는 인생의 과거·현재·미래와 결부된다. 즉, 소년
기·청년기·노년기는 인생에 있어서 과거에서 배우는 기억, 현재를 판
단하여 행동하는 지성 그리고 미래를 예상하여 준비하는 예측·예방의
관계를 형성한다.

인생은 성공과 실패가 끊임없이 반복되어 사이클을 그린다. 누구나

인생이 성공으로만 점철될 수는 없으며 누구도 인생이 실패로만 끝나지 않는다. 이와 같은 상승과 하강의 사이클을 경험하고 포용하지 않으면 인생은 무미건조할 것이다.

그러니 인생에서 자기관리만큼 중요한 것이 있겠는가. 나의 인성을 어떻게 쓰고, 어떻게 관리하고, 어떻게 갖느냐에 따라 운명이 좌우된다.

공자는 "군자불기君子不器"라고 말했다. 이를 해의하면 모든 그릇은 각각 일정한 모양을 갖고 있기 때문에 반찬그릇은 반찬을, 밥그릇은 밥을 담는다는 것이다. 특정한 직업에 얽매여 삶의 의미를 잊지 말라는 뜻이다. 공자는 군자불기를 통해 어떤 직업을 가지느냐보다 어떤 가치관을 품고 노력을 하느냐가 중요하다고 강조했다.

인성관리의 첫걸음이 인성그래프다. 수신과 성찰로 인성그래프를 그려가면 자신의 삶을 분석할 수 있다.

잘못된 인성을 가진 사람은 인생에 대한 이상이나 명확한 계획도 없이 하루하루를 되는 대로 살아갈 것이며, 바른 인성을 가진 사람은 인생의 이상적 목표를 세워놓고 그것을 실천하기 위하여 성실히 행동하며 자기를 성찰하는 인성그래프를 그릴 것이다. 어떤 인성을 가지고 살아가야 할 것인가에 대해 수시로 인성의 인생그래프를 그려보며 수신, 성찰한다면 바른 인생철학의 가치 있는 삶을 사는 것이다.

인간이 얼마나 오래 사느냐도 중요하지만 더욱더 중요한 것은 가치 있게 사는 것이다. 홍익인간 철학을 토대로 가치 있게 살아가야겠다.

필자는 매년 인성의 인생그래프를 그리고 수정한다. 삶을 당시의 상황에 맞춰 그래프로 표시하는 작업이 인성의 인생그래프를 그리는 일이다. 그리고 매 학기 개강 첫 시간에 학생들에게 인성의 인생그래프를 그리라는 과제를 준다. 이 과제가 학생들에게 큰 자극제가 되는 것을 필자는 목도目睹해왔다.

바른 인성의 학생들은 이 과제를 통해 자신의 꿈과 삶의 만족도 등을 평가하고, 지속적으로 자기목표를 수정·보완해나간다. 인성이 무엇인지, 나는 누구인지를 처음으로 생각해 보게 되고, 학기가 끝날 때쯤이면 인생의 의미까지 짚어 보면서 크게 성장하는 것이다.

이처럼 자신의 인생을 종합하여 인성그래프를 그리는 행위는 지난날 자신의 경험을 바탕으로 고쳐야 할 부분이 무엇인지 파악하고, 앞으로 어떻게 살아갈 것인지 다짐하는 계기가 되어 인생교훈을 얻게 되는 계기가 된다.

우리는 흔히 인생을 마라톤에 비유한다. 마라톤 참가자의 목표는 절대적으로 기권·포기하지 않고 끝까지 완주하는 것이다. 마라톤 완주에서 꼭 필요한 것은 인내심과 장기적 안목을 갖고 뛰는 것으로 인생여정과 비슷하다.

인생은 적어도 10년 단위로, 길게는 100세 세대까지를 내다보는 거시적이고 미래지향적인 꿈과 희망 그리고 비전이 필요하다. 특히 노후 인생그래프에는 마음을 비우는 그래프를 그려 아름다운 노후와 행복을 찾아야 한다. 21세기 100세 세대를 생각할 때 인성의 인생그래프는 평생행복을 창조하는 열쇠가 될 것이다.

인성의 거울, 인성의 인생그래프

21세기 100세 시대에서 어떤 의미의 어떤 삶Life을 전개해야 할까를 생각해야 한다. 사람이 인생의 삶을 누리는 방법은 다양하다.

시인詩人은 "마음은 미래를 바라고, 지나가버린 것은 그리움이 되리니."라고 읊고, 많은 철학자들은 우리는 인생이라는 바다를 항해하고 있다고 했다. 이 항해에서 남의 배를 타고 남이 가는 대로 가는 사람도 있는가 하면, 자기의 배를 타고 스스로 키를 잡고 나침반을 보며 방향을 개척開拓해 가는 사람도 있다.

> 삶이 그대를 속일지라도 – 푸시킨
> 삶이 그대를 속일지라도
> 슬퍼하거나 노하지 말라.
> 슬픈 날을 참고 견디면
> 즐거운 날이 오고야 말리니… (중략)

수신과 성찰의 자세로 인생의 주인이 되게 하는 인성의 인생그래프를 그려 보자는 것이다.

세상에는 여러 종류의 인성을 가진 사람들이 많다. 은근과 끈기의 인성을 가진 사람들은 성공이 없는 데도 노력을 그치지 않고 지속적인 열정을 기울인다. 이러한 인성은 끝이 무디다 보니 구멍을 뚫기가 어려울 뿐 4전5기四順五起로 한번 뚫리게 되면 더욱 크게 뻥 뚫린다. 한 번 보고

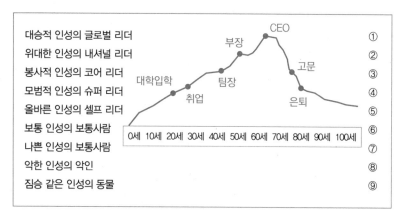

인성의 인생그래프

대승적 인성의 글로벌 리더		①
위대한 인성의 내셔널 리더		②
봉사적 인성의 코어 리더		③
모범적 인성의 슈퍼 리더		④
올바른 인성의 셀프 리더		⑤
보통 인성의 보통사람		⑥
나쁜 인성의 보통사람		⑦
악한 인성의 악인		⑧
짐승 같은 인성의 동물		⑨

안 것은 얼마 못 가 남의 것이 된다. 피땀 흘려 얻은 것이라야 평생 내 것이 된다. 본 장에서는 위의 '인성의 인생그래프'를 기준으로 하여 다음과 같이 정의한다.

⑤ '올바른 인성의 셀프 리더'는 기본적인 인성을 갖추고 자신의 정신적·신체적 사회적 능력 증진을 통해 스스로를 리드하는 사람이다. 이들은 자아실현과 성과지향적인 사람이 되기 위해 자율적으로 목표를 설정하고 평가하며, 스스로 책임지고 행동한다. 셀프 인성 리더만 되어도 세상에 빚지지 않고 당당하고 행복하게 살 수 있다.

④ '모범적 인성의 슈퍼 리더'는 올바른 인성을 갖추고 평범한 조직구성원을 셀프 리더로 키우고 조직구성원이 더 좋은 인성으로 스스로 더 많은 임무를 수행할 수 있도록 자율 관리능력을 배양해주도록 한다. 이를 통해 개인과 조직의 육성 및 발전을 동시에 추구함으로써 자신의 행복은 물론 타인의 행복을 이끌고, 이를 통해 국가의 사회조직 발전에 기여한다.

③ '봉사적 인성의 코어 리더'는 수신제가修身齊家를 이루고 조직은 물

론 조직구성원의 발전을 위해 헌신적으로 봉사하는 인성을 갖춘 사람들이다. 코어 인성 리더는 국가와 사회발전을 위해 빛과 소금의 역할을 하는 인성을 갖춘 사람들로서 내셔널 리더가 되기 위해 활약하는 사람들이다.

② '위대한 인성의 내셔널 리더'는 국가지도자급으로서 위민, 여민 인성을 발휘하는 경우를 말한다.

① '내셔널 인성 리더'는 대승적 인성으로 글로벌 리더가 되기 위해 노력하는 등 인류발전에 공헌하며 더불어 홍익인간 정신을 세계에 널리 알리는 역할을 하게 된다. 반기문 UN사무총장처럼 국가와 인류의 행복을 위해 헌신적으로 활동하는 지도자들을 말한다.

인성의 인생그래프를 그려보면 인생의 목표가 바로 서고, 자신이 누구인지 명확하게 인식할 수 있으며, 왜 올바른 인성의 지도자가 되어야 하고 올바른 인성지도자로 살아야 하는가에 대한 답을 찾을 수 있다.

나아가 '현재 자신의 위치는 어디이며, 미래에 나는 어떤 위치에 도달할 것인가?'를 성찰하고 깨달음으로써 자신이 진정으로 소망素望하는 인생목표를 그려볼 수 있다.

사람들의 인성의 인생그래프를 그 모양, 추이, 방향에 따라서 나눌 수도 있다. 물론 그 모양, 추이, 방향이라는 것은 그 사람의 인성이 미치는 긍정적·부정적 영향에 따라 상이하게 되는 것이다. 어떤 사람은 나이를 먹어가면서 양의 방향(우상향, ⑥→①)으로 그래프를 그리는가 하면, 음의 방향(우하향, ⑥→⑨)으로 그래프를 그릴 수밖에 없는 사람도 있다.

바른 인성으로 성실히 사는 사람들의 그래프는 우상향한다.

이와 반대로 자아 만족은커녕 불만, 불안, 분노, 갈등 속에 사는 사람들의 그래프는 우하향한다. 이런 사람들은 자신도 모르는 사이 인간 이하의 생활로 추락하고, 지인들에게까지 악영향을 끼치는가 하면, 범죄를 저지르기도 한다. 이런 삶이 계속되면 누군가에게 삿대질 당하는 '짐 승보다 못한 삶'을 살게 될 수도 있다.

성웅 이순신의 백의종군白衣從軍 인성을 교훈 삼는다면 정신적인 멘토는 물론 삶의 이정표가 될 것이다. 백의종군이란 문자 그대로 일체의 관직과 계급을 박탈당하고 계급이 없는 평복을 입고 무등병으로 군복무를 한다는 뜻이다.

살펴보건대, 현대 한국인들은 충무공 이순신 장군을 존경한다고 말하는 데 스스럼이 없다. 그러나 단순히 감명을 받는 것과 그의 삶의 자취를 따르고자 정진하는 것은 차원이 다른 문제다. 충무공 이순신이 그의 삶을 통해 보인 강인한 정신력과 백의종군 인성을 진정한 교훈으로 삼아야 한다. 이를 통해 아름다운 인생 그래프를 그리는 삶을 살 경우, 자신의 운명을 스스로 개척하여 자아실현을 할 뿐만 아니라 공동선을 실천하여 타인의 행복에 기여할 수 있다.

〈 15 〉 정주영에게 배우는 인생그래프

'It might have been….'(아! 그때 왜 안 해봤을까….)

정주영의 인생 화두는 "해보긴 해봤어?"이다. 정주영 현대그룹 전 회장은 국내외 대학은 물론 재계에서 영웅으로 평가하는 인물이다. 그는 현대그룹 창업뿐 아니라 우리나라 산업근대화의 역사를 창조한 리더로서 그는 일제강점기에 창업해 해방 후부터 2000년대까지 시대를 이끌어 온 경제주역이었다.

일제강점기인 1940년 자동차 정비회사인 아도서비스를 인수한 것, 사업보국의 의지로 현대건설을 만들고 키운 것, 기술과 여건이 열악한 상황에서도 경제발전의 기반이 될 자동차산업에 진출한 것, 오일쇼크의 위기 속에서 중동 건설시장 진출을 결심한 것 등은 오늘날의 현대그룹의 수많은 성공사례들이다.

흙수저 원조元祖 정주영은 우리나라 청년들에게 "이봐, 해봤어?"를 다시 묻고 있다. 소학교밖에 나오지 못했지만 그는 세계가 인정하는 성공한 리더이다. 그의 성공의 밑바탕에는 인내, 끈기, 도전정신으로 똘똘 뭉친 인성이 있었다. 그는 늘 현실에 안주安住하지 않고 "해봤어?"라는 인성의 핵심화두를 들고, 더 나은 목표를 끊임없이 찾았고 시련과 실패를 무척 사랑했다.

흙수저인 정주영 회장도 수차례 실패를 거듭한 끝에 결국 세계적인 경제영웅으로 자아실현을 하였는바, 최근 금수저 환경의 사람들이 흙수저로 자처하며 비판하는 것을 볼 때 잘못된 인성으로 잘못된 길을 가고 있다는 것을 절감하게 된다. 금수저가 특혜가 될 수도 있지만 치명적인 독도 될 수 있는 것이며, 흙수저가 정주영의 사례처럼 오히려 자아실현, 자수성가의 길인 것이 세상의 원리이다.

정주영은 여러 설문조사에서 국가 발전에 이바지한 최고의 경영인으로 선정되는 한편, 세계 여러 나라에서 정주영 회장의 경영방식을 연구하고 있다. 하버드 대학에서는 그의 경영철학과 리더십을 가르치고 연구하는 MBA과정이 개설되기도 했다.

정주영의 자수성가에서 현대의 젊은이들이 지혜로운 인성을 찾으면 어떨까 하는 아쉬움이 배어나온다.

유럽까지 정복한 고아 출신 칭기즈칸, 애플 창업자 스티브 잡스, 전기차 테슬라를 만든 엘론 머스크 또한 흙수저 출신이다.

일본 파나소닉 창업자 마쓰시타 고노스케는 실패한 상태에서 그만두면 실패가 되지만 성공할 때까지 계속하면 성공이 된다고 말했다.

금수저, 흙수저의 논쟁을 뛰어넘어 100여 년 전 태어난 정주영 회장의 인생철학을 배워 모든 국민이 윈윈win win할 수 있는 성찰이 필요한 시기이다. 최근의 경제적 위기를 기회로 삼아 자신만의 고유한 인생 그래프를 그려가야 할 것이다.

2

바른 인성으로 인생목표를 설정하라

인생목표의 역할과 기능

대부분의 사람들은 인생목표人生目標에 대해 많이 고뇌하고 자문자답한다.

"나는 누구이며, 어떤 사람인가?", "나는 어떤 목표를 향해 달려가는가?", "나의 꿈은 무엇인가?", "나는 무엇을 위해 살아가는가?" 등 많은 문제에 대해 생각에 잠긴다.

이 문제와 연관되어 생각하는 것이 바로 '인생목표'이다. 인생목표는 자신의 운명을 결정한다. 이러한 인성 목표는 모든 선택과 결정에 절대적 영향을 미치며, 자신이 만드는 인생의 유형을 결정한다.

비전이 없는 삶, 인생의 목표가 없는 삶에서는 인간다운 인간의 삶이 어려울 뿐만 아니라 인생의 보람도, 활력도, 행복도 있을 수 없다. 인생목표를 향해 정혼을 다하는 정신과 자세로 정진할 때 행복한 삶은 물론 지혜로운 인성의 생활인生活人이 될 수 있다.

많은 사람들이 100세 시대를 맞을 것임은 거의 확실하다. 그러나 100세까지 오래 산다고 무조건 좋은 것은 아니다. 바른 인성을 토대로 건강하고 행복하게 오래 살아야 한다.

그러자면 단기·중기·장기적인 치밀한 인생목표를 미리미리 준비해야 한다. 10대든, 20대든, 60대든, 70대든 누구나 인생목표를 제대로 설계해야 행복한 인생이 될 수 있다. 인생목표의 중요성을 나덕렬 교수의 『뇌미인腦美人』 이야기를 들어보자.

누군가에게 '올해의 목표가 무엇입니까?'라고 물었을 때, '글쎄요.'라고 대답하면서 골프만 치러 다닌다면 그 사람은 죽은 사람과 다름없다. 목표가 없으면 사람들은 많은 시간을 허송세월로 흘려보내게 된다. 우리가 목표를 세우지 않으면 우리 뇌 속 천억 개의 뇌세포는 그저 놀게 된다. 반대로 목표를 세워 목표를 이루기 위해 정진하면 뇌세포 전체가 일사불란하게 움직인다.

그러니 이번 달의 목표, 올해의 목표, 5년 후의 목표, 10년 후의 목표를 세워야 한다.

미국의 심리학자인 미하이 칙센트미하이는 『몰입의 즐거움』에서 "명확한 목표가 주어져 있고 활동의 효과를 곧바로 확인할 수 있으며 과제의 난이도와 실력이 알맞게 균형을 이루고 있다면 누구나 어떤 활동에서도 몰입을 맛보면서 삶의 질을 끌어올릴 수 있다."라고 했다.

사람이 가장 행복할 때는 인생목표의 꿈에 완전히 몰입된 상태라 한다. 인생목표를 품고, 그 꿈을 단계별로 실천해서 내 인생을 온전히 내 것으로 받아들이면 미래는 자신의 것으로 다가온다.

1953년에 미국의 예일대 학생들을 상대로 인생목표에 관한 설문조사를 실시해 타임캡슐에 넣어 30년이 지난 후 개봉해본 결과, 상류층(3%)은 문서화된 인생목표(계획)가 있었고, 중산층(10%)에게도 인생목표가 있었지만 문서화되기보다는 마음속에 있는 데 머물렀다. 그러나 서민층(60%)과 빈민층(27%)은 인생목표가 전혀 없었다. 무려 조사대상의 87%가 목표가 없다고 응답한 것이다. 결과적으로는 인생목표를 가지고 있었던 13%에게 인생목표가 없었던 87%가 의존한 채 인생을 살아가고 있었던 것이다.

그런데 상류층의 3%와 중산층의 10%는 모두 인생목표가 있었음에도, 이들 사이에도 차이가 존재했다. 이들 사이에 차이가 발생한 것은 무엇 때문인가? 문서화된 인생목표를 가진 3%가 인생목표가 있지만 문서화하진 못한 10%보다 우위에 선 것은, 인생목표를 '기록'하는 것 또한 커다란 의미를 가짐을 시사한다.

선진국 청소년들은 초·중·고등학교 시절에 자신의 자아정체성을 토대로 인생목표를 수립하고 정진한다.

그러나 우리 청소년들은 오로지 대학 진학만을 목표로 하고 대학과 학과를 선택할 때도 전적으로 합격을 위한 전략을 따를 뿐이다.

불혹不惑(40세)을 넘긴 사람들이 자기 인생을 뒤돌아보며 '내 인생길이 이것이 아닌데….'라며 탄식하는 경우를 적지 않게 보아 왔다. 인생목표조차 없어 인생길을 잘못 들어섰다는 회한에 힘들어한다. 그러니 젊은 시기에 바른 인성의 인생목표를 수립하고 실천하여 장년·노년에 들어 후회하지 않을 삶을 가꾸어 나가야 한다.

한 가지 예를 들어보자. 주중 아침과 주말 아침, 잠에서 깨어나 일어나는 시간을 생각해본 적 있는가? 주중 아침은 바쁜 출근길에 몸을 담기 위해 일찍 정확한 시간에 일어난다. 하지만 주말 아침은 약속이 없다면 늦게까지 잠을 자기 마련이다.

이것은 목표가 있는 하루와 목표가 없는 하루의 차이다. 인생목표도 마찬가지다. 목표가 있다면 긴장감이 있는 인생을 살기 마련이고 목표가 없다면 나태한 삶에 이끌려가기 마련이다. 목표는 곧 목적이자 결심이다. 목표는 '그것이 바로 내가 이렇게 일하는 이유'라는 분명한 목적의식目的意識이다. 따라서 목표가 정해지기 전까지는 아무것도, 그 어떤 진보도 이뤄질 수 없다. 목표가 없는 사람은 내내 방황만 할 뿐이다.[1]

상당수의 사람이 새해 인생목표와 계획을 세우지만 끝까지 실천하지 못하고 작심삼일作心三日로 포기해버린다. 우리는 작심삼일이 작심일년 또는 작심십년이 되도록 도망치지 않고 맞서 싸워 승리하는 뚜렷한 신념과 정신력이 필요하다.

누구든 이심전심으로 공감하고 감동하는 인생목표를 통해 자신의 삶과 일에 목적을 분명히 부여해야 한다. 이를 통해 자아실현의 실천의지를 불태우고 정진해야 한다.

----

1 강윤철, 『한 번뿐인 인생 큰 뜻을 세워라』, (휘닉스·2011), p.317

인생목표가 없는 결과

근래 청소년, 대학생, 직장인들을 보면 자기계발에 열심이다. 휴일에도 공부방에는 불이 꺼질 줄 모르고 수십 개나 되는 자격증을 따는가 하면 토플·토익시험에 거의 만점을 받기도 한다. 그러나 자격증을 왜 땄느냐고 물으면 "없는 것보단 나을 것 같고, 그냥 가만히 노는 것보단 무언가 준비해둬야 할 것 같은 생각에서다."라고 대답한다. 무엇인가 분명한 이유와 목표가 부족하다. 항상 뭔가를 열심히 '준비'는 하지만 정작 중요한 앞으로 무엇을 할 것인지에 대한 명확한 목적의식을 상실한 경우다.

마리사 피어는 다음과 같이 말한다.[2]

> 우리에게 목표가 없으면 우리는 방향을 잃고 표류하며 허우적거리게 된다. 그러나 목표가 있으면 인간은 그것을 향해 움직이기 시작한다. 다시 말해 당신의 성공을 좌우하는 것은 바로 '목표'다.
>
> 목표를 세우고 그것을 향해 한 걸음씩 나아가 성취해내면 우리는 스스로에 대해 만족하게 된다. 행복도가 높고 성공을 거둔 사람들은 대개 목표지향적이라는 특성이 있다.

"지초북행至楚北行"이라는 고사성어가 있다. 남쪽에 있는 초나라로 간다면서 북쪽으로 길을 간다는 의미다. 『전국책戰國策』「안희왕安釐王」편에 나오는 이야기다.

---

2 마리사 피어, 『나는 오늘도 나를 응원한다』, 이수경 역, (비지니스북스·2011), pp.150~151

옛날 계릉季陵이란 사람이 한 사내를 만났는데 그 사내는 초나라로 간다면서 엉뚱한 길로 가고 있었다. 마부의 능력은 탁월하나 방향을 잘못 잡아 엉뚱한 방향으로 길을 가고 있었던 것이다. 그래서 계릉은 "그 길은 초나라로 가는 길이 아니오."라고 일러주자 그 사내는 "내 마부는 실력이 출중하다오."라고 답변하고 엉뚱한 길을 갔다.

이러한 경우가 바로 자질이 우수함에도 인생목표가 잘못되어 엉뚱한 길을 가는 경우가 아니겠는가. 갈 길을 몰라 엉뚱한 길을 가거나 아예 꿈도 없이 방황하는 사람들에게는 미래가 없다. 크고 올바른 인생목표를 가져야 인생의 낭비가 없다. 인생의 꿈을 시각화·실천화한 것이 인생목표다.

최근 공병호 경영연구소장은 한 강연에서 "많은 직장인들이 자기계발에 시간과 돈 등 막대한 노력을 투자하고 있지만 구체적으로 '무엇을 계발하고 있는가?'라고 질문하면 막상 정확한 답을 하는 경우가 드뭅니다. 나도 대학생 시절 매일매일 작은 목표를 세우고 하루를 평가하며 2년여 동안 해보니 효과가 있어, 4학년 때부터는 보다 장기적인 목표와 체계적인 실행법을 계획할 수 있었습니다."라고 말했다.

똑같은 분야를 전공해도 자기만의 목표와 자기만의 인성으로 차별화하지 않으면 '시장에서 팔리지' 않아 좌절하는 경험을 하게 된다. 자기만의 목표와 자기만의 인성과 자기만의 실력으로 차별화하여 자기만의 고유한 인생목표를 세우고 개척해야 한다.

그렇다면 인생목표가 정말로 행복한 인생을 만들어낼 수 있을까? 그렇다. 목표가 있는 학생들은 그렇지 않은 평범한 학생들과 다르다.

인생목표가 있는 학생들은 슬럼프를 잘 극복하고 활력이 넘친다. 인생목표가 분명한 학생들에게는 도파민이라는 호르몬이 많이 나오는데, 이 호르몬은 기쁨과 쾌락快樂을 유발하기도 하지만 목표를 향해 나아가도록 동기를 촉발시키기도 한다.

가치 있는 인생목표를 정했다면 확 저질러야 합니다. 수영에 자신이 없으면 물속에 뛰어들고, 영어에 자신이 없으면 외국인과 식사약속을 하고, 말하는 것에 자신이 없으면 토론장에서 손을 들어 발언권을 얻어야 합니다. 예정된 실패를 견뎌내야 합니다. 그 실패의 다리를 넘어 기어이 해냈다는 성취감을 느낄 때 자신감은 생깁니다.[3]

오늘도 많은 젊은이들이 각자의 초나라를 향해 길을 떠난다. 말을 든든히 먹이는 것도 탁월한 마부도 필요하다. 그러나 무엇보다 나는 어떤 사람이며, 나의 인생목표는 무엇인가, 내가 가려는 방향이 어딘가를 정하는 일이 우선이다. 뜻과 방향이 정해지면 길은 저절로 보이기 때문이다.

가장 중요한 건 입지立志와 지향志向의 인생목표다. 아름다운 인생의 꿈과 비전을 향한 인간다운 인간, 리더다운 리더가 되는 인생목표를 치밀하게 수립하고 정진해야 한다.

---

3 이원설 외 1인, 『아들아 머뭇거리기에는 인생이 너무 짧다』, (한언·2003), p.153

인생목표 이루기

올바른 인생목표를 가진다면 결코 방황하거나 나태해질 수 없다. 1주, 1개월, 1년, 10년, 50년 후의 목표가 하나하나 분명해지는데 실패하거나 나태해질 수가 있겠는가. 바쁜 꿀벌은 슬퍼할 겨를조차 없다. 인생목표를 향한 불광불급不狂不及의 열정은 몰입의 원동력이 된다. 인생목표는 보물이요, 희망봉이요, 바이블이요, 청춘예찬이 되는 것이다.

우리의 마음밭에는 대개 두 종류의 씨앗이 자라고 있다. 긍정적인 인성의 씨앗과 부정적인 인성의 씨앗이다. 긍정적인 씨앗은 기쁨·사랑·희망 같은 싹을 틔우려 하고, 부정적인 씨앗은 불평·미움·절망과 같은 싹을 틔우려 한다. 이때 우리는 긍정적인 씨앗에만 물을 주고 거름을 줘 잘 가꿔야 한다. 이것이 곧 인생목표의 꿈을 실천하는 비법인 것이다.

공자는 『논어』「위정편爲政篇」에서 이렇게 말하고 있다.

> 나이 열다섯에 학문에 뜻을 두었고吾十有伍而志于學, 서른에 뜻이 확고하게 섰으며三十而立, 마흔에는 미혹되지 않았고四十而不惑, 쉰에는 하늘의 명을 깨달아 알게 되었으며伍十而知天命, 예순에는 남의 말을 듣기만 하면 곧 그 이치를 깨달아 이해하게 되었고六十而耳順, 일흔이 되어서는 무엇이든 하고 싶은 대로 하여도 법도에 어긋나지 않았다七十而從心所欲 不踰矩.

평균수명이 40~50세로 추정되는 무려 2,500년 전에 이미 공자는 10대부터 70대까지 평생의 인생목표를 세우고 실천하기 위해 정진했다. 오늘을 사는 젊은이들은 100세를 사는 인생목표를 수립해야 한다.

미국에서 최고의 인기를 누렸던 캐니 로저스의 컨트리뮤직 〈더 갬블러〉는 돈 슐리츠가 작곡한 곡이다. 돈은 누가 뭐라고 하건 '미국 최고의 뮤지션'이 되겠다는 최종 목표지점을 이미 고등학교 때 결정했다. 그리고 오직 그 한 곳을 과녁으로 삼고 목숨 걸고 노력했기 때문에 미국 컨트리뮤직의 리더라고 하는 자신의 목표지점까지 자기를 이끌어갈 수 있었다.[4]

2,000여 년 전에 희랍의 철학자 헤라클레이토스는 "만물은 모두 변하고 있다. 태양조차도 날로 새롭고 오늘의 태양은 벌써 어제의 태양이 아니다."라고 하였다.

동서를 막론하고 옛날의 성인·현인들이 한결같이 인생목표와 계획을 수립하고 날로 새롭게 되는 것의 중요성을 역설하고 있음을 우리는 확인하였다. 하물며 우리와 같이 21세기를 사는 사람들은 어떠해야겠는가. 나쁜 인성의 무사안일하고 구태의연한 자세로 생활한다면 인간다운 인간의 삶이 될 수 없는 일이다. 100세 시대 인생목표를 행복하게 실천하려면 육체건강보다 정신건강이 중요하다는 연구결과가 발표되었는바, 맥아더 장군이 매일 애송했던 사무엘 율만의 '청춘靑春'의 시를 공감하고 실천하는 삶이 필요하다.

청춘이란

인생의 어떤 한 시기가 아니라 마음가짐을 뜻하나니… (중략)

때로는 이십 세의 청년보다 육십이 된 사람에게 청춘이 있다.

----

4 톰 모리스, 『성공하려면 하고 싶은 대로 해라!』, 성시중 역, (한국언론자료간행회·1995), p.126

나이를 먹는다고 해서 우리가 늙은 것이 아니다.

이상을 잃어버릴 때 비로소 늙는 것이다. (중략)

비록 나이가 이십 세라 할지라도 이미 늙은이와 다름없다.

그러나 머리를 드높여 희망이란 파도를 탈 수 있는 한

그대는 팔십 세일지라도 영원한 청춘의 소유자인 것이다… (중략)

그대와 나의 가슴속에는 이심전심의 안테나가 있으니 사람들과

신으로부터 아름다움, 희망, 기쁨, 용기와 힘을 주고받는다면 언제

나 청춘이어라!

청춘은 청년과 달리 인생의 어떤 시기를 말하는 것이 아니라 마음가
짐이다. 참된 청춘은 안일한 불의의 길보다 험난한 정의의 길을 선택한
다. 안일한 정의의 길 따위는 존재하지 않음을 알고 있기에 험난한 정의
의 길을 걸어가는 것이다.

스티브 잡스는 2005년 미국 스탠퍼드대학 축사에서 "자신이 사랑하
는 일을 찾아라. 결코 주저앉지 말라. 온 마음을 다하면 반드시 찾을 수
있다. 매일 아침 거울을 보면서 '오늘이 내 인생의 마지막 날이라면, 오
늘 내가 하려고 하는 일을 할 것인가?'를 자문하며 하루하루를 열심히
살았다."라고 말했다.

결론적으로, 진정한 인성의 소유자들은 인생목표를 구체적으로 설
계하여 수립하고 열의를 다해 실천한다. 우리 모두 인생목표를 갖고 홍
익弘益의 세계를 향해 힘차게 전진하여 진실한 생활인으로 행복한 삶을
갖자.

〈 16 〉 중·장기 인생목표 계획수립(예시)

인생목표는 믿음에서 태어나고, 소망에 의해 실행되며, 열정으로 열매를 맺게 하여 행동의 초점이 분명하게 한다. 강력한 추진력이 발휘되는 시작점인 것이다.

인생목표가 명확하고 생생하다면 그 목표는 마치 마법처럼 우리를 움직이게 하여 존경받는 인성으로 변신케 하고 인생의 물줄기를 원활하게 틀어놓을 것이다.

요컨대 인생목표는 방황하거나 정체된 사람에게 아름다운 꿈과 희망, 비전, 열정, 지혜 등을 불어넣어 즐겁고 행복한 삶을 설계하는 축복의 에너지를 제공한다.

인생목표는 우리 인생의 갈림길에서 방황하고 망설일 때 올바른 길로 이끌어주는 이정표里程標의 구실을 할 수 있다.

인생이라는 바다에서 항해를 하다 보면 항상 고요한 바다만을 만날 수는 없다. 거친 풍랑을 만나든가 태풍을 만나든가 온갖 어려움이 찾아온다.

이때 중·장기 인생목표 계획을 통해 인생의 나침반 역할을 할 수 있을 것이다. 반드시 이러한 이유가 아니더라도 인생계획은 우리 생활을 계획성 있게 할 수 있도록 하여 자아실현을 이룰 수 있도록 도와줄 것이다.

* 중·장기 인생목표 계획 (예시)

1. 나의 자아정체성에 대한 고찰

   1) 성장과정과 가정환경에 대하여

   2) 자신의 성격상 장점 및 단점에 대하여

   3) 나의 취미/특기 및 사회활동 경험에 대하여

   4) 나의 인생관 및 직업관에 대하여

2. 나의 자아정체성에 대한 SWOT(스왓)분석 (금융인인 경우)

   1) SWOT분석 중 강점Strength분석

     (1) 투자실패 및 교훈

     (2) 고객만족 극대화를 위한 서비스에 대한 이론적 토대

     (3) 원만한 인간관계와 다양한 경험

     (4) 주식을 중심으로 한 금융시장에 대한 폭넓은 이해

   2) SWOT분석 중 약점Weakness분석

     (1) 증권 관련 자격증의 부족

     (2) 전공(호텔관광경영학)과 연관성 적은 증권회사

   3) SWOT분석 중 기회Opportunity분석

     (1) 금융자산관리 중요성의 대두

     (2) 자본시장통합법에 의한 금융권 빅뱅

   4) SWOT분석 중 위기Threat분석: 불투명한 증권업의 미래

3. 아름다운 삶을 위한 인생계획서

   1) 20대~30대 중반: 증권업계의 당찬 엘리트

   2) 30대 중반~40대 중반: 마켓리더

3) 40대 중반~50대 중반: 금융회사 베스트 지점장

4) 50대 중반~60대 초반: 금융회사 사장

5) 60대 초반~70대 중반: 직업 관련 강의

6) 70대 중반~100대: 자서전 쓰기, 봉사, 취미활동 등

4. 결론: 인생목표의 실천을 위한 다짐, 각오, 비전 등

인생목표 실천은 처음부터 욕심을 크게 부리지 말고 하나씩 이루어나가야 한다. 죽기 전에 꼭 해보고 싶은 일의 목록(버킷리스트)을 적어 활용하라.

그 과정에서 계획이 어긋나 전부 포기하고 싶은 마음이 들더라도 결코 포기하지 말고 '나의 지난 인생보다 조금씩 더 발전하고 있다. 완벽하지는 않지만 그래도 잘하고 있다.' 등의 자기응원 및 감사하는 마음으로 인생목표를 수정 및 보완하면서 꾸준히 다가가면 이룰 수 있고 성취감으로 더욱 행복하다.

특히, 세상을 살다 보면 누구에게나 카이로스의 시간(골든 타임)이 생겨난다. 이때는 치열하게 살아야 한다. 크로노스의 시간은 과거부터 미래로 일정 속도, 일정 방향으로 기계적으로 흐르는 영속한 시간인 데 반해, 카이로스는 의식적이고 주관적인 시간, 순간의 선택이 인생을 좌우하는 기회의 시간이며 결단決斷의 시간이다. 혼신을 다해 뜻을 이루고, 인생 목표를 달성해야 한다.

제15장

조화 및 상생의
중요성과
국민행복

1

동서고금의 진리 - 조화의 중요성

조화의 의미

조화의 사전적 의미는 '서로 잘 어울림'이다. 비슷한 의미의 낱말로는 어울림, 하모니, 적응과 같은 말이 있으며, 반대의 의미를 가진 낱말로는 불화, 갈등, 상충, 부조화라는 말이 있다.

일찍이 플라톤은 『국가』에서 "음악과 체육이 최고의 조화를 이루도록 만들어 그것을 가장 적절히 영혼에 적용시킬 수 있는 사람이야말로 참으로 훌륭하고 완벽한 예술가라고 할 수 있다."라고 역설한 바 있다.

공자는 『논어』에서 '화이부동和而不同'을 강조하고 있다. 타인의 다름을 인정하고 그것과 함께 조화를 이루려는 삶의 태도를 의미한다. 조화는 인간관계에서 다름을 당당히 지키면서 다채로운 인성의 빛을 내는 아름다움이다.

공자는 정치의 지향점을 음악의 본질인 조화에서 찾았으며 세종은 정치가가 익혀야 할 필수덕목에 음악을 넣고 발전을 주도했다.

2,500여 년 전 『역경』이라는 책에 "세상은 음양의 조화에 따라 유지된다."라는 언급이 있다. 남녀 간의 궁합뿐만 아니라 모든 사물에서도 음양의 궁합이 잘 맞으면 자연스럽게 세상의 어떤 시련에도 잘 견뎌낼 수 있는 강한 힘이 생긴다. 예를 들어, 설탕은 분자끼리의 음양의 궁합이 약해 낮은 온도에도 못 견디고 금방 녹아 재가 되어버리지만, 소금은 음양의 조화가 잘 맞아서 섭씨 800도에서도 녹지도 타지도 않는 매우 안정적인 결합을 이루고 있다.

이 같은 음양오행 이론은 우리들에게 겉으로 나타나는 색깔이 제각기 다른 어떤 것이든, 서로 잘 결합만 된다면 훨씬 더 안정된 세상을 이루는 거름이 될 수 있다는 교훈을 준다.

직언하자면, 우리의 고질병인 갈등과 분열의 인성을 청산하고 음양의 조화처럼 정치·경제·사회·문화·이념 등 국가와 민족의 대명제大命題를 풀어야 한다. 예컨대, 우리의 현대사에서 보수와 진보의 좌우 이념의 대립을 풀지 못한다면 혼란과 무질서를 가져와 종국에는 파멸을 자초하는 우를 범해 치명적인 국가존립위기로 빠져들 소지가 있다. 이념대립은 어떤 시대, 사회에서도 함께 존재하고 상호보완적 위치에 함께 있어야 하는 가치관이다. 올바른 역사관과 국가정체성을 토대로 보수와 진보가 조화의 인성을 이루어 부국강병, 국태민안을 이루어야 한다.

정신과 물질의 조화

정신과 물질의 조화는 변질된 가치관 회복은 물론 인간다운 삶과 행복의 길로 이끌어준다. 주의할 것은 물질문명이 정신문화를 압도하여 본말의 전도가 되어서는 안 된다는 점이다. 물질문명과 정신문화의 조화에 있어서 현실적으로 물질문명을 억제하고 옛날의 자연상태로 돌아가는 방향만을 추구할 수는 없기 때문에, 고도의 물질문명을 적절히 수용하면서도 정신생활의 소중함을 잃지 않는 생활태도가 필요한 것이다.

현대인들은 물질적 풍요가 넘치는 데 비해 정신적 빈곤, 철학적 빈곤으로 조화와 균형을 이루는 삶은 멀어져 가고 있다. 그러니 많은 사람들이 늘 불안하고 초조한 삶을 살고 있는 실정이다.

최근 '정의'의 신드롬을 불러일으킨 미국 하버드대 마이클 샌델 교수는 신작 『돈으로 살 수 없는 것들』에서 시장경제가 아닌 시장사회로 변해버린 물질만능시대에 대해 "시장에 대한 도덕적·정신적 논쟁을 꺼리는 태도로 인해 우리는 무거운 대가를 치르고 있다."라고 강조한 바 있다.

물질문명의 발달 자체는 긍정적인 것으로 경제력의 원천임을 부인할 수 없다. 더욱이 주위의 나라들이 물질문명을 이룩한 상태에서 우리나라만 물질문명이 뒤처지고 군사력을 지탱할 예산을 갖추지 못한다면 국가를 수호하기가 불가능에 가까울 것이다.

그러나 인간을 인간답게 하는 것은 양질의 정신문화 생활에 있다. 정신문화가 뒷받침될 때에만 물질문명의 발전이 이루어진다. 우리가 물질적인 풍요와 향락에 탐닉耽溺하게 되면 도덕인성이 실종되어 결국 개인·조직·국가가 망하는 결과를 가져온다.

최근 많은 미국인들이 소유와 소비로는 도저히 채워지지 않는 행복을 찾아서 또는 치열한 경쟁에서 오는 스트레스와 불안을 달래기 위해 숭고한 정신세계를 찾아 나서고 있다. 미국인들은 경제대국의 최강국임에도 불구하고 유럽인들이 훌륭한 복지제도 등으로 더 행복해 보인다며 부러워하며 이민을 택하는 사람들도 있다.

한 연구에서 지난 18개월 동안 꽤 많은 금액의 복권에 당첨된 22명을 조사했다. 그 결과 그들은 복권당첨으로 매우 행복해했지만 1년 후 그들의 행복수준은 평범한 사람들과 다르지 않았다. 심지어 또 다른 연구에서는 복권당첨자의 절반 이상이 궁극적으로 파산했다.

최근 황금만능시대에 대한 우려가 크다. 많은 사람들은 돈보다 사람이 더 중요하다고 말은 하면서 막상 행동은 돈에 환장한 시대라고 걱정하는 목소리가 크다. 자본주의가 만들어낸 최악의 행태가 우리 세대를 지배支配해 인성이 무너지고 있다고 이야기한다.

본 필자의 저서 『리더다운 리더가 되는 길』[5]에서 다음과 같이 말한다.

최근 물본주의적 경향은 더욱 강해졌고 상대적으로 정신문화는 퇴보했다. 이러한 현상을 극복하고 아름다운 사회를 건설하기 위해서는 정신주의와 물질주의의 조화가 필요하다. 물질문명의 목표는 모든 과학기술과 금융을 지속적으로 발전시켜 인류과학 문명발전에 기여토록 하되 반드시 정신문화의 도덕성과 사랑, 봉사정신이 연계되어야 한다. 이로써 물질주의의 역기능은 작아지고 순기능이 강화되어 인류와 역사발전에 기여할 것이다.

----

5 최익용, 『리더다운 리더가 되는 길』, (다다아트·2004), p.95

여기서 말하는 조화는 정신과 물질을 동등한 가치로 규정하는 것이 아니라 물질보다는 정신(도덕성)이 우위優位를 확보함으로써 얻어지는 것이다.

공자는 "인구가 적정선이 되면 경제를 일으켜 백성들의 삶을 풍요롭게 하고 그다음엔 교육을 통해 도덕을 함양해야 한다."라고 말했다. 경제는 육체적 삶을, 도덕은 정신적 삶을 풍요롭게 한다. 진정한 선진강국이란 경제발전이 적정수준 이상이면서 국민의 도덕의식이 뒷받침되는 나라다. 다시 말하자면, 도덕적인 측면에서는 인성을 갖추고 경제적인 측면에서는 효율적인 조직관리와 업무실적을 이루는 것이다.

살펴보자면, 동서고금의 역사를 들여다보면 정신과 물질의 조화가 개인은 물론 조직과 국가를 보존하고 발전시키는 핵심요소核心要素임을 알 수 있다. 대한민국 현대사회의 정신주의와 물질주의의 조화를 냉정하게 평가하자면, 그 수준이 조선시대보다도 더 퇴보했으며 물질주의의 일방적 우위로 인한 부조화 현상이 다른 선진국에 비해 극명하게 드러난다고 할 수 있다. 정신과 물질의 조화와 균형을 위한 사회적 각성과 국가적 대책이 매우 중요시된다.

위성지학과 위기지학의 조화

올바른 인성을 갖추기 위해서는 위성지학과 위기지학이 필요하다. 위성지학爲聖之學은 '정신적 기반을 바탕으로 자신의 덕성을 완성하기 위한 학습'을, 위기지학爲機之學은 '물질적 기반을 바탕으로 자신의 기능성을 완성하기 위한 학습'을 말한다.

위성지학(도덕적 가치)과 위기지학(물리적 가치)은 '올바른 인성교육'을 위해 필자가 새롭게 개념화한 것이다. 우선 위성지학을 살펴보자.[6]

> '위성지학'의 목표는 모든 사람이 도덕성과 숭고한 가치관을 정립하여 인간다운 인간으로서 살아가는 것이다. 이를 위해서는 꾸준한 자기수신, 일일삼성一日三省 등 자기완성의 노력이 필요하다. 더 나아가 위성지학의 궁극적인 목표는 보다 많은 사람이 도덕성을 갖춰 성인·군자가 되도록 노력하며, 더불어 사는 삶의 지혜를 갖춘 시민을 육성, 평화로운 인류사회 보장이 영원히 지속되도록 하는 것이다.

평범한 이들은 자연적 감정인 칠정七情에 머물러 있지만 최고의 지도자라면 칠정을 뛰어넘어서 이타주의의 도덕적 능력인 사단四端까지 갖추어야 한다. 그래야만 가정과 이웃, 조직과 사회에 대한 책임을 질 줄 아는 지도자가 될 것이기 때문이다.

위기지학이란 인간의 기능적·실용적인 능력 향상을 위한 실사구시, 이용후생의 정신을 바탕으로 한 실용적 학습을 뜻한다. 이 실용적 학습

---

6 최익용, 『리더다운 리더가 되는 길』, (다다아트·2004), p.80

을 통해 작게는 생계가 보장되고, 크게는 인류 번영과 발전을 이루는 발판으로 삼게 되는 것이다.

위기지학은 천부적으로 타고난다거나 저절로 생기는 것이 아니라 끊임없이 자신을 가다듬는 학습의 결과로 형성된다. 학습은 기도, 명상, 독서에 그쳐서는 안 되고 취업, 노동, 현장체험, 봉사와 같이 적극적으로 땀을 흘리는 과정이 반드시 포함되어야만 성과를 얻을 수 있다.

'위기지학'의 목표는 모든 과학기술과 금융을 지속적으로 발전시켜 인류과학 문명발전에 기여토록 하되 반드시 도덕성과 사랑, 봉사정신이 연계되어야 한다. 이로써 물본주의의 역기능은 작아지고 순기능이 강화되어 인류와 역사발전에 기여할 것이다. 그렇지 않을 경우 인류와 지구는 스스로 멸망滅亡을 초래할 수 있다. 따라서 위기지학의 올바른 정립은 궁극적인 목표인 우리 사회의 풍요와 번영에 반드시 필요하다.

위기지학에서 가장 주의해야 할 것은 바로 '물본주의의 위기지학'이다. 지금도 수많은 사람들이 권력과 물질적 풍요를 위해 학습하고 있다. 물론 학습하는 행위 자체가 나쁘다는 말은 아니다. 하지만 수단과 방법을 가리지 않고 사회에는 물론 타인에게 피해를 주면서까지 부도덕한 방법으로 목적을 달성하는 것은 위험하다. 그것은 타인과 나를 위한 학습이 아니라 나만을 위한 학습이며, 수단과 목적이 전도된 현상이다. 이러한 물본주의의 위기지학은 학습의 근본목적에 위배된다.

우리는 위성지학과 위기지학의 조화가 21세기 인성교육의 기본 조건임을 각인해야 할 필요가 있다.

2

상생相生의 인성

대한민국의 역사를 볼 때 인성문화가 융성하여 민족이 화합한 시기는 국운이 융성하였다. 세종대왕처럼 국태민안國泰民安의 르네상스 시대를 맞이했던 때이다. 반면에 선조, 인조, 고종 때처럼 국론이 분열되어 갈등이 지속될 때 외침의 역사가 시작되었고, 민족은 고난의 시대를 맞이했다.

우리나라는 상생의 더불어 살아가는 인성정신으로 국가적 현안을 해결하여 국민의 행복은 물론 튼튼한 안보를 유지해야 한다. 상생정신을 통해 자신은 물론 이웃과 더불어 살아가는 공존의 지혜를 불어넣어야 한다. 국민 모두가 윈윈Win-Win하는 사회풍토, 인성풍토를 조성하는 것이 상생의 원리이다.

이를 위해 정부 및 정치인, 경제인, 노동자, 교수 등 모든 관련자가 시대정신과 사명감을 가지고 앞장서야 한다. 상생 없이는 국민총화와 국민행복은 물론 통일 한국을 건설할 수 없다. 한국형 상생모델을 만들어 적극 추진해야 한다.

"천상천하 유아독존天上天下 唯我獨尊"의 부처님 말씀은 자신이 존귀한 만큼 타인을 존귀하게 생각하라는 의미이다.

자신의 존귀함을 인정하는 만큼 타인의 존귀함을 알아 상생의 마음으로 다른 사람을 생각하고 사랑하면 평화로운 세상이 열릴 것이다.

종종 회자되는 경주 최부잣집의 이야기를 해볼까 한다. 천년고도 경주에서 명맥을 이어오고 있는 최부잣집의 경륜과 철학이 있다면 그것은 무엇인가?[7]

첫째, 과거를 보되 진사 이상은 하지 말라.

둘째, 재산은 만 석 이상을 모으지 말라.

셋째, 과객過客을 후하게 대접하라.

넷째, 흉년기에는 남의 논밭을 매입하지 말라.

다섯째, 최씨 가문 며느리들은 시집온 후 3년 동안 무명옷을 입어라.

여섯째, 사방 100리 안에 굶어죽는 사람이 없게 하라.

이것이야말로 '네가 살아야 나도 사는' 상생의 원리가 아니겠는가.

오늘날 많은 나라의 국가발전 모델이 되고 있는 한국의 기적은 자랑스러운 선열들의 애국심, 희생, 헌신의 상생문화 위에 이루어진 것임을 결코 잊어서는 안 된다. 우리의 조국 대한민국을 초일류 선진통일국가로 만들려면 갈등과 분열을 뛰어넘어 상생인성으로 대화합해야 한다.

----

7 조용헌, 『명문가이야기』, (푸른역사 · 2002), p.41

가정은 가화만사성家和萬事成, 조직은 인화단결人和團結, 국가는 국민총화
國民總和의 인성문화가 이루어져야 국민들에게서 진정한 애국심이 나오
는 것이다.

진정한 애국심을 가져야 국가의 수호뿐만 아니라 인성대국의 이념과
가치를 지킴으로써 조국을 진정으로 수호할 수 있게 된다. 작금의 시대
는 국론분열과 갈등의 혼란이 국민의 밥그릇마저 깨뜨릴 것 같은 위기
의식을 조성한다. 국가를 이끌고 선도해야 할 지도자들이 마치 치킨게
임을 벌이는 것처럼 나쁜 인성문화 행태를 보이고 있으니 국민들은 불
안하기 그지없다. 상생의 인성으로 국론을 하나로 묶어내기만 한다면
이보다 부가가치가 높은 자본 및 자산은 없을 터이다.

근간 대통령 직속 사회통합위원회는 국민의식조사 결과를 발표했
다. 현재 사회통합에 가장 부정적 영향을 미치는 사회갈등 요인으로 계
층 간 갈등에 대해 "심한 편" 혹은 "매우 심한 편"이라는 응답이 전체의
76.5%로 가장 많았다. 이어 "이념갈등이 심하다."라는 응답이 68.1%였
으며 "노사갈등" 67.0%, "지역갈등" 58.6%, "환경갈등" 57.8%순이었다.

21세기 세계의 기운은 '동양회귀East-Turning'로 아시아 시대의 호기를
맞고 있는데, 갈등과 분열의 집안싸움으로 국운상승의 기회를 놓치는
일이 있으면 절대적으로 안 되겠다.

한양대 최문형 명예교수는 『유럽이란 무엇인가』에서 영국이 선진국
이 되고 해가 지지 않는 대영제국이 된 것은 이념갈등을 풀었기 때문이
라고 주장하고 있다.

우리에게는 머뭇거릴 시간이 없다. 여·야도, 보수·진보도 국가라는
틀에서 한 가족이다. 영남과 호남도 이웃사촌이다. 남과 북도 언젠가

통일되어야 할 단일민족, 단일국가이다. 특히 노블레스 오블리주의 솔선수범인성이 필요하다.

우리 국민들은 국가가 어려울 때 결집하는 8대 DNA 국민정신으로 상생의 인성으로 살아야 한다. 세상에는 양과 음이 있고, 뜨거운 것이 있으면 차가운 것이 있어야 하고, 내가 있으려면 네가 있어야 한다. 이 것이 바로 상생의 인성문화인 것이다[8].

직언하자면, 우리 국민들은 분열과 갈등으로 마음이 아프고 살기 힘들어한다. 특히 우리나라 국민의 인성문화는 정이 많고 한恨도 많다. 한은 풀고 정으로 상생하여 국민총화로 승화시켰을 때야만 국민들이 아프지 않고 힘들지 않다.

지금이야말로 홍익인간의 정신과 이념을 바탕으로 한 인성을 회복해야 할 때이다. 후손들에게 부끄러운 역사를 남긴 조상으로 기억될 것인가? 아니면 초일류 선진통일강국으로 도약한 자랑스러운 인성대국의 조상으로 기억될 것인가?

우리 민족은 세계 제1위의 IQ에다 8대 DNA의 역동성과 부지런한 국민성을 지녔다. 이제 우리 역사와 전통이 빛나는 동방예의지국의 인성문화만 회복된다면, 중국과 일본을 제치고 세계 제1위의 잘사는 나라로 21세기 르네상스시대를 맞이할 수 있을 것이다. 국민대화합의 상생 인성으로 모범국가로 도약, 홍익인간의 사상과 이념을 세계에 펼쳐야 할 것이다.

----

8 최익용, 『대한민국 인성을 말한다』, (이상 비즈·2009), p.135

3

아름다운 인성문화가
국민행복시대를 연다

행복이란 무엇인가?

행복에는 기본적인 가설 두 가지가 있다. 하나는 과거보다 나아졌다는 것이고, 또 하나는 타인보다 낫다는 비교우위다. 행복을 의미하는 영어의 'Happiness'는 옳고 바른 일이 자기 자신에게 일어난다는 뜻을 가진 'Happen'에서 나온 말이다.

인성을 갖추지 못한 부와 명예는 사상누각沙上樓閣과 다름없다. 부와 명예만이 행복의 기준이라면, 대체 어느 정도의 부와 명예를 누려야 행복해질까?

1천 석을 가진 부자가 그것에 만족하지 못하고 1만 석을 가진 부자를 부러워할 따름이라면 이 부자는 결코 행복해질 수 없다. 오히려 단칸방에서 살아도 온 가족이 서로 화목하고 현실에 만족하며 산다면, 그것이 행복이다.

인간이 추구하는 모든 가치가 내면의 자기 마음에 의해 결정된다는 것을 알고 가치관을 토대로 행복을 찾아야 한다.

데이비드 호킨스(1927~2012) 박사는 저서 『의식 혁명』에서 "인류의 평균 의식(행복)수치는 수세기 동안 190에 머물러 있다가 1980년대 냉전종식 후 급상승해 현재 207로 뛰었다."라고 말했다. 냉전시대엔 누군가가 이데올로기를 내세워 분노를 부채질하면 대중은 쉽게 선동煽動에 가담하지만, 의식수치가 200이 넘으면 더 이상 선동에 휩쓸리지 않게 된다는 것이다.

부정적인 에너지 장場들을 내려놓으면 진정한 힘의 첫 단계인 용기로 나갈 수 있다. 용기는 행복의 원천이 외부라고 여기는 것을 멈추는 단계다. 덕분에 자신의 힘을 회복하고 상황을 직시하고 이겨낼 수 있는 자발적인 의지가 생긴다.

의식 지 도 표

행복의 원천: 긍정적 에너지 장

구분	용기	중립	자발성	수용	이성	사랑	기쁨	평화	깨달음
에너지 수치	200	250	310	350	400	500	540	600	700~1000

불행의 원천: 부정적 에너지 장

구분	죽음	수치심	죄책감	증오	슬픔	두려움	욕망	분노	자부심
에너지 수치	0	20	30	50	75	100	125	150	175

수용은 행복의 원천이 자신임을 알고 자기 안의 힘을 깨닫는 단계. 삶의 조화로움을 진정으로 경험하는 단계이기도 하다. 의식지도의 하

위단계는 소유의 세계, 중간단계는 행위의 세계이며, 상위단계는 존재의 세계다. 에너지 수치도 높을수록 행복하다. 에너지 장場이 위로 올라갈수록 몸도 더 건강해진다.

경제학은 인간행복의 극대화를 추구하여 행복방정식이란 것을 만들었다. 개인이 갖는 재화와 서비스를 욕망으로 나눈 값이 그것이다. 행복지수를 높이기 위해서는 분자인 재화·서비스를 늘리거나, 분모인 욕망을 줄이면 된다. 그런데 현대경제학은 욕망을 제한하지 않는 대신 재화와 서비스 증가에만 초점을 맞춘다.

노벨경제학자 폴 사무엘슨은 "행복이란 소유를 욕망으로 나눈 것(행복=소유/욕망)"이라 정의했다. 아무리 많이 가져도 소유욕이 강하면 불행해질 수밖에 없다는 것이다. 탐하는 마음이 적을수록 행복지수가 올라간다는 것쯤은 모두가 아는 사실일 것이다. 행복의 판단기준을 긍정적인 감정보다는 가치에 두는 것이 좋다. '오늘 내 감정이 우울하더라도 하루를 가치 있게 보냈다면 행복한 삶'이라고 받아들이는 것이다.

마테를링크의 동화극 「파랑새」에 나오는 오누이는 행복이란 파랑새를 찾아서 갖은 고초를 겪으며 헤매고 다녔지만 찾지 못하고 결국은 돌아와 보니 파랑새는 자기 집 새장에 있었다는 이야기가 있다. 이처럼 우리 주위에는 가까이에서 행복을 찾지 않고 그저 다른 곳, 먼 곳, 더 멋진 곳을 찾아다니는 사람이 많다. 이런 사람들이 가진 문제점을 '파랑새중후군症候群'이라 한다.

현대적 의미의 행복의 개념은 17~8세기에 탄생했다는 것이 『행복의 역사』를 쓴 역사학자 대런 맥마흔의 주장이다. 고대인에게 행복은 운명과 동의어였다. 행복을 통제할 권리는 신들이 쥐고 있었다. 중세도 비슷했다. 계몽사상기 시대가 되면서 행복은 레크리에이션, 사치품, 패션 등으로 상징화되고, 상업사회에 들어서서는 행복을 사고파는 지경에 이르렀다. 그러다가 미국 독립선언서와 프랑스 인권선언문에서 행복추구권이 명문화되었고, 이제는 행복유전자를 연구하는 단계로까지 발전했다.

로널드 잉글하트가 조사한 세계 각국 국민들의 1인당 국민총생산GNP과 주관적인 행복감의 관계를 분석한 결과는 다음과 같다.

· 미국인이 느끼는 행복감은 5점 만점에 3.5점이다.

· 한국인들은 1점이 조금 넘는다.

· 우간다는 아프리카 최빈국으로 1인당 국민소득이 1,500달러에 평균수명이 52세임에도 불구하고 한국인과 행복감은 비슷하다.

현재 국제사회에서는 행복과 관련하여 '삶의 질'을 나타내는 지표로서 유엔개발계획UNDP이 '인간개발지수', 영국 신경제재단NEF이 '국민행복지수', 영국 레가툼연구소가 '번영지수' 등을 작성해 발표하고 있다. 국가별 행복지수도 기관에 따라 상이相異하게 드러난다.

부탄은 유일하게 총 행복지수를 공식적으로 편제하고 있고 또 국민의 행복도가 높은 나라로 많이 알려져 있다. 그러한 부탄도 전체 인구의 31.7%가 빈곤에 시달리고 있으니 행복이라는 것이 경제적 지표만으로 예측 가능한 것이 아님은 분명하게 확인할 수 있는 사례다.

하버드대 〈인생성장 보고서〉라는 부제가 붙은 『행복의 조건』은 최고 명문대 하버드 졸업생들의 생애를 70년간 추적한 독특한 책이다. 조사 대상들의 평생을 추적한 결과를 담은 이 책에는 하버드 졸업생 268명 외에도 천재여성 90명과 빈민가 출신 남성 456명도 있었다.

좋은 배경에서 나고, 좋은 머리를 가졌고, 좋은 학교를 나온 이들을 어려운 환경에서 자란 이들과 대별한 셈인데, 특히 관심이 가는 부분은 '빈민가 출신들이 과연 행복했을까?' 하는 것이었다.

빈민가 출신들은 조사대상 집단 가운데 두뇌도 가장 나빠서 평균 IQ 가 95에 불과했다. 빈민가 출신 대부분이 고등학교를 마치지 못했고 대학교에 진학한 사람은 6%에 불과했다. 50세 당시 평균연봉이 3만 5,000 달러로 하버드 출신(10만 5,000달러)의 1/3 수준이었다. 고생을 많이 해서인지 70세 미만 사망률도 37%에 달해 천재여성(20%)과 하버드 졸업생(23%)보다 훨씬 높았다. 그런데 이들이 꼽는 행복의 조건도 결국 하버드 대학교 출신이나 천재여성들과 마찬가지였다.

이 책에서 정리한 행복의 조건을 살펴보자.

① 고난을 이겨내는 인성, 즉 자기 나름의 '방어시스템' ② 평생교육 ③ 안정적인 결혼생활 ④ 비흡연 ⑤ 적당한 음주 ⑥ 규칙적인 운동 ⑦ 적절한 체중 등 7가지 이다.

학벌이나 재산 같은 요소는 행복의 조건이 되지 못했다. 흥미로운 것은 7가지 조건 중 가장 중요한 것으로 평가된 첫째 조건, 즉 고난苦難을 이겨내는 방식을 47세 이전에 갖추어야만 중·장년 이후에 행복하다는 것이다. "젊어 고생은 사서도 한다."라는 우리 속담과 일맥상통한다.

오늘을 살아가는 우리들은 아름다운 인성으로 나보다 우리 후손이 잘살 수 있는 이상적인 사회, 인정이 넘치는 인간 중심사회를 이룩하도록 해야 한다. 이를 위해 나부터 내 자신을 채찍질하고 굳게 닫힌 자기 마음을 두드려 마음의 창을 활짝 열어보아야 한다. 그러면 진솔眞率한 자기본체의 인성과 행복을 찾을 수 있을 것이다.

바른 인성은 행복의 샘물

우리 헌법 제10조는 "모든 국민은 인간으로서의 가치를 가지며, 행복을 추구할 권리를 가진다."라고 규정하고 있다. 이러한 권리를 '인간의 존엄과 가치'와 '행복추구권'이라고 부른다. 일찍이 차몬드는 "인생이란 행복하게 사는 것이다. 인간은 누구나 행복할 자격이 있는 것이다."라고 말했다.

국민행복의 중요성을 감안하여 대한민국호가 행복의 방향으로 가고 있는지를 다시 점검할 때이다. 국민행복의 정방향은 인성국가, 인성대국을 기반으로 이루어진다. 그래서 필자는 바른 인성은 행복의 샘물이라고 주장한다.

인간의 행복은 어떤 역경 속에서도 좋은 인간관계가 있다면 느낄 수 있다. 그래서 링컨은 "자신이 행복해지겠다고 결심한 딱 그만큼만 행복해진다."라고 말했으며 카네기는 『인간관계론』에서 "기술적인 분야에서조차 기술적 지식이 경제적인 성공에 이바지하는 바는 겨우 15%이고 인간관계가 85%로 좋은 인성의 관계성, 즉 인간관계 기술이 당신의 성공을 좌우한다."라고 강조했다.

고대 서양문화는 그리스의 아테네에서 출발했다. 도시국가 아테네의 찬란한 문화는 로마로 이어졌고 로마는 유럽의 모든 국가에 이를 전파했다. 특히 지중해 연안을 따라 그리스의 헬레니즘문화는 꽃을 활짝 피웠다. 헬레니즘시대의 최대과제는 '인간이 어떻게 하면 행복해질 수 있을까?'였다. 그 문제에 해답을 준 사람이 소크라테스, 플라톤, 아리스토텔레스였다. 인생의 궁극적인 목표는 행복이며 행복을 추구하려면 덕德을 얻으라는 것이 주된 요지다.

미국 호프칼리지의 행복전문가인 데이비드 마이어스에 따르면 행복한 사람들은 몇 가지 공통된 성격을 갖고 있다고 한다.

첫째, 행복한 사람들은 인성이 바르고 자신이 다른 사람보다 윤리적이며, 지적이고 편견이 적으며, 남과 잘 어울리고 건강하다고 스스로 믿는 경향이 있다. 이를테면 행복한 사람들은 자신의 인성을 사랑하는 사람인 것이다.

둘째, 행복한 사람들은 낙천적이다. 삶을 적극적으로 영위하고 가까운 친구나 가족에게 항상 따뜻하며 자주 미소 짓고, 남을 헐뜯거나 적대적인 행동을 취하지 않는다.

많은 현인들이 행복으로 가는 길을 밝혀놓았으나 무지無知와 욕심 때문에 출세·황금만능주의의 고통의 길로 빠지는 것이다. 참된 행복은 자신의 내부에서 나오는 마음의 인성에서 만들어야만 하는 것이다.

이원종은 저서에서 다음과 같이 말한다.[9]

옛날에 어느 왕이 병이 깊이 들었는데 가장 행복한 사람의 옷을 얻어다 입히면 낫는다는 것이었다. 신하들은 행복한 사람을 찾아 나섰지만 찾을 수가 없었다. 부자는 도적 맞을까 걱정이고 장군은 적이 쳐들어올까 불안하고 고관은 파벌싸움으로 긴장하여 행복을 느낄 겨를이 없다는 것이었다. 신하들이 어느 산골짝을 지나다 흥겹게 노래를 부르고 있는 목동을 만나게 되었다.

----

9 이원종, 『인생, 네 멋대로 그려라』, (행복에너지, 2013), p.116

당신은 이 외로운 산 속에서 도대체 무슨 기쁜 일이 있기에 노래까지 부르는가 하고 묻자 "나는 이 세상에서 가장 행복한 사람"이라고 답하더라는 것이다.

그렇다. 행복은 외형에 있지 않다. 바로 내 안에 있으며, 내가 결정하고 있는 것이다. 프랑스 철학자 알랭도 "인생의 궁극적인 목적은 행복이며 인생의 행복은 자신의 결정에 달려 있다."고 했다.

탐욕에 눈먼 사람은 짐승 같은 인성으로 변해 행복이 눈앞에 펼쳐져 있어도 행복을 잡지 못한다. 인생의 진정한 행복은 소소한 일, 작은 일, 평범한 사물들이 빚어내는 행복의 오케스트라에 내가 주인공이 되는 삶의 수처작주隨處作主이다. 내가 매사에 주인공이 되어 타인의 목소리를 들어주며 더불어 살아가면 더욱 행복해진다.

정여울은 행복에 대해 다음과 같이 말한다.[10]

어느 날 길을 걷다가 사소한 사물이 커다란 행복을 느끼게 해줄 때가 있다.

빨랫줄에 걸린 빨래를 발견하고 문득 걸음을 멈춘 적이 있다.

평범한 사물들이 이토록 애틋한 느낌을 자아낼 줄이야.

문득 평범하고 사소한 것들을 보면 눈물겨울 때가 있다.

아름답고 대단한 것들만 찾아다니다가,

평범한 사물들에게서 뜻하지 않는 감동을 받을 때다.

그럴 때 느낀 감정은 내가 이미 누리고 있는 이 삶에 대한 가없는

---

10 정여울, 『그때 알았더라면 좋았을 것들』, (21세기북스·2013), p.114

감사다.

그것이야말로 행복의 제1조건이 아닐까.

행복한 웃음은 건강과 행복의 상징이다. 웃음은 인간에게 신이 내린 최대의 축복이다. 스탠포드 의대 윌리엄 프라이 박사는 웃음의 생리적 효과로 ① 자연 진통효과: 엔돌핀을 포함한 21가지 쾌감 호르몬 방출 ② 혈액순환을 좋게 하여 혈압을 낮추는 효과 ③ 면역력을 높이는 효과 ④ 스트레스와 분노, 긴장완화 작용 등 4가지 요소를 제시한다.

옥스퍼드 사전이 1990년부터 시류가 잘 반영된 올해의 문자를 선정하여 큰 호응을 얻고 있는데, 이번에는 사상 처음 그림문자를 골랐다.

기쁨의 눈물을 흘리는 얼굴(Face with tears of Joy)

위 이모티콘의 디자인은 속살의 인성을 느낄 수 있음은 물론 쾌활하게 소통하고 직관적이라는 느낌을 준다. 아래로 처진 눈썹과 거의 감긴 눈에서 흘러내리는 두 개의 커다란 눈물방울, 크게 벌어진 입에 하얀 윗니가 가지런히 드러나 있는 둥근 얼굴은 너무나 기뻐서 눈물이 날 만큼 행복한 표정이 잘 나타나 있다. "행복해서 웃는 게 아니다. 웃다 보니 행복해지더라."라는 윌리엄 제임스의 말은 지혜로운 인성의 행복해법이다.

웃는 표정 하나가 사람의 마음에 윤활유가 되고 격려가 되고 용기를 북돋아줄 수 있다. 행복한 에너지를 샘솟게 하는 행복인성의 방법 중 하나로 스마일 운동을 전개해야 한다.

진정한 행복을 바란다면 행복의 근원인 바른 인성에서 행복의 길을 찾아야 한다. 바른 인성은 행복의 샘물이기 때문이다. 우리 모두 기쁨의 눈물이 넘치는 행복의 샘물 속에서 신명나게 살아가보자.

살펴보자면, 예로부터 많은 현인과 철학자들은 인생의 삶의 목적이 행복이라고 결론짓는다. 행복은 누가 주거나 만드는 것이 결코 아니다. 삶에서 일어난 일과 일어날 일들을 어떤 인성으로 어떻게 선택하고 마음먹나에 따라 행복과 불행이 좌우되는 것이다. 그런데 이런 행복은 시대를 막론하고 인간성, 인간관계, 사람 됨됨이 등 인성에서 나오는 것이다.

우리는 국민 소득이 증가한 만큼 행복지수도 증가해야 하는데 오히려 국민행복은 저하되어 가고 있다. 세계 제1의 행복지수를 누리고 있는 사람들은 바른 인성, 지혜로운 인성을 토대로 행복을 선택하여 만들고 지켜내는 것이다.

행복은 자신의 노력에 의하여 성취된다는 사실을 명심하고 항상 행복의 샘물, 행복의 인성이 마르지 않도록 정진해야겠다.

〈17-마무리〉 이것이 인성이다-더불어 사는 세상, 인간이 되라

인간의 삶이란 시작과 끝이 사람과 사람의 관계 속에서 인성의
결과물을 생성하여 모든 운명을 낳는다. 그래서 인성교육의 화두
에 '인간성', '인간관계', '인간이 되라' 등이 핵심기조로 등장한 것
이다.

웨이슈잉은 하버드 대학의 교육목적을 "사람이 되는 것"이라고
말한다.[11]

하버드의 핵심적인 교육 이념인 '인문(인성) 교육'은 이곳의 전통
으로도 불린다. 하버드의 교육은 맹목적인 성공이나 1등 대신에
먼저 '사람'이 되는 것을 기본으로 하고, 그다음이 '인재'를 양성하
는 것을 목적으로 한다. 다시 말해서, 하버드 교육 이념은 인문을
바탕으로 다음 세대의 진정한 인재를 양성하는 것이다.

하버드대의 정신과 문화는 공부 이전에 먼저 사람 됨됨이를 갖
추는 것을 강조한다. 만약 덕만 있고 재주가 없으면 불량품이고,
재주만 있고 덕이 없는 것은 독약으로서, 지덕체노智德體勞의 인성
을 겸비해야만 훌륭한 인물이 된다는 의미이다.

스마일즈는 "사람을 위대하게 만드는 것은 노동에 의해서 얻어

---

11 웨이슈밍 지음, 『하버드 새벽 4시 반』, 이정은 역. (라이스메이커, 2015), p.230

진다. 문명이란 것은 노동의 산물이다."라고 말했다. 노동(근로)을 모르고 자라는 청소년들은 인간다운 인성을 키우며 성장하는 데 한계가 있다. 일찍이 조선의 어린이 인성교육자료 소학小學에서는 공부의 제일 처음 시작과 기본을 자신의 주변 정리와 청소를 하는 것으로 보았다. 예컨대 선진국 대학생들도 성년(18세)이 되면 독립하여 생활함은 물론 학비를 근로, 아르바이트 등을 통해 스스로 조달한다.

더욱이 21세기는 인공지능시대가 도래하여 인성이 더욱 중요시된다. '더불어 사는 세상, 인간이 되라'는 화두가 인간의 기본임을 인지하여 바른 인성을 통해 지혜, 혜안, 직관 등의 안목을 키우지 않을 경우 인공지능이 인간을 지배하여 인간의 종말을 고하는 불행을 가져올 수도 있다는 사실을 명심해야 한다.

독일의 시인 베르톨트 브레히트(1898년~1956년)의 「독서하는 노동자의 질문」이라는 시詩를 음미해 보자.

> 청년 알렉산더는 인도를 정복했지.
> 그는 혼자였던가?
> 시저는 갈리아 사람들을 무찔렀지.
> 그의 옆에 요리사는 없었던가?
> 책장을 넘길 때마다 등장하는 승리.
> 그런데 누가 승리자들의 연회를 위해 요리를 만들었던가?

시에서 역사는 강자와 승자만의 것인가에 대한 질문을 던지고 있다. 요리사는 언제든지 교체할 수 있지만 알렉산더와 시저는 유일무이한 존재인가? 역사적 관점에서 보자면 알렉산더, 칭기즈 칸도 따지고 보면 기존 세력을 등에 업은 인간관계의 우연의 결과물일 수도 있다. 다시 말해, 오늘의 독자들도 수많은 사람들의 도움으로 현재의 위치에 있음을 성찰해야 한다. 더불어 사는 세상에서 인간관계의 중요함을 깊이 인식해고 겸허하게 살아야 할 것이다.

시인 이경애는 「꽃밭」에서 다음과 같이 읊는다.

> 해바라기, 봉숭아, 채송화
> 키대로 자리 잡았다.
> 금잔화, 백일홍, 국화, 철 따라 꽃 피운다.
> 제 모양, 제 빛깔, 제 향기, 사이좋게 산다.

여러 꽃들이 어울려 피어있을 때 가장 아름답듯이 사람도 이타주의의 공동체, 공동선(善) 정신으로 어울려 살아갈 때 세상은 더욱 아름다워질 것이다.

문태준 시인은 「걸식이 어때서?」라는 시에서 살아 있는 모든 존재는 서로 빌어먹고 빌어 먹이는 더불어 사는 관계에 있다고 말한다. 인간은 서로를 해치지 않고 보호해야 한다. 더불어 사는 세상, 나부터 인간다운 인간이 되어 더불어 같이 가면 얻어갈 수 있는 이익이 많고 멀리, 오래, 행복하게 갈 수 있다. 탐욕을 줄이고 만족할 줄 아는 것(소욕지족: 小慾知足)과 자기 분수에 만족할 줄 아는 것(안분지족: 安分知足)을 지켜 더불어 살아가면 우리의 인성은 이해와 사랑이 샘솟아 행복해질 것이다.

일찍이 루소는 "자신의 성품(인성)을 지혜롭게 개발하여 인간관계를 잘 이어나가야 한다."라고 주장했다. 21세기 인류는 지구촌의 종말을 우려하며 살고 있다. "지금 알고 있는 것을, 그때 알았더라면" 하고 후회하는 시대가 없어야 개인은 물론 조직, 국가, 더 나아가 지구촌의 평화와 번영이 보장될 수 있을 것이다.

인류 역사는 선사·역사 시대를 합쳐 1만여 년에 불과한 데도 불구하고 인간의 욕망은 문명과 과학의 이름으로 인류를 발전시켜 왔지만 최근 인성의 실종으로 생물 대멸종의 원인이 되어 급기야 인류세Anthropocene(최근 100여 년을 따로 떼어내 인류세로 부르자는 주장. 지구 온난화로 하루 10여 종의 생물을 멸종으로 내모는 데 기여하는 인간의 궤적을 직시) 시대가 도래하여 지구촌의 종말이 우려되는 실정이다.

인류의 이기주의 인성 때문에 지구촌의 미래는 암울하다. 인간의 진지한 수신과 성찰 없이 발전하는 지구촌은 인류의 파괴와 종말을 야기하는 촉매제일 뿐이다. 전 인류가 공동체와 공동선의 이타주의적 삶으로 지구촌을 지키는 시대와 역사정신이 너무나 긴요한 시대이다.

우리 홍익정신과 홍익인성을 세계적으로 확산시켜 지구촌의 인성을 회복하는 데 앞장서는 대한국인大韓國人이 되어야겠다.

21세기 대한민국 인성대국의
르네상스시대를 맞이하자

2천여 년 전 서양사에서 획기적인 대사건으로 르네상스운동을 꼽을 수 있다. '르네상스'Renaissance라는 용어는 '재탄생'이란 뜻을 가진 불어다. 르네상스는 유럽에서 중세 후기인 14세기부터 피렌체에서 시작되어 2~3세기 동안 일어난 문화운동을 말한다.

대한민국 반만년 역사를 분석해보면 300년을 주기로 르네상스시대의 융성기를 반복했음을 알 수 있다. 고구려 시대(3·6세기), 통일신라시대(9세기), 고려 중기(12세기), 세종시대(15세기), 영·정조 시대(18세기)가 그랬다. 그래서 우리가 사는 현대도 인성만 회복되면 르네상스 융성 주기를 볼 때 21세기 대한민국은 동방예의지국-인성대국으로 도약할 시기라 할 수 있겠다.

우리나라는 다시 인성대국을 건설하자는 여론이 결집되어 2015년 국회에서 인성교육진흥법을 제정하였다. 인성교육을 범국가적으로 실시하여 지식문화 → 지성문화 → 인성강국으로 국가를 개조, 세계를 선도하는 인성국가 건설을 추진하고 있다. 더 이상 인성회복을 지연시킨다면 인성대국, 국민행복, 초일류 선진강국 건설의 골든타임을 놓칠 수 있다는 것을 알아야 한다.

역사와 전통에 빛나는 동방예의지국 인성대국문화의 전통은 하루아침에 이루어진 것이 아니다. 반만년 이상의 역사를 버텨낸 민족의 절대정신이요, 사상이요, 혼이 응집된 결과물이다.

전통을 지키고 가꾸자는 것은 과거 역사와 옛것만을 고집하자는 것이 아니고, 역사정신과 온고이지신溫故而知新으로 지혜와 창조의 밑거름을 복원하자는 것이다.

우리는 홍익인간의 철학과 사상으로 동방예의지국의 인성문화대국을 회복해서 반드시 르네상스시대를 열어야 한다. 우리 민족은 위대한 홍익인간의 사상과 이념의 보물을 조상으로부터 물려받았으나 제대로 계승·발전시키지 못하여 국가적 대책이 긴요한 실정이다. 홍익인간의 역사적 진실을 정립도록 역사의식과 역사주체성으로 무장해야만 한다.

일찍이 도산 안창호 선생은 일제의 가혹한 탄압에 우리 민족의 역사의식과 역사주체성이 흔들릴 때 홍익인간의 민족혼과 민족정신으로 인성을 깨우치고자 혼신을 다했었다.

"당신은 이 나라 주인입니까? 하는 화두로 묻노니, 여러분이시여! 오늘 대한사회에 주인이 되는 이가 얼마나 됩니까? 그러나 대한국인大韓國人이 된 자는 누구든지 명의상 주인은 다 될 것으로 되, 실상 주인다운 주인은 얼마나 되는지 알 수 없습니다. 어느 민족·사회든지 그 사회에 주인이 없으면 그 사회는 망하고 그 민족이 누릴 권리를 다른 사람이 취하게 됩니다. 여러분은 자기 스스로 이 민족사회의 참 주인인가 아닌가를 물어볼 필요가 있습니다."

주인정신은 성숙한 인간이 지녀야 할 인성의 핵심적인 덕목으로 선진국에서는 국민적 자질로서 강조한다. 21세기 르네상스시대의 필수조건은 홍익철학 및 사상으로 '홍익인성의 통일한국'을 건설하는 것이다. 통일을 이루기 위해서는 국민 모두가 하나가 되어 국민총화 인성을 발휘해야 한다.

한민족과 세계인이 한반도에서 진정한 세계평화와 발전을 위한 통일논의를 시작해야 하는 시기가 바로 지금이다. 어떤 학자들은 "역사적으로 독재체제는 70여 년이 생명의 한계"라고 주장한다. 그렇게 볼 때, 북한의 김정은 체제는 생명의 경계선, 한계선에 와 있다.

독일 현대사회에서 가장 존경받았던 바이제카 대통령은 『음미해야 할 기적의 책』 서문에서 "통일은 나눔을 배우는 것, 물질적·정신적으로."라며 기적에 대해 겸허할 것을 권면하고 있다.

우리는 독일통일을 역사적 교훈으로 삼아 지혜로운 통일을 이루도록 주인정신과 소명의식召命意識을 가져야 한다.

주인정신은 성숙한 인간이 지녀야 할 인성의 핵심적인 덕목이다. 올바른 인성은 리스먼이 주장한 자주적 역사의식과 인성이나, 매슬로우가 강조한 '자기완성'의 인격(인성)을 말한다. 선진국에서는 국민적 자질로서 주인정신을 강조한다.

진정한 통일을 이루기 위해 지도자들은 홍익 인성으로 국론을 결집시키고 정치, 경제, 사회, 문화, 외교, 군사 분야에서 깊이 있는 연구로 정책대안을 개발해야 한다. 통일은 저절로 열리는 문이 아니라, 범국가적·국민적인 피와 땀, 노력 등 인성의 결정체다.

한민족에게 통일과업은 민족혼인 동시에 역사적 소명이다. 통일은 민족융성의 기회이며, 근현대사에서 상처 입은 우리 국민의 인성을 치유하고, 분단구조에서 오는 다양한 사회적 갈등을 극복할 중요한 계기가 되어줄 것이다. 이때 그 무엇보다도 중요한 것은 국민의 행복지수를 끌어올려 국민이 행복한 통일을 이루어야 한다는 점이다.

한반도의 평화통일은 국민인성 위에 미·중·러·일 등 주변국의 이해와 함께 북한이 개혁·개방으로 나올 때만 가능하다. 따라서 평화통일은 전략과 함께 통일자금 등 철저한 사전준비가 필요하다. 북한주민 스스로 자유민주주의 체제의 통일을 원하도록 해야 우리는 평화통일을 주도할 수 있는 게임 체인저를 확보할 수 있는 것이다.

역사는 지금 신라 선덕여왕의 지혜로운 인성과 리더십, 고려 왕건의 포용의 인성과 리더십을 교훈으로 삼고 홍익인간 정신과 사상을 토대로 남북통일의 열쇠를 함께 열라고 말하는 듯하다.

이제 대한민국은 새로운 지향이 필요하다. 우리는 반세기 만에 산업화와 민주화를 동시에 이룬 민족혼民族魂을 토대로 반드시 인성대국으로 회복, 21세기 르네상스시대를 열어 국민이 행복하도록 해야 한다. 우리는 이것을 선조들이 내린 천명天命으로 생각하고 후손으로서의 책무를 다해야 할 것이다.

다시 동방예의지국으로 돌아가자
- 대한국인의 책무 '인성교육 혁신'

　대한민국 국민은 서구문명이 창출해내지 못한 자랑스러운 전통의 인성 및 문화의 정신적 가치들을 재현하여 동방예의지국으로 다시 태어나도록 지혜를 모아야 한다. 인간의 영혼을 일깨우고 삶의 본질과 목적을 깨우칠 수 있는 심원한 힘이 우리 민족의 전통적인 인성문화대국 속에 있기 때문이다. 아름다운 인성문화를 회복하는 것이 21세기를 살아가는 대한국인의 시대적·역사적 사명이다.

　우리나라는 수십 년간 국내외에서 '위대한 국민·기적의 역사'라고 칭송받았다. 그러나 작금의 현실은 "한국처럼 되지 말라."라는 경고의 메시지가 도처에서 나오고 있다. 대한민국은 국론이 분열되고 절대 유일주의의 나쁜 인성세력이 각계각층에 자리 잡아, 소수가 다수를 지배하는 특이한 현상으로 위기해결 능력이 점차 사라지고 있는 실정이다.

이제는 국민이 깨어나 인성 실종의 위기를 바로잡아야 할 때가 되었다고 생각한다.

이제 동방예의지국의 인성대국의 나라로 다시 돌아가도록, 우리 국민들은 IMF 때 '금모으기 하듯이' 적극적으로 나서야 된다. 인성이 회복되지 못하면 하늘이 살펴주지 않는 날이 올 수도 있다는 겸허한 자세로 지도층이 솔선수범하고 국민들이 통합·단결해야 한다.

인성문화대국 회복의 첫걸음은 인성교육이 활성화될 때 가능하다. 우리는 인성회복과 인성교육 문제를 교육자 등 특정인의 책임으로 생각했던 타성을 버리고 범국민적 차원의 인성회복운동으로 승화시켜, 누구나 관심을 갖고 참여할 수 있도록 제도화하는 것이 중요하다. 특히 초·중·고·대학에서도 인성교육에 특별한 관심을 가지고 혁신·혁명적으로 강력하게 추진하여 인성을 구비한 학생다운 학생을 양성해야 한다.

이를 위해, 인성교육 활성화活性化 방안을 살펴보기로 하자.

첫째, 세종대왕 시대의 집현전을 부활시키듯 국립인성교육원(가칭)을 설립하는 한편 지방에도 분원을 설립하고 모든 공직자와 교사, 의사 등이 공부하여야만 하도록 제도화하여야 할 것이다.

예컨대 세종연구소를 21세기의 집현전, 국립인성교육원으로 개조하여 세종대왕께서 집현전에 가시어 수시로 격려 및 학습을 독려했듯이 대통령 등 한국의 지도자들이 21세기 집현전을 만들어 상시 출입하면서 국가 백년대계를 위한 고뇌와 충정, 지혜를 모으며 서로 격려하고 칭찬하는 지식·지성, 인성문화대국을 만들어야 할 것이다.

둘째, 학교교육은 초·중·고등학교 및 대학, 대학원 교육과정에 인성교육을 단계적으로 확대시킬 수 있도록 교육제도에 반영해야 한다.

특히 대학교에는 인성 관련과목을 필수과목으로 개설토록 하여 인문학 교육을 강화하고 인성교육 전문요원을 집중 양성해야 한다. 학교교육이 인성교육의 중심 및 핵심역할核心役割을 할 수 있도록 인성교육 시스템을 갖추어야 한다.

셋째, 학교 밖 인성교육도 학교에서의 인성교육 못지않게 활성화되어야 인성교육의 시너지 효과를 낼 수 있다. 모든 학교의 인성교육과 더불어 연계하여 학교 및 모든 공·사조직에 인성교육 프로그램을 도입하는 등 적극적으로 대처해야 할 것이다.

넷째, 인성교육이 이루어지는 기초적인 장으로서 가정을 든다. 가정은 가족구성원이 자연스럽게 형성되어 인성교육을 자연스럽게 할 수 있는 첫 번째의 학교 역할을 하는 곳이다. 마치니는 "가정은 마음의 조국이다. 시대와 함께 그 기풍氣風이나 이상은 진보하겠지만, 누구도 말살할 순 없다. 가정과 조국은 동일한 선의 양 끝"이라고 말했다.

다섯째, 최종적인 인성회복 운동 및 교육은 산학연대, 산학협동의 교육으로서 마지막 학교 역할을 할 수 있도록 제도화 및 활성화를 정책적으로 펼쳐야 할 것이다. 산학연대, 산학협동의 국민인성교육은 현장의 이론과 실제를 접목시킨 살아 있는 교육과정 중의 하나이다. 가정과 산학협동의 인성교육을 결합시키는 교육시스템을 확산시켜 인성교육 붐을 조성해야 할 것이다.

인성문화대국의 근본 및 기반은 인성교육 강화이다. 인성교육은 홍익인간의 이념 아래 모든 국민으로 하여금 인격을 도야하고 자주적 생활능력과 민주시민으로서 필요한 자질을 갖추게 하는 것이다. 우리는 지금부터라도 '홍익인간'의 인성철학을 계승하기 위한 교육이 필요하다.

홍익인간 정신이란 인간세계에 대하여 넓고 크게 그리고 유익하게 하는 정신을 의미한다. 그렇기 때문에 홍익인간 이념을 구현하고자 하는 것은 올바른 인성으로서 삶을 영위營爲하는 데 근본을 제공하는 것이라 할 수 있다.

우리 민족은 동방예의지국의 인성문화대국을 회복하여 보다 살기 좋은 세계로 이끌어갈 시대적 소명 앞에 서 있다. 우리에게 부여된 소명 앞에서 결코 주저하거나 소극적이어서는 안 된다. 한민족의 인성문화력을 발휘해 우리의 정신과 문화를 세계에 전파하고, 인류평화와 발전에도 기여할 수 있어야 할 것이다. 이를 위해서는 인성교육 활성화로 지식·지성의 나라가 되어 인성문화대국이 될 때만 가능하다.

미래의 세계는 그 나라의 인성교육에서 나라의 운명이 결정된다. 우리 교육도 이런 흐름에 발맞춰 근본적으로 변해야 한다. 학교는 자연과 공생하고 이웃과 공존하는 '상생의 인성교육'을 활성화해야 한다. 그렇게 하지 않으면 더불어 사는 삶과 인류애를 구현할 인성문화는 더 이상 이 나라에 존재할 수 없을 것이다.

필자는 현재·미래의 대한민국은 '인성혁명 人性革命'이 필요하다고 주창한다. 21세기 대한민국이 가야 할 길은 인성회복이다. 현대사에서 대한민국의 제1혁명은 산업화혁명이었고, 제2혁명은 민주화혁명이었다고 생각한다. 이젠 동방예의지국으로 다시 돌아가는 제3의 인성혁명을 위해, 대한민국 대혁명이 긴요하다고 주창한다. 인성혁명을 이룩하여 지식의 나라, 지성의 나라, 인성대국의 나라를 만들어 국민대통합·화합시대의 행복국가가 반드시 되도록 해야 할 것이다.

김대중 컬럼의 〈우리는 정녕 여기까지인가?〉 기사(조선일보, 2016년 6월 21일자)를 살펴보자.

정치권의 계파 싸움, 여소야대의 나눠 먹기식 거래, 대기업 롯데의 경영 비리, 대우조선 등의 내부 뜯어먹기, 공기업의 파탄과 구조조정, 법조 비리, 영남권 신공항 결사 투쟁, 대학 순위의 하락, 자살·살인·성폭행의 다반사, 근자 신문 지면을 점령하다시피 한 사건·사고의 총집결이다.

겉으로 드러난 것 말고도 안으로 곪아 들어가는, 보이지 않는 문제는 더 많다. 하루에도 수십 수백 건썩 일어나는 시위와 파업, 청년 실업, 노령화와 고독사, 결혼 기피와 인구 감소, 누리 과정 예산 싸움, 2년 넘게 끄는 세월호 '진상 조사' –이런 문제들은 우리 사회가 얼마나 무기력하게 흐느적거리는지를 몸으로 느끼게 한다.

　납득하기 어렵고 또 한편으로는 괴롭기 그지없는 것은 방위산업 비리 문제다. 원자탄 등 강력한 군사력을 가진 북한과 대치하고 있는 나라, 우리의 안위를 위협하고 있는 막강한 경제 대국들에 둘러싸인 나라에서 무기武器 강화에 힘을 쏟지는 못할망정 거기서 돈을 뜯어먹고 또 돈을 벌려는 인간들이 존재한다는 사실은 대한민국의 존재 가치를 의심케 하는 일이 아닐 수 없다.(중략)

　오늘날 우리 앞에 놓인 정치·경제·사회·외교·국방·교육 등 전방위적 과제는 우리가 과연 한 민족, 한 국가로서 정체성을 지켜나갈 수 있을 것인가에 대한 시험대가 되고 있다. 요즘 들어 수시로 우리를 엄습하는 것은 대한민국은 정녕 여기까지인가 하는 통탄이다. 사회 전반적으로는 시쳇말로 안 썩은 데가 없고 사기 안 치는 곳이 없을 정도다. 나랏돈이건 회삿돈이건 기회 있는 대로 먹는 것이 '장땡'이다. 그 규모도 보통 '억億' 단위다.(중략)

　특히, 최근의 반인성적 행태는 국민적 충격과 분노를 유발하고 있는 바 ① 학교 전담 경찰관school police의 여고생과의 성관계. ② 교육부 나향욱 정책교육관의 '민중은 개, 돼지' 발언. ③ 대우조선해양의 조직적인 부정부패 등 끊임없이 발생하는 국가사회적 부정비리를 비롯한 국가사회 지도층의 반인성, 반국가적 행태는 국민과 국가를 배신하는 행위로서 인성실종의 극치를 보여주고 있다. 따라서 정부는 국가위기관리 차원에서 혁신적인 부정부패 척결, 혁명적인 인성교육 실시 등 특단의 조치가 긴요시된다.

직언하자면, 대한민국의 위기가 북한과 중·러·일 등 밖에서만 오는 건 아니다. 체제 안에서의 각종 문제와 도전이 외부의 침입보다 더 위험하다. 최근 인성이 붕괴, 실종되어 가는 과정에서 동방예의禮儀지국 → 동방불례不禮지국 → 동방무례無禮지국 → 동방망례亡禮지국으로 가는 위기에서 원한怨恨, 원성 사회로 치달아 국가위기를 불러오고 있다. 우리의 인성 붕괴, 실종현상이 국민 분열, 갈등, 대립 등 위기를 더욱 가중시켜 이 근본적인 치유 대책이 긴요하다. 인성 교육 혁신과 인성 혁명을 통한 범국가적 대책이 긴요한 시대이다.

진리는 늘 가까운 곳에 있다. 나, 내 가정, 내 직장, 내 학교, 내 마을 등 내 주변의 쉽고 작은 일부터 실천하는 것이 실질적인 혁신·혁명으로서 동방예의지국의 인성대국으로 거듭 태어날 수 있는 최적의 길이다.

이 책을 통해 인성이 회복되어 인성대국 → 문화·관광대국 → 초일류 통일 선진강국으로 발전하여 인류 평화와 번영에 크게 기여하는 대한국인大韓國人이 되길 간절히 염원하고 영혼을 바쳐 기원한다.

참고문헌

국내문헌(저서/편서)

LG경제연구원,《2010 대한민국 트렌드》, 한국경제신문, 2005

KBS 공부하는 인간 제작팀,《공부하는 인간》, 예담, 2013

강윤철,《한 번뿐인 인생 큰 뜻을 세워라》, 휘닉스, 2011

강헌구,《아들아, 머뭇거리기에는 인생이 너무 짧다: 1 비전편》, 한언, 2000

고동영,《단군조선 47대》, 한뿌리, 1986

고은,《화엄경》, 민음사, 1992

공병호·윤태익·김기홍,《거스 히딩크, 열정으로 승부하라》, 샘터사, 2002

공병호,《10년의 선택》, 21세기북스, 2007

권기경 외 2인,《임금의 하늘은 백성이고 백성의 하늘은 밥이다》, 한솔수북, 2009

권선복,《행복에너지》, 행복한에너지, 2014

권오봉,《퇴계선생 일대기-가을 하늘 밝은 달처럼》, 교육과학사, 2001

권이종,《청소년교육개론》, 교육과학사, 2000

김경애,《공자》, 한길사, 1998

한완상·김동길 외 5인,《무엇이 인생과 사회를 생각게 하는가》, 창조사, 1985

김만중,《조선왕조에서 배우는 군주 리더십》, 거송 미디어, 2001

김명훈,《리더십의 이론과 실제》, 대왕사, 1992

김무곤,《NQ로 살아라》, 김영사, 2003

김보람, 석사학위논문,《유아를 위한 기독교 성품교육 연구》, 장로신대대학원, 2010

김보성,《참된 깨달음》, 태웅출판사, 1994

김성홍·우인호,《삼성 초고속 성장의 원동력》, 김영사, 2003

김양호,《성공하는 비결은 엉뚱한 데 있다》, 비전코리아, 2004

김영민,《리더십 특강》, 새로운 제안, 2008

김영한,《삼성사장학》, 청년정신, 2004

김원명,《물》, 아카데에서적, 1991

김재웅,《제갈공명의 도덕성 우선의 리더십》, 창작시대, 2002

김종권,《명가의 가훈》, 가정문고사, 1982

김종두,《군 장병의 효심과 복무자세 간 관계에 관한 연구》, 영남대 석사학위논문, 1996

김종서 외,《최신 교육학 개론》, 교육과학사, 2009

김종의,《마음으로 읽는 동양의 정신세계》, 신지서원, 2000

김중근, 《난 사람, 든 사람보다 된 사람》, 북포스, 2015

김창균, 《공보의 원리와 실제》, 육군교육사령부, 2001

김충남, 《성공한 대통령 실패한 대통령》, 둥지, 1998

김현오, 《현대인의 인성》, 홍익재, 1990

김헌, 《인문학의 뿌리를 읽다》, 이와우, 2016

김휘경, 《팀장 수업》, 랜덤하우스코리아, 2008

노무현, 《노무현이 만난 링컨》, 학고재, 2001

도은아, 석사학위논문, 《기독초등학교에서의 인성교육에 대한 활성화 방안》, 연세대 교육대학원, 2006

문국인, 《반 고흐 죽음의 비밀》, 예담출판, 2003

문무일, 《길에서 길을 묻다》, 행복에너지, 2014

박성희, 《공감학》, 학지사, 2004

박연호·이상국, 《현대 행정 관리론》, 박영사, 2005

박영규, 《조선왕조실록》, 들녘, 2003

박원순, 《내 목은 매우 짧으니 조심해서 자르게》, 한겨레, 2005

박정규, 《IQ포럼》, 보성, 2000

박종연·이보연, 《지식의 힘》, 삼진기획, 2005

박희권, 《문화적 혼혈인가》, TB, 2010

배병삼, 《논어, 사남의 길을 열다》, 사계절출판사, 2005

백기복, 《이슈 리더십》, 창민사, 2005

백기복, 《최근 일부 학자》, 창민사, 2009

백용성, 《우리말 화엄경》, 홍법원, 2000

백지연, 《자기설득파워》, 랜덤하우스중앙, 2005

법륜 스님, 《행복》, 나무의 마음, 2016

불학연구소 편저, 《간화선》, 불학연구소, 2005

성열 편, 《부처님 말씀》, 현암사, 2008

손기원, 《정신혁명, 행복 방정식이 바뀐다》, 경영베스트, 2003

송대성, 《한반도 평화확보》, 한울아카데미, 2005

시서례 편집부, 《우리는 웃음으로 크지요》, 시서례, 1994

신완선, 《컬러 리더십》, 더난, 2002

신응섭 외 5명 공저, 《리더십의 이론과 실제》, 학지사, 1999

심지선, 석사학위논문, 《소학을 활용한 인성교육활동이 유아의 사회적 기술 습득에 미치는 영향》, 한국교원대학교 교육대학원, 2014

안병욱, 《인생론》, 철학과현실사, 1993

안성호 외 12인, 《지역사회 정체성과 사회자본》, 다운샘, 2004

안외순, 《논어》, 타임기획, 2005

오윤진, 《신고리더십론》, 일선, 1994

오인환, 《조선왕조에서 배우는 위기관리 리더십》, 열린책들, 2003

오점록, 이종인, 《한국군 리더십》, 박영사, 1999

우현민 편, 《논어》, 한국교육출판공사, 1984

유광남, 《사야가 김충선》, 스타북스, 2012

유영대, 《선순환 리더십》, 박영사, 2004

육군본부, 《야전교범 5-0-1》, 육군본부, 2003

육군본부, 《한민족의 용틀임》, 육군본부, 1993

윤남순, 《주요국가의 인성교육》, 교육전남, 2014

윤남순, 《이스라엘의 인성교육》, 교육전남, 2014

이강옥, 《대학 리더십》, 청람, 2005

이강옥, 《대학리더십》, 청람, 2005

이기석, 《명심보감》, 홍신문화사, 1990

이상헌, 《흥하는 말씨 망하는 말투》, 현문미디어, 2011

이남철, 《인성과 예절상식》, 대보사, 2014

이대인, 《대한국인 기로 승부하다》, 밝은미래, 2001

이병도, 《정주영 신화는 계속된다》, 찬섬, 2003

이선호, 《이순신의 리더십》, 팔복원, 2011

이성형, 《라틴 아메리카 영원한 위기》, 역사비평사, 1998

이승주, 《전략적 리더십》, 시그마인사이트컴, 2005

이승헌, 《한국인에게 고함》, 한문화멀티미디어, 2002

이어령, 《젊음의 탄생》, 생각의 나무, 2008

이어령, 《말》, 문학세계사, 1990

이어령, 《생명이 자본이다》, 미로니에북스, 2013

이영직, 《란체스터 경영전략》, 청년정신, 2004

이원설 외 1인, 《아들아 머뭇거리기에는 인생이 너무 짧다》, 한언, 2004

이종선, 《달란트 이야기》, 토네이도, 2006

이종주, 《사람을 읽으면 인생이 즐겁다》, 스마트비즈니스, 2005

이준형, 《리더십 먼저 민주주의 나중에》, 인간사랑, 2004

이한우, 《세종, 그가 바로 조선이다》, 동방미디어, 2003

이혜성, 《소원 성취하소서》, 밀알, 1998

이혜정, 《서울대에서는 누가 A+를 받는가》, 다산에듀, 2014

이홍범, 《홍익의 세계화(아시아 이상주의)》, 하버드·펜실베이니아 대학 합작품의 박사학위 논문 중 발췌

이홍범·최익용, 《홍익의 세계화(인성편)》, 국회헌정기념관 인성콘서트 발표자료 발췌, 2015

이화용, 《감성 트렌드》, 한솜미디어, 2005

임사빈, 《21세기 잡아라》, 김영사, 1995

장개충 편, 《동양의 지혜》, 한림학사, 2015

전미옥, 《위대한 리더처럼 말하라》, 갈매나무, 2007

전영식 편, 《논어》, 홍신문화사, 1974

전옥표, 《청소년을 위한 이기는 습관》, 쌤앤파커스, 2008

정기철, 《인성교육과 국어교육》, 역락, 2001, p.46

정다운, 《사람은 사람일 때 행복하다》, 위스덤교육포럼, 2011

정민, 《미쳐야 미친다》, 푸른역사, 2004

정약용, 《목민심서》, 다산연구회 역, 창작과비평사, 1993

정여울, 《공부할 권리》, 민음사, 2016

정영국, 《정치 변동과 정치과정》, 백선사단, 2003

제장명, 《이순신 파워인맥》, 행복한 나무, 2008

제정관, 《리더십 포커스》, 교보문고, 2006

조성용 편, 《명장일화》, 병학사, 2001

조용헌, 《명문가 이야기》, 푸른역사, 2002

조지훈, 《지조론》, 나남, 1996

주희, 박성규 편, 《대학》(해제), 서울대학교 철학사상연구소, 2004

차상원 편, 《대학/중용》, 한국교육출판공사, 1984

차평일, 《명심보감》, 동해출판, 2008

채희순 편, 《맹자》, 한국교육출판공사, 1984

최규성, 《한국의 역사》, 고려원, 1995

최문형, 《유럽이란 무엇인가》, 지식산업사, 2009

최익용, 《리더다운 리더가 되는 길》, 다다아트, 2004

최익용, 《대한민국 5천 년 역사리더십을 말한다》, 옥당, 2014

최익용, 《대한민국 리더십을 말한다》, 이상BIZ, 2010

최진석, 《인간이 그리는 무늬》, 소나무, 2013

최한기, 『명남루총서』

한국공자학회 편, 《김경탁 선생의 생성철학》, 한울, 2007

한국교육학회, 《인성교육》, 문음사, 1998

한영우, 《한국 선비 지성사》, 지식산업사, 2010

한영우, 《한국문화 DNA는 선비 정신》, 지식산업사, 2010

한영우, 《미래를 여는 우리 근현대사》, 경세원, 2016

한우리독서문화운동본부 교재집필연구회, 《독서교육론 독서지도방법론》, 위즈덤북, 2010

함규진, 《역사를 바꾼 운명적 만남》, 미래인, 2010

함진주, 《아시아속의 싱가폴 세계속의 싱가폴》, 세진사, 2000

현승일, 《사회사상사》, 오래, 2011

홍익인간 이념 보급회, 《홍익학술총서》, 나무, 1988

홍일식, 《한국인에게 무엇이 있는가》, 정신세계사, 1996

홍하상,《이병철 VS 정주영》, 한국경제신문, 2001

황농문,《몰입》, 랜덤하우스, 2007

황헌식,《신지조론》, 사람과 사람, 1998

국내문헌(번역서)

나다니엘 브랜든, 홍현숙 역,《나를 믿는다는 것》, 스마트비즈니스, 2009

네사 캐리, 이충호 역,《유전자는 네가 한 일을 알고 있다》, 해나무, 2015

노자, 이중재 역,《노자도덕경십계경》, 고대사, 2001

다니엘 골먼 외 2인, 정석훈 역,《감성의 리더십》, 청림출판사, 2004.

다치바나 다카시 지음, 태선주 역,《21세기 지(知)의 도전》, 청람미디어, 2003

달라이 라마, 류시화 역,《달라이 라마의 행복론》, 김영사, 2001

렁천진, 김태성 역,《유가 인간학》, 21세기북스, 2008

로이 J. 레이키 외 지음, 김성형 역,《최고의 협상》, 스마트 비즈니스, 2005

루스 실로,《한국여성교육진흥회편; 유태인의 천재교육》, 문맥관, 1981

리차드 니스벳, 최인철 역,《생각의 지도》, 김영사, 2004

리처드 도킨스, 홍영남 역,《이기적 유전자》, 을유문화사, 2010

마리사 피어, 이수경 역,《나는 오늘도 나를 응원한다》, 비즈니스북스, 2011

마이크 샌델, 김명철 역,《정의란 무엇인가》, 미래앤, 2014

마이 클린버그, 유혜경 역,《너만의 명작을 그려라》, 한언, 2003

마하트마 간디, 박홍규 역,《간디 자서전》, 문예출판사, 2007

샤론 모알렘, 정경 역,《유전자, 당신이 결정한다》, 김영사, 2015

스티븐 코비, 김경섭·이원석 역,《성공하는 사람들의 7가지 습관》, 좋은책 만들기, 1999

아마르티아 센, 이상환 역,《정체성과 폭력》, 바이북스, 2009

워렌 베니스, 김원석 역,《워렌 베니스의 리더십 기술》, 좋은책만들기, 2003

웨인 다이어, 신종윤 역,《서양이 동양에게 삶을 묻다》, 나무생각, 2010

윌 듀런트, 황문수 역,《철학이야기2》, 한림미디어, 1996

윌 듀런트, 황문수 역,《철학이야기》, 한림미디어, 1996

윌리엄 데이먼, 한혜민 외 1명 역,《무엇을 위해 살 것인가》, 한국경제신문사, 2012

자넷 로우, 신리나 역,《신화가 된 여자 오프라 윈프리》, 청년정신, 2002

제임스M 외 2인, 김원석, 함규진 역,《리더십 첼린지》, 물푸레, 2004

조나단 B. 와이트 지음, 안진환 역,《애덤 스미스 구하기》, (주)생각의 나무, 2007

존 템플턴, 남문희 역,《열정》, 거름출판사, 2002

천웨이핑, 신창호 역, 《공자 평전》, 미다스북스, 2002

피터 셍계 외 66명, 박광량 외 1인 역, 《학습군조직의 5가지 수련》, 21세기북스, 1996

후쿠하라 마사히로, 김정환 역, 《하버드의 생각수업》, 메가북스, 2014

J 네루, 장명국 역, 《세계사 편력》, 석탑, 2009

J 스콧 비거슨과 친구들, 《더 발칙한 한국학》, 은행나무, 2009

J. 롤즈, 황경식 역, 《사회 정의론》, 서광사, 2003

K. S. 데이비스, 신일성 역, 《아이젠하워의 생애》, 일신서적, 1995

게오르규, 최규남 역, 《25시》, 홍신문화사, 1995

고야바시 가오루, 남상진 역, 《피터 드리커 리더가 되는 길》, 청림, 2004

괴테, 홍건식 역, 《파우스트》, 육문사, 2001

김위찬, 강혜구 역, 《블루오션 전략》, 교보문고, 2005

노엘 티시 외, 이재규 역, 《리더십 엔진》, 21세기북스, 2000

다니엘 골먼 외, 장석훈 역, 《감성의 리더십》, 청림, 2004

다치바나 다카시, 태선주 역, 《21세기 지(知)의 도전》, 청어람미디어, 2003

단테 알리기에르, 신승희 역, 《신곡》, 청목사, 2000

대니얼 길버드, 최인철 역, 《행복에 걸려 비틀거리다》, 김영사, 2006

데이비드 네이더트, 정해영 역, 《리더십의 사계절》, 비즈&북, 2006

데이비드 브룩스, 형선호 역, 《보보스》, 동방미디어, 2001

데이비드 호킨스, 박윤정 역, 《치유와 회복》, 판미동, 2016

데일 카네기, 최염순 역, 《카네기 인간관계론》, 씨앗을뿌리는사람, 2004

딘 토즈볼드 외, 조민호 역, 《리더십의 심리학》, 가산출판사, 2007

라다 크리슈난, 이재경 역, 《위대한 영혼의 스승이 보낸 63통의 편지》, 지식공작소, 1998

램 차란, 김상욱 역, 《노하우로 승리하라》, 김영사, 2007

레리 보시드 외, 김광수 역, 《실행에 집중하라》, 21세기북스, 2004

로버트 그린 외, 정영목 역, 《권력의 법칙》, 까치, 2007

로버트 피셔, 박종평 역, 《마음의 녹슨 갑옷》, 골든에이지, 2008

로버트 E.켈리, 김영민 역, 《새로운 노동력의 동력화》, 을유문화사, 1992

로이 J. 레위키 외, 김성형 역, 《최고의 협상》, 스마트비즈니스, 2005

론 시몬스, 김규태 역, 《인격의 힘》, 이지북, 2003

리차드 니스벳, 최인철 역, 《생각의 지도》, 김영사, 2004

리처드 D 루이스, 박미준 역, 《미래는 핀란드》, 살림, 2008

마고트 레셔, 박만엽 역, 《공감연습》, 자유사상사, 1994

마셜 골드스미스 외, 박종호 역, 《리더십 바이블》, 브레인, 2008

마이클 린버그, 유혜경 역, 《너만의 명작을 그려라》, 한언, 2002

마틴 루터 킹, 이순희 역, 《나에게는 꿈이 있습니다》, 바다, 2001

마틴 메이어, 조재현 역, 《교육전쟁, 한국 교육을 말하다》, 글로세움, 2010

막스 갈로, 임헌 역, 《나폴레옹》, 문학동네, 2003

모리아 히로시, 박화 역, 《중국 3천 년의 인간력》, 청년정신, 2004

모리야 히로시, 박연정 역, 《성공하는 리더를 위한 중국고전 12편》, 예문, 2002

미타라이 후지오, 장치수 역, 《캐논에서 배워라》, 일본경제신문사, 2002

미하이 칙센트미하이, 이희재 역, 《몰입의 즐거움》, 해냄, 2007

베라 홀라이터, 김진아 역, 《서울의 잠 못 이루는 밤》, 문학세계사, 2009

스티븐 맨스필드, 김정수 역, 《윈스턴 처칠의 러더십》, 청우, 2003

스티븐 코비, 김경섭 역, 《성공하는 사람들의 7가지 습관》, 김영사, 2003

슬라보예 지젝 외, 이운경 역, 《매트릭스로 철학하기》, 한문화멀티미디어, 2003

시오노 나나미, 오정환 역, 《마키아벨리 어록》, 한길사, 1996

시오노 나나미, 한성례 역, 《또 하나의 로마인 이야기》, 부엔리브로, 2007

아우구스티누스, 최민순 역, 《아우구티누스 고백록》, 바오로딸, 2007

아프사니 나하반디, 박홍식 역, 《리더십, 과학인가 예술인가》, 선학사, 2002

알베르트 아인슈타인, 김기선 역, 《아인슈타인의 나의 세계관》, 중심, 2003

앤드루 카네기, 박상은 역, 《성공한 CEO에서 위대한 인간으로》, 21세기북스, 2005

앤드류 로버츠, 이은정 역, 《CEO 히틀러와 처칠 리더십의 비밀》, 휴먼북스, 2003

앤드슨 에릭슨, 《케임브리지 편람》, 2006

앨빈 토플러, 유재천 역, 《제3의 물결》, 학원사, 1992

에드워드 윌슨, 최재천 역, 《통섭》, 사이언스북스, 2005

여명협, 신원봉 역, 《제갈량 평전》, 지훈, 2007

오런 해러리, 안진환 역, 《콜린 파월의 행동하는 리더십》, 교보문고, 2004

워렌 베니스 외, 《워렌 베니스의 리더와 리더십》, 황금부엉이, 2005

워렌 베니스 외, 최종옥 역, 《퓨처 리더십》, 생각의나무, 2002

워렌 베니스, 김원석 역, 《워렌 베니스의 리더십 기술》, 좋은책 만들기, 2003

자넷 로우, 김광수 역, 《나는 CNN으로 세계를 움직인다》, 크림슨, 2004

자넷 로우, 신리나 역, 《신화가 된 여자 오프라 윈프리》, 청년정신, 2002

잭 웰치, 김주현 역, 《잭 웰치-끝없는 도전과 용기》, 청림, 2001

제인 넬슨, 조형숙 역, 《넘치게 사랑하고 부족하게 키워라》, 프리미엄북스, 2001

제임스 노엘 외, 한근태 역, 《리더십 파이프라인》, 미래의 창, 2008

제임스 C. 헌터, 김광수 역, 《서번트 리더십》, 시대의 창, 2004

제임스 C. 홈스, 이채진 역, 《링컨처럼 서서 처칠처럼 말하라》, 시아, 2003

제임스 M. 쿠제스 외, 김원석·함규진 역, 《리더십 챌린지》, 물푸레, 2004

제임스 M. 쿠제스 외, 송경근 역, 《리더십 불변의 법칙 5》, 한언, 1998

조나단 B. 와이트 지음, 안진환 역, 《애덤 스미스 구하기》, 생각의나무, 2003

조지 베일런트, 이덕남 역, 《행복의 조건》, 프런티어, 2009

존 나이스비트 외, 김홍기 역, 《메가트랜드》, 한국경제신문사, 2009

존 로크, 박혜원 역, 《교육론》, 비봉, 2014

존 맥스웰, 강준민 역, 《리더십의 법칙》, 비전과 리더십, 2003

존 클레먼스 외, 이용일 역, 《위대한 리더십》, 현대미디어, 2000

존 탬플턴, 남문희 역, 《열정》, 거름, 2002

중국사학회, 강영매 역, 《초각박안경기》, 범우사, 2007

증선지, 임동석 역, 《십팔사략》, 동서문화사, 2009

지그 지글러, 성공가이드센터 역, 《정상에서 만납시다》, 산수야, 2005

찰스 C. 맨즈, 이종인 역, 《예수의 비즈니스 리더십》, 해냄, 2000

크리스토퍼 핫지키슨, 안성호 역, 《리더십 철학》, 대양문화사, 1990

클라우제비츠, 권영길 역, 《전쟁론》, 하서, 1973

키스 소여, 이호준 역, 《그룹 지니어스》, 북섬, 2008

데이비드 레이놀즈, 이종인 역, 《정상회담》, 책과 함께, 2009

토마스 G. 크레인, 김환영 역, 《코칭의 핵심》, 예토, 2008

톨스토이, 유명우 역, 《톨스토이 인생론-인생을 어떻게 살 것인가》, 아이템북스, 2010

톰 모리스, 성시중 역, 《성공하려면 하고 싶은 대로 해라!》, 한국언론자료간행회, 1995

프란스 요한스, 김종식 역, 《메디치 효과》, 세종서적, 2005

프랭크 퓨레디, 정병선 역, 《그 많던 지식인은 다 어디로 갔는가》, 청어람미디어, 2005

피터 클라인 외, 황태호 역, 《살아있는 조직 만들기》, 초당, 1996

피터 센게 외, 박광량 역, 《학습조직의 5가지 수련》, 21세기북스, 1996

피터 콜리어 외, 함규진 역, 《록펠러가의 사람들》, 씨앗을 뿌리는 사람들, 2004

한비자, 신동준 역, 《한비자》, 학오재, 2015

허브 코헨, 강문희 역, 《협상의 법칙》, 청년정신, 2004

호사카 유지, 《조선 선비와 일본 사무라이》, 김영사, 2007

황건, 장세후 역, 《고문진보》, 을유문화사, 2007

외국문헌

Bass, B. M., "Leadership and Performance Beyond Expectations", New York, Free press, 1985

Bass, B. M., "Bass and Stogdill's Handbook of Leadership", New York, Free Press, 1990

Bass, B. M., "Multifactor Leadership Questionnaire Form-5 Revised", New York, State University of New York, 1998

Berman, F. E. and Miner, J. B., "Motivation to Manage at the Top Executive Level: A Test of the Hierarchic Role-Motivation Theory", Personnel Psychology, vol.38, 1985

Bryman, A., Stephens, M. and Compo, C., "The Impotence of Context: Qualitative Research and The Study of Leadership", Leadership Quarterly, vol.7, 1996

Burns, J. M., "Leadership", New York, Harper & Row, 1978

House, R. J., "A 1976 Theory of Charismatic Leadership", South Illinois University Press, 1977

Kochan, T. A., Schmidt, S. M. & DeCotiis, T. A., "Superior-Subordinate Relations: Leadership and Headship", Human Relations, 1975

Misumi, J. and Peterson, M., "The Performance-Maintenance(PM) Theory of Leadership: Review of a Japanese Research Program", Administrative Science Quarterly, Vol.30, 1985

Peters, T. J. and Waterman, R. H. Jr., "In Search of Excellence", New York, Warner Books, 1982

Yukl, G. A., Leadership in Organization, Englewood Cliffs, Prentice-Hall, 1981

Philip R. Popple and Leslie Leighninger, Social Work, Social Welfare, and American Society(Boston: Allyn and Bacon, 2002

올바른 '인성人性'의 힘으로
힘차게 도약하는
대한민국에 행복 에너지가 팡팡팡
샘솟기를 기원합니다!

권선복
(도서출판 행복에너지 대표이사, 한국정책학회 운영이사)

　삶을 성공으로 이끌기 위해 반드시 갖춰야 할 것들이 있습니다.
끊임없이 샘솟는 열정, 지침 없는 도전, 한결같은 긍정 마인드, 늘 배
움을 마다하지 않는 수학修學의 자세 등은 성공을 향하는 길로 인도
하는 이정표라 할 수 있습니다. 그중에서도 가장 중요한 것은 바로
'인성人性'이 아닐까요? 위에 열거된 사항들이 '올곧은 인성' 아래에서
하나로 어우러져야만 비로소 진정한 의미의 성공을 성취할 수 있습
니다. 아무리 커다란 권력과 부를 쌓더라도 잘못된 인성 때문에 한순

간에 나락으로 떨어지는 사람들을 보곤 합니다. 진정한 성공과 그에 따르는 행복이란 인성이라는 탄탄한 디딤돌 위에서만 이루어짐을 알 수 있습니다.

책 『인성교육학-이것이 인성이다』는 5천 년 역사 지혜에서 끌어올린 '한국형 인성교육해법'을 담고 있습니다. 선비의 나라, 동방예의지국으로 불리어 온 대한민국은 현재 인성의 훼손과 실종으로 인해 크고 작은 문제에 직면해 있습니다. 저자 최익용 박사는 이 위기를 타파하는 데 힘을 보태고자 평생의 연구를 한 권의 책으로 엮어 세상에 선보였습니다. 이미 강단에서 리더십, 역사, 행정학, 북한학 등을 가르쳐 온 저자의 열정과 노고가 책 곳곳에서 빛을 발합니다. 다양한 사례와 인용, 실증을 바탕으로 내용의 신뢰도를 높였으며 우리나라 실정에 가장 알맞은 인문교육서의 면모를 여실히 증명하고 있습니다.

사실 인성 문제가 대두된 지는 제법 시간이 흘렀습니다. 그리고 우리나라만이 아닌, 세계 곳곳에서 인성 문제가 하나의 이슈로 떠오르는 상황입니다. 결국 인성의 실종과 훼손은 현대사회의 병폐라고 볼 수 있습니다. 기계화, 자동화가 가속되어 우리의 삶은 더욱 편안해졌지만 개인의 정신은 점점 고립되고 자극적인 것만을 찾아 헤매고 급기야 회복될 수 없을 만큼 병들어 갑니다. 어쩌면 인성의 회복이야말로 인류 전체의 평화와 행복을 위해 가장 시급한 문제일지 모릅니다.

얼마 전 '알파고'를 통해 전 세계의 주목을 받았던 인공지능 문제는 좋은 예라 할 수 있습니다. 고도로 발달된 인공지능은 인간의 생활을 편리하게 해주고 생명을 연장시켜 줄 것으로 기대되지만 누군가 잘못된 인성으로 이를 악용할 경우, 인류는 파멸을 맞을지 모른다는 경고는 전 세계인의 마음을 불안하게 만들었습니다.

세계 곳곳에서 벌어지는, 끔찍한 테러 또한 인성과 깊은 관련을 맺고 있습니다. 오로지 자신들만의 이익을 추구하고 이를 관철시키기 위해 타인의 생명을 눈 하나 깜짝하지 않고 빼앗는 악의 세력들이 인류를 공포로 몰아넣고 있습니다. 과연 제대로 된 인성 교육이 이루어졌다면 그들이 벌이는 테러들이, 무고하게 죽어가는 사람들이 조금이라도 줄어들지 않았을까요?

저자는 "우리는 급변하는 세계와 지역정세 속에서 나라의 안보와 경제의 지속적인 성장을 확보하기 위해 인성교육을 국가 제1의 정책으로 국운을 걸고 적극 추진해야 할 것이다. 동방예의지국의 나라로 반드시 돌아가, 초일류 통일 선진강국을 이룩하여 인류평화와 발전에 기여하는 자랑스러운 대한국인大韓國人이 되어야 한다."고 강조합니다. 남다른 혜안으로 인류가 직면한 문제를 꿰뚫어 보고 대한민국이 선결해야 할 문제와 그 해답을 이 책을 통해 제시한 것입니다. 그 누구보다 나라를 아끼는 저자의 뜨거운 애국 충정에 큰 응원의 박수를 보내오며, 이 책이 대작으로 거듭날 것을 믿어 의심치 않습니다.

지금 당장 주변을 돌아보시기 바랍니다. 한 개인의 잘못된 인성으로 인해 그 주변 사람들이 불행해지는 사례를 쉬이 찾아볼 수 있을 것입니다. 그리고 잘못된 인성으로 인해 자신의 생마저 돌이킬 수 없을 만큼 절망으로 내던지는 이들 또한 적지 않습니다. 행복지수는 최하위, 자살율은 최상위라는 오명을 대한민국이 언제까지 뒤집어쓰고 있을 수는 없습니다. 특히, 이러한 문제의 해결책은 나라의 미래를 짊어진 젊은이들에게 달려 있다고 할 수 있습니다. 그들이 제대로 된 인성교육서를 통해 제대로 된 가르침을 받을 수만 있다면 전 세계에서 그 어느 나라보다 '국민이 행복한 나라 대한민국'으로 분명 발돋움할 수 있을 것입니다.

"우리가 바라는 인성교육의 결실은 우리 국가, 그리고 사회가 정의롭고 행복하게 인간다운 삶을 성취하게 하는 것이다."라는 저자의 말처럼, 수많은 청소년과 청년들이 『이것이 인성이다』를 통해 올바른 인성을 함양하여 대한민국의 미래를 희망과 행복으로 이끌어 가길 기대해 봅니다. 또한 이 책을 읽는 모든 독자분들의 삶에 행복과 긍정의 에너지가 팡팡팡 샘솟으시기를 기원드립니다.

책장 속의 키워드
윤슬 지음 / 값 15,000원

『책장 속의 키워드』는 책이 한 사람의 인생을 얼마나 긍정적으로 뒤바꿀 수 있는 지를 다양한 베스트셀러와 스테디셀러를 통해 전하고 있다. 오랫동안 수많은 이 들에게 사랑받은 책들을 중심으로 주요 문구와 내용을 살펴보며 '자신이 원하는 방향으로, 자발적으로 삶을 이끄는 방안'을 상세히 소개한다.

실패의 기술
김우태 지음 / 값 17,000원

책 『실패의 기술』은 자기 자신을 운영하는 생각의 자세와 프레임과 조건과 마음 의 한계를 초월하게 하는 질문들을 쉴 새 없이 독자에게 던진다. 저자가 오랜 시 간 연구해 온 NLP(neuro-linguistic programming: 신경언어프로그래밍)를 일반 인들이 이해하기 쉽게 풀이하여 실전적 자기계발서로서의 가치를 높이고 있다.

나목
박태진 지음 / 값 15,000원

책 『나목』은 세상을 따사로이 바라보는 농사꾼의 삶의 태도와 땀구슬 가득한 전 원생활이 담긴 시집이다. 자연의 거대한 힘에 순응할 수밖에 없는 인간 본연의 운명을 아름다운 시편으로 풀어내고 있다.

범죄의 탄생
박상용, 조정아 지음 / 값 15,000원

이 책은 대한민국을 떠들썩하게 했던 주요 사건들을 종류별로 면밀히 분석하여 우리 사회의 흉측한 민낯을 통렬히 고발함은 물론 적절한 대응방안과 해결책을 제시한다. 이제 일상은 더 이상 안전하지 않으며 범죄와의 전쟁에서 승리하기 위 해 우리 사회와 국민 개개인이 취해야 할 자세는 무엇인지를 짚어 내고 있다.

둥지 위에 매미
정광섭 지음 / 값 15,000원

『태양과 그늘』이라는 베스트셀러를 낸 바 있는 '정광섭' 작가의 이번 소설은 혼돈과 불안의 시대를 살아가는 현대인들에게 한 줄기 위로와 감동의 메시지를 전한다. 시련 앞에서의 딸, 병마 앞에서의 딸, 그 모습을 바라만 볼 수밖에 없는 현실… 자식을 향한 부모의 사랑이 얼마나 위대한지를 독자 스스로 뒤돌아보게 한다.

숲에서 긍정을 배우다
임휘룡 지음 / 값 15,000원

『숲에서 긍정을 배우다』는 도시로 스며드는 아름다운 자연이 우리의 삶을 어떻게 긍정적으로 변화시키는지에 대해 이야기한다. 숲에서 배우는 삶의 지혜, 긍정 마인드를 북돋우는 좋은 글 등이 함께 소개되어 다양한 읽을거리를 제공하고 책의 가치를 더욱 높이고 있다.

청춘이고 싶다 청춘이 아니어서
정철수 지음 / 값 15,000원

책 『청춘이고 싶다 청춘이 아니어서』는 우리 대한민국이 현재에 이르기까지 온갖 열정을 다해 삶을 살아온 베이비부머 세대의 추억과 희로애락을 담고 있다. '철수와 영희'로 대변되는 어린 시절의 기억에서부터 시작하여 청년을 거쳐 중년에 이르기까지, 대한민국의 역사와 그 궤를 함께한 자신들의 성장과정을 생생히 그려낸다.

취준생에서 CEO까지!
양형남 지음 / 값 15,000원

『취준생에서 CEO까지』는 취업이라는 현실과 명확하지 않은 꿈 사이에서 갈피를 못 잡고 우왕좌왕하는 젊은이들은 물론 날로 각박해지는 삶의 무게에 힘겨워하는 중장년층까지 꼭 필독해야 할 깨우침을 담고 있다. 현실에 대한 명확한 인식과 미래에 대한 구체적인 설계를 돕는 인생 경영서이다.

50년 호텔&리조트 외길인생
나승열 지음 / 값 15,000원

책 『50년 호텔&리조트 외길인생』는 평생을 호텔&리조트 사업에 바쳐온 관광 분야의 전문가이자 산증인이 전하는 우리 관광업계의 과거와 미래, 비전과 희망에 대해 담고 있다. 우리 관광 역사의 뒷이야기는 물론, 날카로운 혜안으로 빚어낸 칼럼들은 충분히 한 권의 사료史料로서 빛을 발하고 있다.

그대로 정원
김미희 글, 장나무별 사진 / 값 15,000원

『그대로 정원』은 전원생활과 정원 가꾸기에 대한 60여 편의 이야기와 140장의 사진을 담고 있다. 2천 평에 이르는 거대한 정원이 그 자체로 아름다운 삶이 되는 과정을 생생히 묘사하고 있다. 현대인들의 따뜻한 봄비처럼 적시는 글과 사진들은 현대인들의 삶에 소중한 선물이 되어줄 것이다.

행복마법
S. Ren Yuk 지음 / 값 13,800원

책 『행복마법』은 다양한 키워드를 통해 행복에 대해 정의를 내리고 어떻게 하면 행복하게 살아갈 수 있는지에 대해 소개한다. 사랑, 연애, 인생, 외모, 나이, 품덕, 지혜, 쾌락 등 우리가 늘 고민하는 가치들을 자세히 살펴보고 일련의 알고리즘을 통해 어떻게 행복한 삶이 완성되는지 설명하고 있다.

역동적 거버넌스
Boon Siong Neo, Geraldine Chen 지음 / 값 33,000원

책 『역동적 거버넌스』(Dynamic Governance)는 세밀하고 결정적인 정부의 도전적 과제들을 다루고 있다. 이 책은 정부가 어떻게 좋은 결정을 하고, 그것을 실행하고, 그리고 위기를 초래하지 않으면서도 수정할 수 있는가에 대해 싱가포르의 사례를 통해 제시한다.